Roman Fantastique

幻想と怪奇

11

ウィアード・ヒーローズ

冒険者、魔界を行く

新紀元社

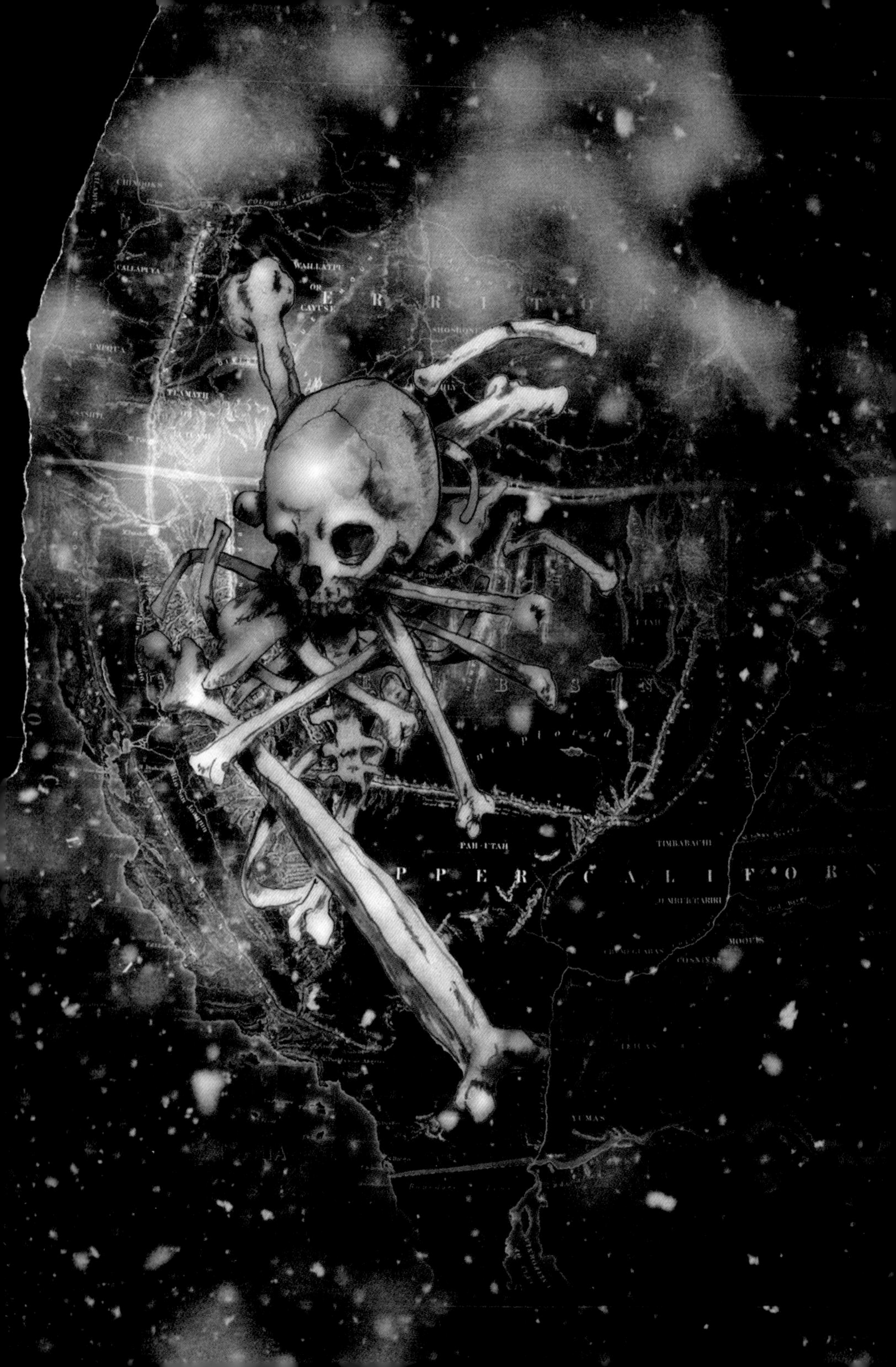
WAILLATPU
OR
CAYUSE
PAH-UTAH
TIMBABACHI
YUMAS

A Map of Nowhere

Illustrated by 藤原ヨウコウ

10「飢えた雪」のロッキー山脈南部

＊作品は222ページから

『ウィアード・テールズ』のヒーローたち

『幻想と怪奇』編集室

パルプマガジン『ウィアード・テールズ』（一九二三―五四）では、R・E・ハワードのコナン、C・L・ムーアのジレルなど、数多くのヒーローが活躍する幻想冒険譚が毎号の誌面を賑わせていた。本書収録の作家たちの作品を中心に、表紙を飾ったかれらの勇姿を御覧いただきたい。

前世紀の表紙画なだけに、現代の感覚とは異なるところもある。キャラクターのイメージが違う、とお思いになる向きもあるだろう。が、怪奇な冒険に躍る読者の心はいつの時代も変わらない。往時の読者の思いを、表紙画から感じていただければ幸いである。まずは、ヒロイック・ファンタシーから。

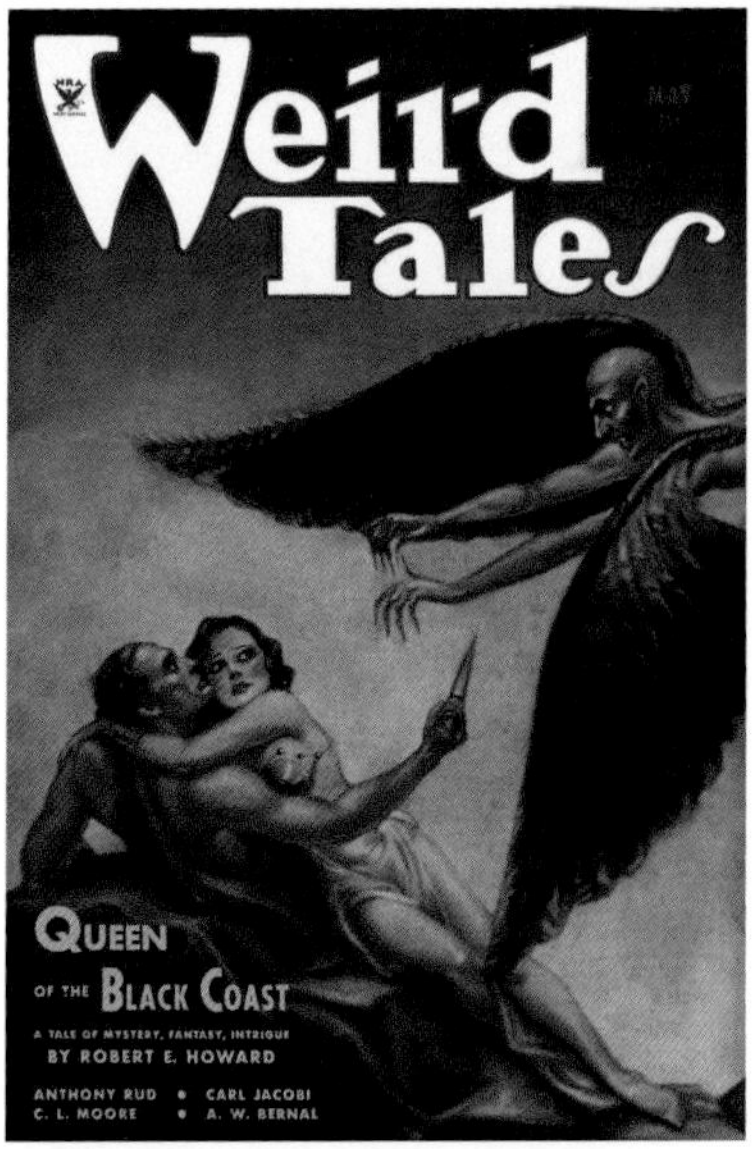

34年5月号　ハワード「黒い海岸の女王」
マーガレット・ブランデージ描くコナン

『コナンと黒い預言者』（Lancer, 66）
フランク・フラゼッタ画によるコナン

38年7月号　カットナー「ダゴンの末裔」
ヴァージル・フィンレイ画によるエラーク

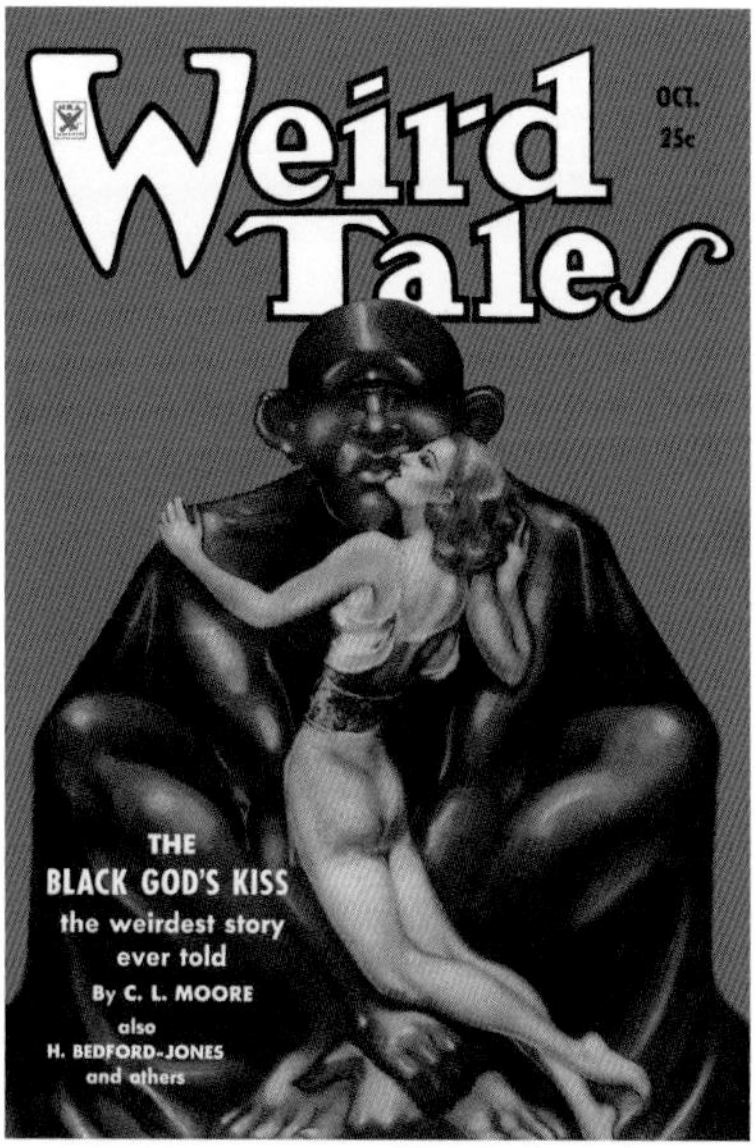

4年10月号　ムーア「暗黒神のくちづけ」
マーガレット・ブランデージ描くジレル

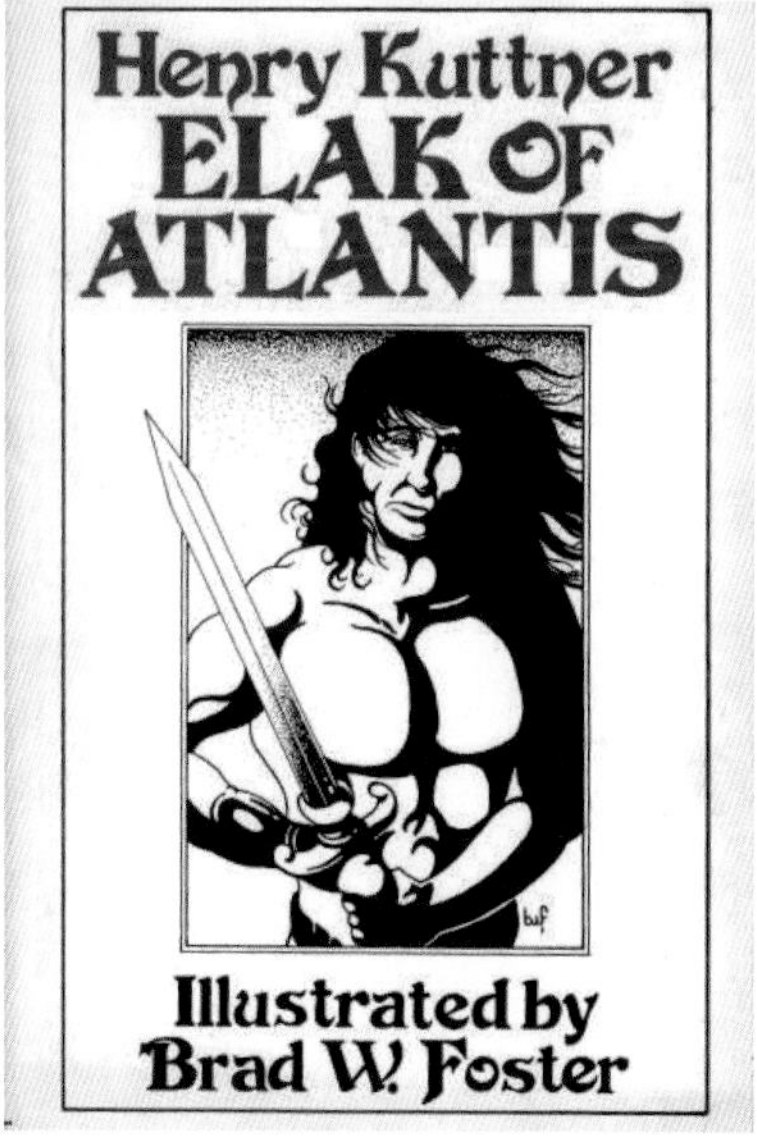

Elak of Atlantis (Gryphon Books, 1985)
B･W･フォースター画、モノクロでエラークを

Back God's Shadow (D.M.Glant, 77)
アリシア・オースティン描くジレル

ヒーローたちと怪人たち

『ウィアード・テールズ』に登場した幻想冒険小説、怪奇探偵小説で活躍したヒーローは、枚挙にいとまがない。ここでは、虎を養い親とする〝アジアのターザン〟タム、ハワードが創造した放浪の清教徒ソロモン・ケインらを紹介する。また、ヒーローのいるところ必ず悪漢《ヴィラン》あり。悪魔博士の奇怪な犯罪や、ずぶ濡れの肥大漢ダンプマンが起こす怪事件は、かつて邦訳もされた。WT連載時は表紙を飾ることのなかったハワードの「スカル・フェイス」は、他誌に一括採録時にその姿を現した。

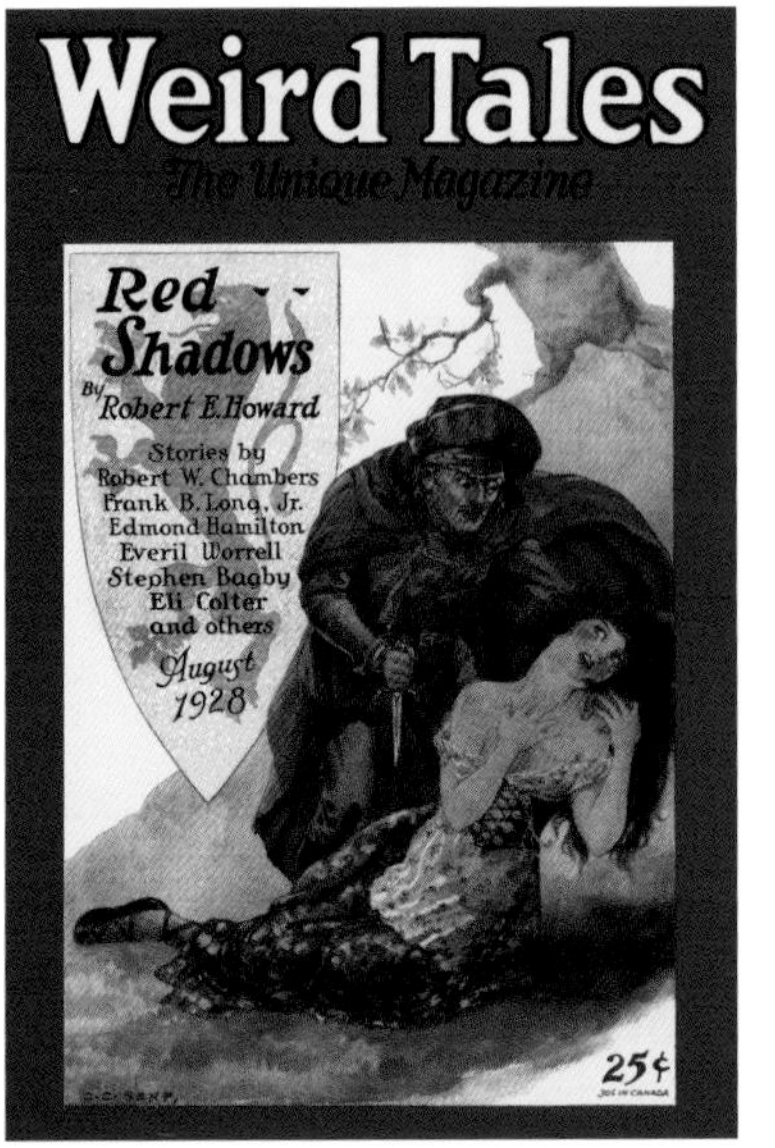

28年8月号　ハワード「血まみれの影」
C・C・センフ画。ソロモン・ケイン登場

31年9月号 クライン *Tam, Son of the Tiger*
センフ画。ターザン風の東洋冒険物語

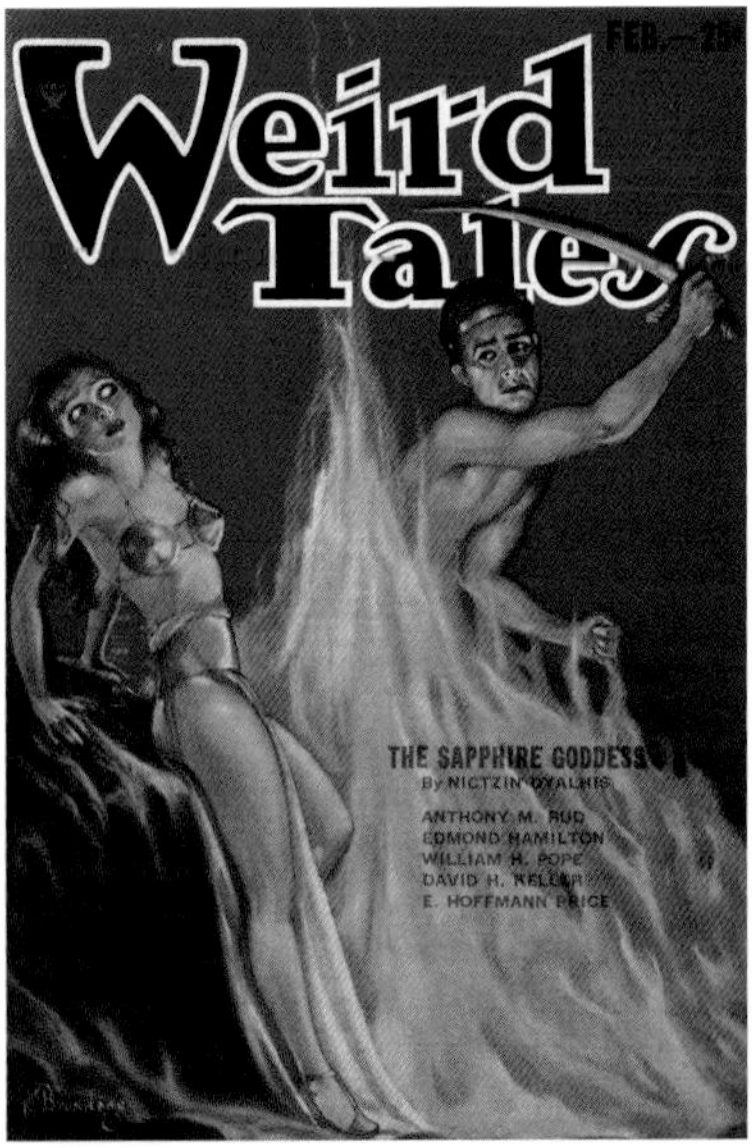

34年2月号　ダイアリス「サファイアの女神」
ブランデージ画。オクトランの王カラン

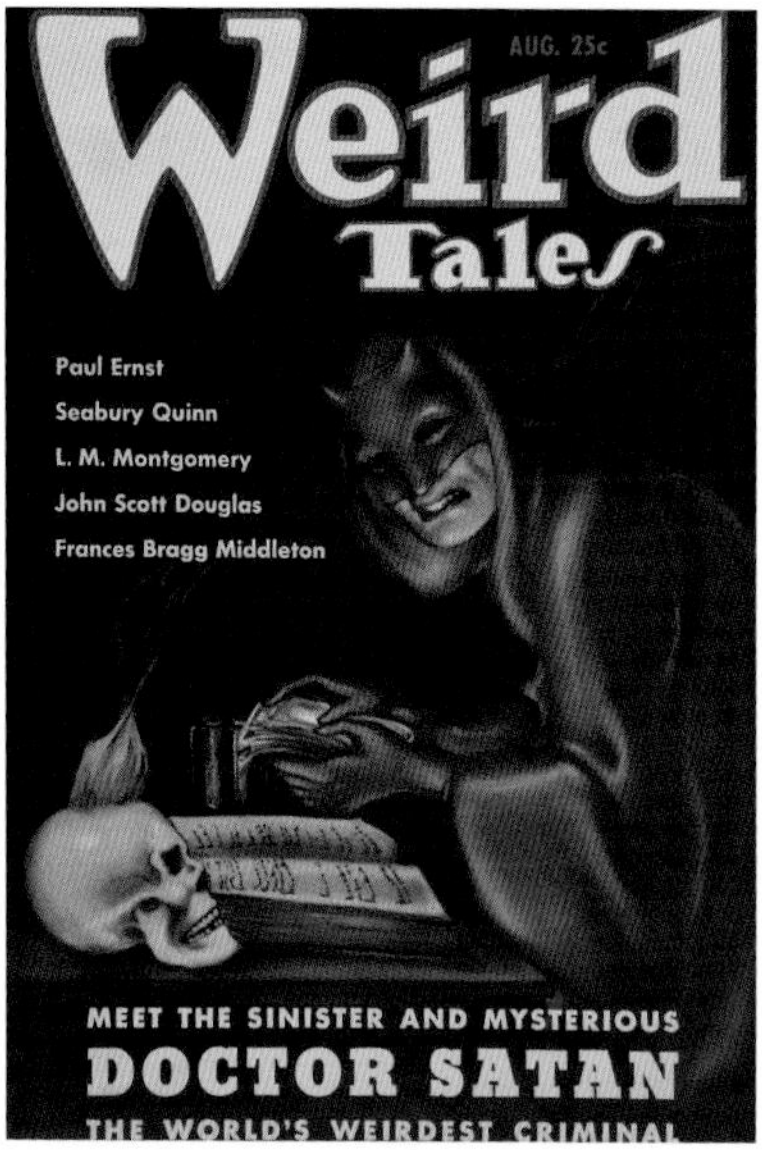

35年8月号　エルンスト「怪人悪魔博士」
ブランデージ画。怪犯罪者の暗躍はじまる！

35年5月号　リーヴ〝Death Cry″
ブランデージ画。科学探偵ケネディもＷＴに

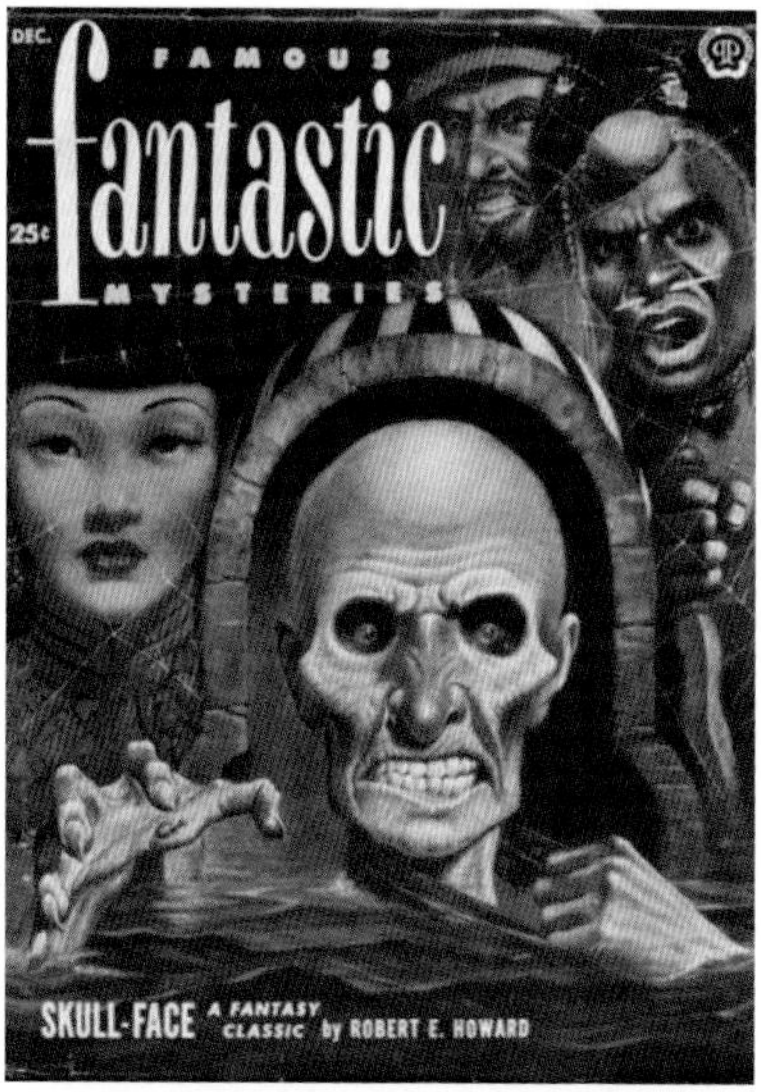

Famous Fantastic Mysteries 52年12月号
ローレンス画。ハワード「スカル・フェイス」
を一括再録

49年5月号 ハーディング〝The Damp Man Again″
Ｊ・ギュンタ画。怪人ダンプマン登場！

マーガレット・ブランデージ

『ウィアード・テールズ』の表紙画をもっとも多く手がけた画家、ブランデージについては、本書収録の宮壁定雄「ウィアード・テールズの女王」の御一読を。『幻想と怪奇7』でも、前ページまでにも彼女の表紙を取り上げているが、このページではWT初登場の一九三二年九月号と、東洋ファンタシー専門の姉妹誌『マジック・カーペット』より一点、さらに、カバー・ストーリーとしてもっとも多く組んだシーベリー・クイン「名探偵ド・グランダン」シリーズから一点を御覧いただきたい。

Magic Carpet 33年10月号
Oriental Storiesから改題後、五号を発行

37年1月号　クイン“Children of the Bat”

32年9月号　ブランデージ、WTに初登場

『ウィアード・テールズ』1932年11月号表紙（部分）アレン・セント・ジョン画

冒険者、魔界を行く

昨年刊行の『幻想と怪奇7　ウィアード・テールズ』では、アメリカで一時代を築いた幻想と怪奇のパルプマガジンを、看板作家だったH・P・ラヴクラフト、R・E・ハワード、C・A・スミスの作品を中心に御紹介しました。怪奇、冒険、恐怖、幻想――かの雑誌の多彩な魅力を伝えてみましたが、三十一年、通巻二百七十九号に及ぶ歴史の中では、御紹介もまだほんの一部。幸い、『幻想と怪奇7』は好評をもって迎えられたため、切り口を変えて、ここに第二集を企画しました。

　折しも『ウィアード・テールズ』に生まれた最も有名な主人公の冒険を網羅する《愛蔵版　英雄コナン全集》が刊行開始。さらに、ハワードに心酔する現代のパルプ作家J・R・ランズデールが『死人街道』のメーサー牧師ものの最新作を発表しました。そこで、本書ではテーマを「ヒーロー」として、ヒロイック・ファンタシーを中心にお届けします。蛮人コナンと人気を二分した猛き女公ジレルの活躍や、ハワードと共に雑誌の売り上げを伸ばしたシーベリー・クインの怪奇探偵譚など、パルプ・ヒーローたちの冒険をお楽しみください。（M）

幻想と怪奇11

ウィアード・ヒーローズ　冒険者、魔界を行く

目次

●The Bible and Bullets　聖書と銃弾

●Le forum du Roman Fantastique

表紙：ひらいたかこ（Pen Studio）

装丁：YOUCHAN（トゴルアートワークス）

『幻想と怪奇』題字：原田治

Sword and Sorcery 剣と魔法

バル・サゴスの神々

The Gods of Bal-Sagoth

ロバート・E・ハワード Robert E. Howard

野村芳夫 訳

ハワードが創造した数多いヒーローの中から、ここに紹介するのは、ターロウ・オブライエン。一一世紀のゲール人戦士にして、戦斧の使い手である。彼の登場作はこれまでに「暗黒の男」と「灰色の神が通る」が邦訳されている。本書が初訳となる本作は、「暗黒の男」の後日譚として書かれたものだが、『ウィアード・テールズ』ではなぜか同作より二カ月早く、一九三一年一〇月号に掲載された。

1 嵐の剣戟《けんげき》

稲妻でターロウ・オブライエンの目はくらみ、踏みしめた片足が傾く甲板の血糊のためにすべった。相撃つ剣の響きは、雷のとどろきにも劣らず、疾風怒濤のあいまに死の絶叫があがる。連続する稲妻の光に、朱《あけ》に染まった大の字の死体が浮かびあがり、接舷したヴァイキング船の尖った大型の舳先がそびえ立つ直下で、嵐の真夜中に大きな角《つの》をはやした悪鬼さながらの男たちがわめきつつ武器をふるっている。

勝負は急を告げ、形勢は絶望的だった。ターロウの前に、ひげ面の獰猛《どうもう》な男が一瞬の光に浮かびあがり、そいつの斧が顎の先をかすめた。閃光が消えて訪れた真っ暗闇のなかで、見えない一撃をくらって、ターロウの兜《かぶと》が頭から外れ、やみくもに打ち返した斧が敵の身体に沈んで、絶叫が聞こえた。ふたたび荒れ狂う空がぴかりと光ると、ゲール人のターロウは野蛮な面々に包囲され、剣戟のきらめきのただなかにいた。

　メインマストを背にしたターロウが、かわしたり突いたりしているとき、その大立ち回りのさいちゅうに、大《だい》音声《おんじょう》が耳を打った。その瞬間、妙になじみのある顔をした大男の姿をゲール人のターロウはちらりととらえた。そして唐突に、世界はすっぽりと闇にのみこまれた。

　意識はゆっくりもどってきた。ターロウが最初に気づいたのは、自分では止めようもなく、身体全体が規則的に揺れ動いているという事実だった。続いて、頭部に鈍痛を覚え、頭に手をもっていこうとした。そのとき、自分の手足が縛られているのに気づいた――まったく初めての経験というわけではないが。目が利くようになると、海賊たちに倒された彼は、ヴァイキング船のマストにくくりつけられていた。なぜ命を奪われずに済んだかは不明だった。なぜなら仮に法外者――氏族から除け者とされていることが海賊に知られていたなら、この地獄から彼を救い出すための身代金など、支払われるはずもないからだ。

　風はすっかりやんでいたが、うねりの激浪にもまれ、ヴァイキング船は渦巻きの底のような谷間から、泡立つ波頭へと木《こ》っ葉《ぱ》のように運ばれた。雲の切れ間から覗いた銀色の丸い月が、せり上がる大波を照らし出した。ゲール人のターロウはアイルランド島の荒れた西岸が見えるところに来ると、ヴァイキング船が操縦不能になっているのを悟った。航行に行き悩んで波の泡に船首を突っこみ、大波の頂点で傾いている。ここいらの南の海で荒れ狂う嵐は、ヴァイキングたちが頑丈に造った船だろうと破滅する充分な威力を備えている。

　ターロウが旅客として乗船していたフランス船は、やはり同じこの大風にあおられ、航路を外れてだいぶ南へ流されてしまった。昼夜を分かたず、船は盲目的に混沌の嵐にもてあそばれ、傷ついた鳥のように大荒れの波間を突進していた。おまけに、その凶悪な嵐のさなか、低く広いフランス船の上に尖った舳先が突如現われて、四《よ》爪錨《つめいかり》を深々と引っ架けてしまった。確かにこれらのヴァイキングたちは、人の心を持たない残忍なオオカミだった。嵐の恐怖と波浪のもとで、彼らは歓声をあげて猛攻撃をかけ、荒れ狂う空の怒りの権化となり、逆上するうねりに双方の船がのみこまれそうになりつつも、海のオオカミたちは凶暴性を最大限に発揮した――まことの海の申し子たち、そのもっとも激しい怒りは、そもそも自身の胸底から発しているのだ。戦いというより虐殺であり――ゲールすなわちケルト人でもあるターロウだけが、呪われた船の上にあって、ただひとり戦っていた――そしていま、彼は倒される寸前に垣間見た、妙に見覚えのある顔を思い浮かべた。誰だったか――？

「よう、勇敢なダルカシアン家の者よ、ひさしぶりじゃないか！」

　ターロウはせり上がる甲板に両足を踏んばって立つ、目の前の男を見つめた。六フィートを優に越えるターロウよりも、頭半分以上背が高い巨漢だ。足は列柱、腕は鉄のたがのはまったオークの丸太のようだ。金色の縮れたひげが両腕のいかつい腕輪に似合っている。小札鎧《こざねよろい》がいっそう好戦的に見せ、角つきの兜は身長をさらに高めている。しかし、ゲール人の不満げな青い瞳を見つめる、穏やかな灰色の眼に怒りの色はなかった。

「サクソン人の、アセルステインじゃないか！」

「そうとも――あんたにこの傷をもらってからずいぶん経った」巨漢はこめかみの薄く白んだ傷痕を指し示した。「おれたちには、夜の立ち回りがついてまわる運命らしい――最初に剣戟を交えたのは、トールフェルの館が燃えた夜だった。そのときはあんたの斧にやられたが、トールフェルにしたがった氏族にたったひとりで立ち向かい、ブロガーの率いるピクト人から、司祭の仲介もあっておれを助けてくれた。今夜はおれがあんたを倒した」彼が肩に吊った両手握りの大剣に触れると、ターロウは毒づいた。

「いや、おれをののしるな」アセルステインが苦々しげにいった。「どさくさまぎれにあんたを殺すことだってできたんだ――おれは刀のひらで打ったが、あんたたちアイルランド人がへらず口を叩くなら、両手で攻撃すればよかった。あんたは何時間も意識を失っていた。首領のロドブログは商船の残った乗組員と一緒にあんたを殺害しようとしたが、おれが命を助けた。だが、ヴァイキングたちは、あんたをマストに縛りつけておくという条件で、ようやく譲歩してくれたんだ。連中は昔からあんたを知っているからな」

「いまどのあたりにいる？」

「おれに訊くな。嵐で航路を遠く外れてしまった。船はスペイン海岸に向けて急ぎ航海していた。あんたの船が見えたとき、おれたちは略奪の機会を逃がさなかったが、分捕り品は充分ではなかった。いま船は未知の海流に乗って流されている。舵取りの長柄のオールが折れてしまい、船は操れない。おれたちは世界の果てへ向かっているのかもしれない。おれたちの仲間に加われ、そうすれば自由にしてやる」

「地獄の軍団に加われだって！」ターロウは噛みついた。「そんなまねをするぐらいなら、船と運命をともにして、このマストに縛られたまま、青い水底《みなそこ》で永《なが》の眠りについたほうがましというものだ。悔いが残るとすれば、すでに百人余りの海賊たちを煉獄に送ったが、もうこれ以上葬れないことだ！」

「ああ、そうかい」アセルステインは素知らぬ顔でいった。「人は食わねばならない――ほれ――手だけは自由にしてやる――さあ、この骨付き肉に噛みつけ」

　ターロウは頭を下げて肉塊にかぶりついた。しばしそれを眺めたサクソン人は、背を向けて去った。北の海賊仲間と一緒に略奪を繰り返すこのサクソン人の変節漢は不思議な男だとターロウは思った。戦いの場では野蛮な戦士だが、つるんでいる男たちとはちがい、彼の心情には思いやりがある。

　船は夜の海をあてどなくうろつき、もどってきたアセルステインは大きな角杯に入った泡立つエールを運んできて、また雲が湧き、海面は白波だらけだという事実を教えた。彼はターロウの手をほどいたままにしていたが、ゲール人の両足と身体はロープできつくマストにくくりつけられていた。海賊たちは囚人になんの関心も払わなかった。損傷した船が沈まないようにするだけで、彼らは精一杯だった。

　ついにターロウは、波間の上空の低い風音のうなりがときたま聞こえるのに気づいた。音は大きくなってとうとう鈍い耳のヴァイキングにすら聞こえるものとなり、船材でできた馬が拍車をかけられたように船はきしんで疾走した。魔法にかけられたがごとく夜明けの雲と稲妻があたりから消え去り、逆巻く荒々しい灰色の浪と長大な白波が真正面に見えた。激しく泡立つ岩礁の先に、明らかに島と思われる土地がぼんやりと現われた。波浪の音が耳をつんざくばかりに高まるさなか、ヴァイキング船は激流水域に入り、破滅に向かって突進した。首領のロドブログが長いひげを風になびかせて走り回り、拳を振りかざして無益な命令を怒鳴っているのを、ターロウは目にした。甲板を横切ってアセルステインが駆けつけた。

「誰にとっても、あまりチャンスはない」彼はゲール人のロープを切りながら叫んだ。「だが、あんたにもチャンスは平等であるべきだ――」

　ターロウはいましめを解き放った。「わたしの斧はどこだ？」

「そこの武具架にある。だが、トール神に誓って」サクソン人の巨漢は驚いた。「もう、そんなものは重荷になるだけだ――」

　ターロウが斧をつかむと、ワインのように自信が血流にみなぎり、細く優美な柄《つか》の、なじみ深い感触が得られた。斧は自分の右手同然の分身であり、死ぬときは斧を握って死にたい。彼は急いで腰帯に下げた。鎧のたぐいは虜《とりこ》になったとき、身ぐるみはがされてしまった。

「このあたりの海にはサメがいる」アセルスタインは自分の小札鎧を脱ぐ用意をしながらいった。「もし、泳ぐとしたら――」

　船が大音響とともに衝突してマストが折れ、舳先がガラスのように震撼した。尖った竜の船首が空高く上がり、甲板が傾いて海賊たちを引っくり返した。一瞬、船は停止し、生き物のように震えると、隠れた岩礁から滑り落ち、激しい泡のなかに突っこんだ。

　ターロウは甲板から遠くに飛びこみ、船から安全に離れた。彼は混沌にのみこまれ、つかのま波と競い、そして激浪が運んできた船の残骸につかまった。これによじ登ったとき、人体がぶつかってきて、沈んでいった。ターロウは海中に腕を深く突き入れ、剣帯をつかんでまにあわせの筏《いかだ》の上に持ち上げた。その瞬間、これがサクソン人のアセルスタインであるのがわかった。脱ぐ暇がなかった小札鎧が重い。なかば意識を失っているようだった。手足をだらりと伸ばして横たわっている。

　ターロウは混沌とした悪夢の激浪を通過したのを思い出した。潮流は船を引きちぎり、傷んだ船体を深みへ引きずりこみ、彼らを空に放り出した。ひたすら耐えて、運を待つしかない。そしてターロウはサクソン人をつかみ、べつの手で筏につかまっていたため、指がもげそうになった。何度となくくじけそうになったが、やがて奇跡的にやや穏やかな海面に出た。すると、ターロウは一ヤード向こうに水面を切って進む細い尾びれを見つけた。旋回している。ターロウは斧を抜いて一撃した。たちまち海は赤く染まり、しなやかな魚影が集まって筏を揺らした。サメは共食いになり、ターロウは両手でこいで、代用筏を足の届く浅瀬へと着けた。サクソン人をかかえるようにして岸へ歩いて渡ると、さしもの鉄人、ターロウ・オブライエンも疲れ切って倒れこみ、たちまち深い眠りに落ちた。

2　地底の神々

ターロウの眠りは短かった。目覚めると、朝日が海の端から昇ったばかりだった。ゲール人はまるで一晩中眠ったかのように元気を回復し、あたりを見まわした。広い白砂の渚がゆるやかな斜面をなしていて、なだらかに盛り上がる大きな樹木の一帯へと続いている。下ばえはなさそうだったが、太い幹が密集していて、ジャングルの奥は見通せなかった。アセルステインは海へと続く少し離れた砂州の上に立ちつくしていた。サクソン人の巨漢は大剣にもたれて、岩礁のほうを眺めている。

　岸に打ち上げられた死体が、海岸のあちらこちらに横たわっている。突然、満足のおめきがターロウの口からもれた。彼の足もとに、まさしく神々からの贈り物があった。ひとりのヴァイキングが死んで横たわっている。船が沈んだときに脱ぐまもなく兜から鎖帷子《くさりかたびら》まで着用しているのだが、ターロウはそれがほかならぬ自分のものであるのを認めた。ヴァイキングの背に紐で縛られた軽量の丸盾までも、彼のものであった。なぜ自分の装具がすべてひとりの男のものになっているのか、つかのまターロウは不思議に思ったが、死体から剥ぎとると丸い兜と黒い鎖帷子を身につけた。このように武装をととのえると、とがった目つきでアセルステインのもとに渚を歩んだ。

　彼が近づくと、サクソン人は振り返った。「ようこそ、ゲール人」彼はあいさつした。「ロドブログの船で生き残ったのはおれたちだけだ。飢えた緑の海は連中をみなのみこんでしまった。トール神に誓って、あんたに命を助けられた！　小札鎧の重さといい、手摺に頭をぶつけたことといい、あんたがいなかったらおれはサメの餌食になっていたにちがいない。いまではすべてが夢のようだ」

「わたしはあんたに命を助けてもらった」ターロウはうめいた。「そして、あんたの命を救った。貸し借りは清算された。だったら、剣を取って、決着をつけよう」

　アセルステインは見つめた。「おれと戦いたいのか？　なぜ――どうして――？」

「わたしはあんたたちの手合いが、悪魔と同じぐらい大嫌いだ！」ゲール人は燃える瞳に狂気をただよわせてわめいた。「おまえたちヴァイキングは、五百年にわたって、わたしたちの民族を略奪してきた！　南部地方の煙の上がる廃墟、血塗られた海が復讐を求めている！　強姦されたたくさんの娘たちの悲鳴が、昼も夜もわたしの耳に聞こえてくる！　北方の大地が仇敵の胸であるならば、わたしの斧で切り裂いてやるところだ！」

「だが、おれはヴァイキングじゃない」巨漢はわずらわしくなり、大声で叫んだ。

「そいつは恥の上塗りだ、変節漢め」狂気のゲール人はわめいた。「わたしに容赦なく切り殺されたくなかったら、自分の身を守れ！」

「釈然としないな」アセルスティンは強力な剣を振りかぶりながら抗議した。その灰色の眼に恐れはないが、真剣だった。「誰が見ても、あんたは正気じゃないぞ」

　必殺の技を繰り出そうとする男たちに言葉はもう不要だった。ゲール人はヒョウのように腰を落とし、燃える瞳で敵に近づいた。サクソン人は両足を広げて踏んばり、もろ手で剣を上段にかまえ、攻撃を待ちかまえた。ターロウの斧と丸盾に対し、アセルスティンの両手握りの剣の勝負、一撃でどちらかが倒れるだろう。二匹の大きなジャングルの野獣さながら、二人は隙を見せない必殺の勝負に入った。その瞬間――。

　ターロウの筋肉が緊張し、死を呼ぶ跳躍に入ろうとしたそのとき、恐ろしい音声が静寂を切り裂いた！　どちらの男も、ぎくりとしてひるんだ。彼らの背後の森の奥から、人間のものとは思われないすさまじい叫びが聞こえた。かん高いが、大きく強く尻上がりにさらに高まり、悪鬼の勝利の叫び、人間の獲物を前にしてほくそ笑む人食い鬼の雄叫びを思わせて、その最高潮に達して止んだ。

「トール神の血に誓って！」サクソン人が息を呑み、切っ先を下げた。「あれはなんだ？」

　ターロウは首を振った。さしもの鉄の神経もいささか震えた。「ここは奇妙な海に浮かぶ、奇妙な島だ。きっとサタンが領している地獄への門だ」

　アセルスティンは疑わしげだった。キリスト教徒よりは異教に染まっていて、彼の悪魔たちは、異教の悪魔だった。それでもやはり不気味だった。

「さあ」アセルスティンはいった。「なにがあったかわかるまで、仲たがいはおあずけにしよう。剣士はひとりより二人のほうがいい、良かれ悪しかれな――」

　荒々しい金切り声がして、彼は途中で話を止めた。今度は血も凍る恐怖と絶望に駆られた人間の声だった。同時に素早くぱたぱたと走る足音と、重たげな身体でどかどか急ぐ土音が樹木のあいだから聞こえてきた。戦士たちが音のするほうに向き直ると、暗い物陰から風に飛ばされる白い木っ葉さながらに半裸の女性が現われた。乱れた髪が金色の炎のように後方になびき、白い手足は朝日に輝き、常軌を逸した恐怖にその目は光っていた。そして、彼女のあとには――。

　ターロウさえその髪が逆立った。逃げる娘を追いかけるものは、人間でも、けだものでもなかった。かたちからすれば鳥に似ているが、こちらの世界ではすでに大昔からこのような鳥はいなくなっている。そびえ立つ上背は十二フィートほどもあり、邪悪な頭に禍々しい赤い眼が備わり、残忍なくちばしは大きく湾曲していて馬の首くらいある。たわんだ長い首は人間の太腿ほど太く、大きなかぎ爪のある足は、ワシがスズメをつかむように、逃げる女性に迫っている。

　ひと眼でそれだけ読み取ったターロウは、悲鳴をあげて渚に倒れこんだ餌食と、その怪物とのあいだに飛びこんだ。死の山さながら怪物は立ちはだかり、邪悪なくちばしが瞬時に降ってきた。それを受けて突き出した丸盾がへこみ、衝撃で彼はたたらを踏んだ。同時に彼も斧を撃ちこんだが、先端の尖った柔らかな羽の厚みに吸収されてしまった。ふたたびくちばしが彼を襲ったが、横っ飛びによけたので、間一髪で命拾いした。そこにアセルステインが駆けつけ、両足を踏んばり、もろ手に全体重をかけて大剣をふるった。強力な剣は樹木さながらの足の片方を膝下から剪断《せんだん》し、不気味で耳ざわりな叫びとともに怪鳥は片側に倒れ、重く短い翼を乱暴に震わせた。ターロウは斧の刃の逆側についた大釘を、燃える赤い両眼の中間に撃ちこんだ。すると大きな怪鳥は間欠的に足を痙攣させ、やがて動かなくなった。

「トール神の血に誓って！」アセルステインの灰色の眼は、戦いの興奮に輝いていた。「まさしくおれたちは、この世の果てに来た――」

「次のやつが出て来ないか、森を見張れ」ターロウはきっぱりいうと、なんとか立ち上がって息を切らしたまま、不思議そうに目を丸くしている女性に向き直った。素晴らしい娘だった。ほっそりして背が高く、手足はすらりとして均整がとれている。服といえば、わずかにシルクの切れ端が腰回りをかろうじて隠しているだけだった。しかし、肌もあらわな服のおかげで、この野蛮人は雪のように白い肌、乱れた髪は混じりけなしの金色、眼は灰色であるのがわかった。まるで何年ぶりかで話すかのように、彼女はスカンディナヴィアの言葉でつっかえながらあわてて喋《しゃべ》った。

「あなたたちは何者なの？　どこから来たの？　神々の島でなにをするつもり？」

「トール神の血に誓って！」サクソン人が野太い声でいった。「彼女は同じ種族だぞ！」

「わたしとはちがう！」ターロウはこの期におよんでも、ヴァイキングたちへの嫌悪を忘れず、きっぱりといった。

　娘は物珍しそうに二人を見た。「わたしが去ってから、世界はひどく変化したにちがいない」明らかに彼女はすつかり自分を取りもどしていった。「さもなければ、オオカミと野牛が一緒になって狩りをするわけがない。黒い髪からして、あんたはゲール人、そして、巨漢のほうは言葉のなまりからすると、サクソン人にちがいない」

「わたしたちは二人とも追放された人間だ」ターロウが答えた。「渚に死者が並んでいるのが見えるだろう？　嵐でここに運ばれてきたヴァイキング船に同乗していた乗組員たちだ。この男、アセルスティンはウェセックス出身、その船の剣士で、わたしは虜だった。わたしの名はターロウ・ダブ。かつてはオブライエン一族の族長だった。あんたは何者で、ここはどんな島なのだ？」

「ここは世界最古の土地よ」娘は答えた。「ローマ、エジプト、契丹《きったん》も、こことくらべれば赤ん坊ね。わたしはオークニー諸島のレーン・トーフィンの息子がもうけた娘、ブリュンヒルド。何日かまえまで、この太古の王国の女王だった」

ターロウは疑わしげな視線をアセルスティンに向けた。どうも妖術の気配がある。

「あんなものを見せられたあとでは」巨漢が太い声でいった。「なんでも信じてしまいそうだ。しかし、あんたはほんとうに、レーン・トーフィンの息子のかどわかされた娘なのか？」

「そうよ！」娘は叫んだ。「わたしだわ！　狂人トスティグがオークニー諸島に侵入したときにわたしはさらわれ、レーン不在中の農場を焼かれた——」

「それからまもなく、トスティグはこの地上——また海上からも消されてしまった！」アセルスティンが口をはさんだ。「あいつはまさに狂人だった。何年もまえ、おれがまだ若造のときに、彼と一緒に船に乗り、海賊行為を繰り返した」

「そして、彼の狂気が、わたしをこの島に捨て去った」ブリュンヒルドが答えた。「イングランドの海岸を荒らしまわったあと、あの狂人は未知の海を目指し——南へ、南へ、さらに南下を重ねて、ついには配下の獰猛なヴァイキングたちから不平がもれた。そして、嵐に遭遇し、島の反対側の岩礁に引き寄せられた。あなたたちのヴァイキング船が昨夜壊れたように、ばらばらになってしまった。トスティグをはじめ、配下の屈強な男たちは波浪に溺れ死んだが、わたしは船の破片につかまり、神々の気まぐれにより、半死半生で岸に打ち上げられた。十五歳のとき、十年前の出来事だった。

わたしはこの地に住む奇妙で恐ろしい人々、魔術の奥義に通じた褐色の肌の民族と出会った。海岸で意識を失っているわたしを発見すると、人々ははじめて白い肌の人間を見たので、神官たちは彼らが崇拝する海がもたらした女神であると予言した。それでわたしは神殿に運ばれ、見知らぬ神々とともに崇拝の対象となった。そして高位の神官、老ゴーサン――その名は呪われよ！――がわたしに多くの不気味なことを教えた。わたしはすぐに彼らの言葉を覚え、神官の秘密もたくさん学んだ。そして一人前の女性へ成長したわたしのなかに権力欲が生まれてきた。というのも、スカンディナヴィアの人間は、全世界の民族を支配することになっているから、海王の娘にとって、神殿におとなしく坐り、果実や花や人間のいけにえを受けているのは本意ではなかった！」

彼女は目を輝かして、つかのま言葉を切った。まさしく彼女は自称するところの苛烈な民族にふさわしい娘に見える。

「それで」彼女は続けた。「わたしを愛した人がいた――若い族長のコタールだった。わたしは彼とはかりごとをめぐらせ、老ゴーサンのくびきから逃れるため、ようやく立ち上がった。策略と逆計、陰謀、叛乱、まさに血の殺戮の動乱期だった！　男も女もハエのように死に、バル・サゴスの街路は赤く染まった――しかし、わたしたち、コタールとわたしはついに勝利を収めた！　怒りの王朝は終わりを告げ、血と憤怒の夜、わたしは神々の島の最高権力者、女王にして女神の座についたのです！」

彼女はすっくと立ち、美しい顔が強烈な誇りに輝き、胸をそらした。ターロウは魅了されながらも反発を感じた。彼は支配者の盛衰を見てきたし、彼女の簡略な説明に流血と殺害、冷酷さと裏切りを読み取り――妙に老成した娘に内在する苛烈さを感じた。

「しかし、もしあんたが女王だったなら」彼はたずねた。「どうして逃げ出した下女のように自分の領地の森で、狩りたてられていたのだ？」

ブリュンヒルドは怒りをこらえて唇を噛み、頬を紅潮させた。「その地位を問わず、すべての女性を破滅させるものはなに？　わたしは愛する男――コタールを信じ、ともに国を支配した。わたしは裏切られた。わたしに次ぐ、王国の最高位に彼を登用したのに、彼はひそかにべつの娘を愛した。わたしは二人を殺した！」

ターロウは冷ややかな笑みをうかべた。「あんたは復讐の女、ブリュンヒルダの伝説そっくりだ。そして、どうなった？」

「コタールは人々に慕われていた。老ゴーサンは人々を扇動した。わたしの最大の誤りは、あの老人を生かしておいたことだ。わたしには彼を殺害する勇気がなかった。ともかく、わたしが彼に対して蜂起したようにゴーサンは叛乱を起こし、それに呼応した戦士たちは、わたしの忠実な兵士たちを殺害した。彼らはわたしを虜にしたが、殺すことはできなかった。なぜなら、人々に女神として信仰されていたからだ。そのため、ふたたび人心が離れ、わたしが権力を回復するのを恐れたゴーサンは、夜明け前、島を二分する礁湖《ラグーン》に連れ出させた。神官たちはボートをこいでラグーンを渡り、裸で無力なわたしを運命にゆだねて置き去りにした」

「その運命の結果が――これか？」アセルスティンが、足で巨鳥の死骸に触れた。

　ブリュンヒルドは身震いした。「伝説によると、太古の昔、この島にはこんな怪物たちがたくさんいたらしい。バル・サゴスの人々は食われて多くの人命を失いながらも、激しく戦った。そしてついに島の主要部では怪物を全滅させ、ラグーンのこちら側でも何世紀も生き続けたこの一頭を残すのみになった。古来、たくさんの男たちが挑戦したにもかかわらず、もっとも大きなこの怪鳥はどんな相手も倒してしまった。そのため神官たちはこの鳥を神に祭り上げ、島のこちら側を放棄してしまった。人身御供として連れてこられる人――わたしのように――以外には、ここには誰も来ない。怪鳥は島の主要部へは渡れない。なぜなら、ラグーンには大きなサメが回遊しており、怪鳥すら八つ裂きにされてしまうから。

　わたしは木陰に隠れてしばらく捕まらずにいたけれど、ついに見つかってしまって――あとはご存じのとおりよ。わたしは命を助けてもらいました。さて、わたしをどうするつもり？」

　アセルスティンがターロウを見ると、彼は肩をすくめた。「なにか手を打たないと、この森で飢え死にだ」

「ねえ、聞いて！」娘は鈴のような声で叫び、切れる頭を素早く回転させ、その目を輝かせた。「この地には古い伝説が流布されている――鉄の男たちが海からやってきてバル・サゴスの市は崩壊すると！　あなたたちは鎧兜《よろいかぶと》を着けているから、鎧などまるで知らない当地の人々は、すぐに鉄の男たちだとみなすでしょう！　あなたたちは鳥神グロス・ゴルカを殺した。わたしと同様、海から上がってきたので――人々は神とみなすでしょう。わたしに同行して、王国を再興する手伝いをしなさい！　わたしの片腕となれば、山ほどの栄誉を授けます！　見事な服、贅をつくした公邸、選び抜いた娘たちが、あなたたちのものになるのです！」

　彼女の約束事はターロウの心になんの印象も残さず消えてしまったが、狂気じみた雄図《ゆうと》は彼を魅了した。ブリュンヒルドから聞いた奇妙な都市はぜひ見てみたいし、二人の戦士とたったひとりの娘が王国全土を相手にして王位を狙うという考えは、遍歴の騎士の内心にひそむケルト魂を刺激するものだった。

「いいじゃないか」彼はいった。「あんたはどうだ、アセルステイン？」

「おれは腹ペコだ」巨漢が吠えた。「食い物のあるところに連れて行ってくれたら、神官や戦士たちの群のなかを進軍してやる」

「その都市に連れて行け！」ターロウはブリュンヒルドにいった。

「素晴らしい！」彼女は叫び、歓喜のあまり白い腕を高く振り上げた。「よし、ゴーサン、スカー、ゲルカを震え上がらせてやる！　あなたたちをしたがえて、わたしは奪われた王位に返り咲き、今度こそ敵を生かしておかない！　悪鬼たちが地の底をいくら揺るがそうと、老ゴーサンを一番高い胸壁から投げ落としてやる！　そして、ゴル・ゴロスの神が、グロス・ゴルカの足を剪断した剣に対抗できるか、見てやろう。さあ、この死骸の首をはね、あなたたちが鳥神を滅ぼしたのを人々に知らしめるのです。さっさとついてきて。太陽は昇り、わたしは今夜自分の宮殿で眠りたいから！」

三人は広く深い森に入った。枝が重層し、彼らの頭上数百フィートは、木漏れ日もわずかで怪しげだった。ときに華やかな鳥や大きな類人猿を見かけるのを除けば、生命は感じられない。ブリュンヒルドがいうには、これらの鳥やけものは太古の時代の生き残りであり、攻撃さえしなければ無害らしい。やがて下ばえの植生がいくらか変化し、木々はまばらで低くなり、枝に各種の果実が見られた。ブリュンヒルドは歩きながら戦士たちに、どれが食べられるか教えた。ターロウは果物にいたく満足したが、アセルステインは大量に口にしながら、物足りなさそうだった。胃に重いものばかりを食べている人間にとって、果物は軽かった。大食漢ぞろいの北欧のデーン人のなかでも、このサクソン人の牛肉やエールの健啖家ぶりは見事だった。

「見て！」ブリュンヒルドは鋭く叫んで立ち止り、指さした。「バル・サゴスの尖塔よ！」

戦士たちは木の間越しに白くおぼろげにきらめく塔を遠望した。現実とは思えない印象の胸壁が高く伸び、上空にふわふわした雲がただよっている。その光景はゲール人、ターロウの魂の深みにわだかまる奇妙な夢を呼び覚まし、アセルステインさえ異教的な美とその謎めいた情景に打たれて沈黙していた。

そうして彼らは森を進み、いったんは木の梢にさえぎられて遠くの都市を見失ったが、ようやくまた見えるようになった。そしてついに広く青いラグーンへと低く傾斜した堤に出ると、その視界に美しい風景が全面的に現われた。向こう岸ではゆるく長い傾斜をなして斜面がせり上がり、数マイル先の青い丘の連なりのふもとへと大きな波のようになって途切れている。丘は深い草や多くの木々におおわれ、左右何マイルにもおよんでこの島全土を囲んでいる、とブリュンヒルドが述べた深い森へと遠く消え去っている。そして、それらの夢見る丘にいだかれて、ときを超越したバル・サゴス市の白壁とサファイヤ色の塔が、朝の空にくっきりと建っていた。遠望すると、さながら幻影のようだった。

「戦い取る価値のある王国だと思わない？」ブリュンヒルドは通る声で叫んだ。「急いで——この乾いた木を結んで筏《いかだ》をつくりましょう。サメのいるこの海を泳げば食われてしまう」

その瞬間、対岸の深い草の陰から、人がさっと立ち上がった——褐色の肌をした裸の男で、つかのまぽかんと口を開けていた。やがて、アセルスティンが呼ばわってグロス・ゴルカの奇怪な首を持ち上げると、そいつは驚きの悲鳴を残し、アンテロープのように走り去った。

「わたしがラグーンを泳いでもどるのを警戒して、ゴーサンが見張りに残した奴隷だわ」ブリュンヒルドは腹立たしげに確信をこめていった。「勝手に市に走って通報するがいいわ——でも、わたしたちの通行を邪魔しようと、ゴーサンがやってこないうちに急ぎましょう」

ターロウとアセルスティンはすでに忙しくしていた。朽ち木がたくさんあったので、枝をはらってから、長いつるで結束した。短時間で筏が出来上がり、粗雑で不細工だったが、彼らを乗せてラグーンを渡る力はあった。対岸に上陸したとき、ブリュンヒルドはあからさまに安堵の溜息をついた。

「まっすぐ市へ行きましょう」と彼女。「奴隷はもう着いているでしょうから、彼らは城壁の上からわたしたちを見張っている。堂々と行くしか手はない。トール神の槌に誓って、二人の見知らぬ戦士と、人身御供にされるはずだったブリュンヒルドが、怪鳥の首とともにもどりつつあると奴隷から聞かされたときの、ゴーサンの顔が見たかったわ！」

「なぜ、女王だったときに、ゴーサンを殺さなかったのだ？」アセルスティンがたずねた。

彼女は首を振り、その目が恐怖の色を帯びて陰った。

「言うだけはたやすい。行うことよりずっと。ゴーサンに対する人々の好悪は相半ばするけど、恐怖は全員が例外なくもっている。市の最古老さえ、自分の幼児期には彼はすでに老人だったといっている。人々は彼を神官というより神だと思っていて、わたし自身、彼が通常の人間を超える恐ろしい神秘の技を使うのを見ている。

　それどころか、以前のわたしは彼のあやつり人形にすぎず、彼の不思議な技の一端に触れたにすぎないけれど、それでも血も凍る光景を目にした。わたしは真夜中の壁を行き来する奇妙な影を目にし、真っ暗な深夜の地下道を手探りで進んで邪悪な音を聞き、恐ろしい生き物の存在を感じた。一度はバル・サゴスの都市が建つ丘の地下深くにゴーサンが鎖でつなぎとめた名もなき怪物の、よだれまみれのうなり声を聞いている」

　ブリュンヒルドは身震いした。

「バル・サゴスにはたくさんの神がいるが、なかでもその最高神は影の神殿にとわに座している暗黒神ゴル・ゴロスだわ。わたしがゴーサンから権力を簒奪《さんだつ》したとき、人々にゴル・ゴロスへの信仰を禁止し、神官たちに唯一のまことの神、海の娘ア・アラ——わたしのことよ——を崇拝するよう命じた。わたしは屈強な男たちを動員して、ゴル・ゴロスの偶像に重い槌をふるわせたが、かえって槌のほうが不思議に傷つくばかり。ゴル・ゴロスは破壊不能で損なわれない。そこでわたしは思いとどまり影の神殿の扉を封鎖したが、わたしの権力がくつがえると扉は開かれ、都市の秘密の場所にこそこそ隠れていたゴーセンはふたたび姿を現わした。そして、ゴル・ゴロスはまた恐怖の治世をひき、ア・アラの偶像は海の神殿から投げ捨てられ、ア・アラの神官たちは暗黒神の前の祭壇で絶叫しながら、血まみれとなって死んだ。でも、これから目にもの見せてやる！」

「まさにあんたは神話のヴァルキューレそのものだ」アセルスティンはつぶやいた。「しかし、一国に三人で立ち向かうのは、あまりに分が悪い——とくに人々がみな魔術師や妖術師にちがいないようなこんなところでは」

「ばかな！」ブリュンヒルドはさげすんで叫んだ。「妖術師が多くいるのは事実だし、民衆は変わっている。でも、どこの国でも同じく、人々はだいたい、ただのばかものだわ。ゴーサンがわたしを虜にして街に引き出したとき、民衆はわたしに唾を吐いた。わたしの運勢の星がふたたび昇るならば、今度はゴーサンが新たな王として彼らにあたえたスカーを民衆が攻撃するかどうか見てやろう！　でも、いまは市の門に向かおう——油断なく、しかし大胆に！」

三人は長い斜面を登り、高だかとそびえる城壁の付近までやってきた。なるほど、この都市を建造したのは異教の神々だろう、とターロウは思った。城壁は大理石で造られているようで、格子模様の胸壁が備わり、ほっそりした見張りの塔が並ぶありさまは、ローマ、ダマスカス、ビザンティウムといった大都市の記憶さえ貧しく思わせる。白く広い道が低地から曲折しながら登って門の前の台地へと続き、上がってきた彼ら三人の冒険者は多数の隠れた強い好奇の目にさらされているのを感じた。まるで死んだ都市のように城壁には人けがないように思われる。しかし、見つめる視線の圧力は感じられた。

二人の戦士たちの眼を驚かせた、銀の浮彫がほどこされた壮大な外門の前に一行は立った。

「皇帝の身代金をもらいたい！」燃える瞳のアセルステインが不平をもらした。「トール神の血に誓って、おれたちに略奪者の集団と船があれば、戦利品をいただいているところだ！」

「これから門をぶち破るから、下敷きにならないよう、みな離れていなさい」ブリュンヒルドが宣言し、ターロウが門に斧をふるうと、その音響が眠れる丘にこだました。

三人が数歩後退すると、突然、強大な門は内側に開き、奇妙な集団が立ち並んでいるのが見えた。二人の白人戦士は、野蛮で雄々しい壮観に目を見張った。背が高くて細い褐色の肌をした集団が門の内側に立っていた。着衣はシルクの上等な細工の腰布だけだが、それがかえって半裸の身体を妙に引き立てている。多彩な色でなびく羽毛が頭部を飾り、輝く宝石がはまる金や銀の腕輪、足輪が彼らの装飾のすべてだった。鎧の着用は皆無だったが、銀で補強され、磨き抜かれた硬質な木製の軽量盾を各自左腕に装着している。武装は細刃の槍、軽い戦斧、細身の短剣で、いずれも良質の鋼の刃がついている。明らかにこの戦士たちは、蛮勇よりも、素早い動きと技量に重きを置いていた。

この一味の先頭に、とりわけ目を惹く三人の男たちが立っていた。ひとりはタカを思わせる顔のやせた戦士で、アセルステインと同じくらいの上背があり、奇妙な偶像が先端についた大きな金の鎖を首から下げていた。もうひとりは、若くて邪悪な目つきをして、オウムの羽でできた豊かな色彩の印象的なマントを肩にはおっていた。第三の男は独特の容貌を除けば、ほかから区別するほどの特徴はなかった。マントははおらず、武器も身につけていない。着衣は唯一質素な腰布ひとつだった。きわめて高齢で、全員のなかで彼だけがひげを伸ばし、そのひげは肩までかかる長髪と同じように白かった。とても背が高く、とびきりやせていたが、その大きく黒い瞳は熾《おき》火《び》のように燃えていた。ターロウは言われるまでもなく、この男がゴーサン、暗黒神の神官であるとわかった。老人からは時代と神秘のオーラが放たれていた。その大きな目はどこかの忘れ去られた神殿の窓のようで、その裡《うち》では昏《くら》く恐ろしい思考が亡霊のようにうごめいている。ゴーサンは人間に残された禁じられた神秘に、あまりにも深く通じているのがターロウには感じられた。彼は普通の人間には切断されてしまっている夢や欲望、感情に通ずる戸口を出入りしてきた。まばたきしないその眼球を見つめると、あたかも巨大なヘビの目を覗いたかのように、ターロウの身の毛がよだった。

　さて、頭上に目をやると、押し黙った黒い眼の民衆が城壁に群をなしていた。舞台はととのった。一気に進行する血のドラマの用意がすっかりできた。激しい高揚感にターロウの脈は速まった。そしてアセルスティンの目は獰猛な光に輝き出した。

　ブリュンヒルドは頭《こうべ》を昂然《こうぜん》と上げ、素晴らしい肢体に活気をみなぎらせ、大胆に歩み出た。白人の戦士たちには当然理解できない言葉で彼女はやりとりしたので、彼らは身振りと表情で読み取るしかなかったが、やがてブリュンヒルドはほぼ正確に会話の内容を教えてくれた。

「さて、バル・サゴスの人々よ」彼女はゆっくり言葉を区切りながらいった。「あなたがたは、あざけり、ののしったこの女神になんというつもり？」

「いまさらなにをほざく、偽女神？」長身の男、ゴーサンによって祭り上げられた王のスカーが語気鋭くいった。「おまえこそ先祖代々の習慣に泥をぬり、世界より古いバル・サゴスの法律を無視し、愛人を殺害し、ゴル・ゴロスの神殿を冒瀆したではないか？　おまえは法律と王と神により刑を宣告され、ラグーンの向こうの不気味な森に追放されたではないか――」

「だが、わたしは、同時にいかなる神より偉大な女神である」ブリュンヒルドはあざけって答えた。「そのわたしは恐怖の領域から、グロス・ゴルカの首をはねてもどってきた！」

　その言葉に応えて、アセルスティンが大きなくちばしのついた頭部を持ち上げると、恐怖と困惑に満ちた低いささやき声が胸壁のあたりに生じた。

「その男たちは何者だ？」スカーが二人の戦士に、不安そうに眉をひそめた。

「彼らは海からやってきた鉄の男たちよ！」ブリュンヒルドが遠くまで届く明瞭な声で答えた。「いにしえの予言に応じて、裏切り者の人民、偽物の神官たちの市、バル・サゴスをくつがえすためにやってきた！」

　その言葉に城壁の上や下に並んだ人々のあいだで恐ろしげなつぶやきが生じたが、猛禽類のようなその顔をゴーサンが上げると、人々は押し黙り、彼の冷たく恐ろしい視線に身をすくめた。

　スカーはその野心と、迷信から来る恐怖が内心で相克し、当惑してにらみつけた。

　ゴーサンを仔細に観察していたターロウは、平然とした仮面の下にある老神官の表情が読めたと確信していた。人間離れした叡智にもかかわらず、ゴーサンには限界があった。すっかり厄介払いできたと思いこんでいた者が、しかも白い肌の巨人たちをともなって突然帰還したことで、ゴーサンは意表をつかれたと、ターロウは当然のごとく信じた。この歓迎会をきちんと準備する時間はなかった。人々はすでに街頭で、スカーの短い治世の苛烈さに反対するつぶやきをはじめていた。民衆はブリュンヒルドの神性をつねに信じていた。同じ肌の二人の背の高い男たちともに、しかも神々のひとつを征服したしるしの奇怪な首をたずさえてもどってきたため、人々の心は揺らいでいた。些細な出来事で流れはどちらに転ぶかわからなかった。

「バル・サゴスの人々よ！」突然、ブリュンヒルドが叫び、さっとあとじさって両腕を高く突き上げ、自分を見下ろす人々の顔を正面から見つめ返した。「あなたがたの運命が手遅れにならないうちに、わたしが守ります！　あなたがたはわたしを捨て、唾を吐きかけた。あなたがたはわたしよりも、昏い神々を信じました！　しかし、それらすべてをわたしは忘れましょう、もしあなたがたの心がもどり、わたしに恭順の意を示してくれるなら！　かつてあなたがたはわたしをののしった——血なまぐさく、残忍であると！　確かにわたしは冷酷な女王でした——でも、スカーは安心できる王でしたか？　あなたがたは、わたしが生皮のむちで打つと言いました——でも、スカーはオウムの羽でなでたりしてくれますか？

　わたしの祭壇では処女がひとり、満月のたびに人身御供になっていました——でも、ゴル・ゴロスの祭壇では、月が満ち欠けし、月が昇り沈むたびに若者や乙女が死に、人のまだ動いている心臓がいつも新たに供えられる！　スカーはただの影にすぎない！　まことの支配者は、市の上にハゲワシのように君臨しているゴーサンです！　あなたがたはかつて強大だった。そのガレー船は海に満ちていた。ところが、いまやあなたがたは急速に衰えつつある残存者にすぎない！　ゴーサンがくたばるまえに、あなたがたはゴル・ゴロスの祭壇上で死ぬ運命にあり、彼は静まり返った廃墟をひとり歩くでしょう！

　彼を見なさい！」彼女の声は興奮のあまり叫びへと高まり、言葉がわからないターロウさえ身震いした。「彼を見なさい、そこに過去の邪悪な霊のように立っている！　彼は人間ですらない！　彼は邪悪な亡霊、そのひげには虐殺された百万の民の血が跳ね飛んでいる――彼は過去の霧のなかからバル・サゴスの民を滅ぼすため出てきた、人間の姿をした悪鬼です！

　さあ、選択しなさい！　古代の悪魔とその冒瀆の神々に反抗して立ち上がり、正当な女王と神をふたたび受け入れ、偉大な過去を取りもどすか。拒否して、いにしえの予言を成就させ、静まり返ったバル・サゴスの崩れ落ちた廃墟に太陽が沈む未来を迎えるのかを？」

　彼女の言葉の迫力に奮い立ち、族長の記章をつけた若い戦士が、手摺に飛び乗って叫んだ。「ア・アラ、万歳！　血なまぐさい神々を打倒せよ！」

　たくさんの民衆が賛同の歓声をあげ、刃を打つ音がしてあちこちで戦闘が開始されそうになった。胸壁の上や街頭に群衆の波が押し寄せ、渦巻いたが、スカーは困惑してにらみつけた。ブリュンヒルドは、腕が鳴って、武者震いする仲間を押し返して叫んだ。「待ちなさい！　まだ武器をふるってはなりません！　バル・サゴスの人々よ、ときのはじまりからの伝統を忘れてはなりません、王は王権のために戦わねばならない！　この戦士のひとりとスカーが決闘するのです！　もし、スカーが勝てば、わたしはその足下にひざまずき、この首を打たせましょう！　もし、スカーが負けたら、そのときはわたしを正当な女王にして女神であると認めねばなりません！」

　賛同のどよめきが城壁から上がり、人々は争いをやめ、支配者同士が責務をやりとりするのを歓迎した。

「闘うか、スカー？」ブリュンヒルドは王を振り向いて、あざけるようにたずねた。「それとも、闘わずして、おまえの首をわたしに差し出すか？」

「めす犬め！」頭に血がのぼってスカーは吼えた。「その愚か者二人の頭はしゃれこうべの盃にして、おまえの身体は木の枝で引きちぎってくれる！」

　ゴーサンが王の腕に手を置き、耳もとになにかささやいたが、スカーは怒りのあまり聞く耳を持てなくなっていた。せっかく王位について野望をとげたのに、それがゴーサンのあやつり人形へとおとしめられ、偽の王権さえ自分の手から滑り落ちつつあるうえ、売女《ばいた》は民衆の面前で彼の顔に泥をぬったのだ。スカーはあらゆる点で完全に自分を見失ってしまった。

ブリュンヒルドは二人の同盟者に向き直った。「どちらかがスカーと闘わなければなりません」

「わたしが相手になる！」ターロウが戦いに飢えた目を躍らせて主張した。「やつはヤマネコ並みに俊敏そうだから、雄牛のごときアセルステインでは、この場合速さが劣る――」

「速さが劣る！」アセルステインがとがめるように口をはさんだ。「でもな、ターロウ、おれほどの体重にしちやあ――」

「もうたくさんよ」ブリュンヒルドがさえぎった。「相手に選ばせる」

一瞬、赤い眼でにらみつけたスカーに彼女が話をつけると、アセルステインのほうを選んだ。アセルステインは怪鳥の頭を投げ捨て、にやりとして剣を抜いた。ターロウは毒づいて退いた。明らかにネコの俊敏性をそなえた黒髪のトラのような戦士より、大型のバッファローのようなこの男のほうが、動きが緩慢で勝ち目があると王は踏んだのだ。

「スカーとやらは、鎧を身につけていない」サクソン人が野太い声でいった。「おれが小札鎧《こざねよろい》と兜を脱げば、対等な条件での闘いになるが！」

「いけない！」ブリュンヒルドが叫んだ。「鎧こそあんたの唯一のチャンスよ！ 言っておくけど、この偽王は稲妻のように素早く闘う！ 実際のところ、あんたが負けずに済むのは容易じゃない。鎧はつけておくことね！」

「ふむ、ふむ」アセルステインはぶつぶついった。「そう――そうするよ。ただ、ちょっと公平じゃないと思ったんでな。やつにかかってこさせろ、決着をつけてやる」

油断なく腰を落とし、弧を描いて動く敵のほうに、サクソン人の巨漢はのっそり進んだ。アセルステインは大剣を身体の前でもろ手に握ってかまえた。切っ先は上に向き、柄《つか》はわずかに顎の下にして、左右に打ちこむこともできるし、急襲されれば受け流せる体勢に入った。

スカーは右腕の盾を投げ捨てた。あれだけの大剣の重い一撃をくらったら、役に立たないと、戦闘経験から読み取ったのである。細身の槍を右手で投げ槍の要領で握り、左手には鋭い刃の軽量の戦斧を持っている。素早い俊敏な闘いが彼の身上であり、その作戦に間違いはなかった。しかし、スカーは鎧というものを知らなかった。それを、自分の武器なら裂くことのできる飾りか装身具としか考えなかったのが、致命的な誤りとなった。

すっと彼は飛びこんでアセルステインの顔に槍を突い

た。サクソン人はたやすく受け流し、同時にスカーの足めがけて力強く剣をはらった。王は高く跳躍して、うなりをあげる剣をやりすごし、空中でアセルスティンのかがんだ頭に戦斧を叩きこんだ。軽量の戦斧はヴァイキングの兜で少し刃こぼれし、スカーは血に飢えたうなり声をあげて、飛びのいた。

　そして今度、アセルスティンは意表をついた敏捷性を発揮し、さながら雄牛のように突進し、その猛攻の前に、戦斧が傷んだことにとまどっていたスカーには油断が生じて、不意打ちをくらった。瞬時にして巨漢が大波のようにおおいかぶさってくるのが見えたが、スカーは逃げず、逆にふところに飛びこみ、激しい突きを入れた。この過ちが彼の最後となった。突き出した槍は、サクソン人の小札鎧にやすやすと跳ね返され、同じ瞬間に大剣がうなりをあげて繰り出され、王はその刃を逃れることができなかった。剣さばきの勢いは突進する雄牛が人を跳ね飛ばすのと同じだった。スカーは十二フィート吹っ飛び、バル・サゴスの王は内臓がはみ出た血まみれの恐ろしい姿につぶれ、死んで横たわった。群衆はあえぎ、その武勇に感じ入って沈黙した。

「首をはねろ！」ブリュンヒルドは燃える目で、爪が手のひらに食いこむほど両手を握りしめて叫んだ。「この腐った男の首をおまえの剣先に刺し、勝利のしるしとして市の門を行進せよ！」

　しかし、アセルスティンは剣を拭きながら、首を振った。「だめだ、彼は勇者だった。おれは遺体を損壊したりしない。こんなのは偉業のうちに入らない。なぜなら、彼は裸でおれは完全武装だったからだ。さもなかったら、争いの結果はちがっていただろう」

　ターロウは城壁にいる人々をちらりと見上げた。彼らは驚愕から我に返り、大歓声をあげている。「ア・アラ、まことの女神、万歳！」そして、門前の兵士たちはブリュンヒルドに対してひざまずき、額《ぬか》ずいている。彼女は誇らしげに立ち、鮮烈な勝利に胸をはずませていた。まさしく、彼女はたんなる女王を超え——アセルスティンがいったとおり、盾の乙女、ヴァルキューレだった。

　いま、彼女は脇に寄り、死んだスカーの首から翡翠の偶像がついた黄金の鎖を引きちぎり、高くかかげて絶叫した。「バル・サゴスの人々よ、あなたがたは偽の国王が、この金色のひげの巨漢、傷ひとつ負わない鉄の人の前に斃《たお》れたのを目の当たりにした！　いまこそ選択せよ——あなたがたの自由意思において、わたしを受け入れるか？」

「はい、受け入れます！」無数の答が、大きな叫びとなった。「あなたの臣下にもどります、ああ、強大で万能の女王のもとに！」

　ブリュンヒルドは冷笑した。「行こう」彼女は戦士たちにいった。「連中は裏切りをもう忘れて、愛と忠誠に熱狂している。民衆の記憶はその場かぎりだ！」

　ブリュンヒルドの側近として、サクソン人とともに、ひれ伏した族長たちの前で、壮大な門を通り抜けながら、ターロウはそのとおりだと思った。そう、民衆の記憶などあてにならない。彼らが解放者としてスカーを熱烈に歓迎してから、わずかな日しか経っていない――生と死の支配者としてスカーが王座につき、人々がその足下に頭を垂れてから、たいした時間は経っていない。ターロウは銀の門の前に打ち捨てられ、いまや忘れ去られたずたずたの死骸にちらりと目をやった。旋回するハゲワシの影が流れた。たくさんの民衆の歓声がターロウの耳を打ったが、彼は苦笑を禁じえなかった。

　壮大な外門が三人の冒険者の背後で閉ざされ、ターロウは前方に白く広い道が伸びているのを見た。この大通りから脇道が四方に続いている。二人の戦士たちは両側に並ぶ、混乱して無秩序な印象の白い大きな建物、天をつく塔や前面に広い階段の備わる宮殿を見た。都市計画による整然とした取り決めが必要なはずなのに、ターロウからすれば、石と金属と磨かれた木材のすべてがまったく意味をなさずに浪費されているとしか思えなかった。彼の当惑した眼差しはふたたび大通りにもどった。

　大通りの先には人々が集まり、規則的な音が響いていた。裸で陽気な羽飾りをつけた何千もの男女がひざまずき、大理石の敷石にかがんで額をつけたかと思うと、起き上がって両腕を上方に突き出すその動きは、一糸乱れず、丈の高い草が風になびいては立ち直るようだった。そして、頭を下げるのに調子を合わせて、単調な詠唱が熱狂した陶酔のうちに湧きおこっては消えた。むら気な彼女の民衆が、女神、ア・アラの帰還を喜んで迎えているのだった。

　外門のすぐ内でブリュンヒルドは立ち止り、その場に、城壁から最初に叛乱の声をあげた若い族長がやってきた。彼はひざまずき、彼女の裸足にキスするといった。「ああ、偉大な女王にして女神よ、このゾマールがあなたに忠実であるのはご存じです！　あなたのためにわたしがゴル・ゴロスの祭壇から、かろうじて逃れた次第もご存じです！」

「そなたは確かに忠実だった、ゾマール」ブリュンヒルドはこういう場合にふさわしく、堅苦しい言葉で答えた。「また、そなたの忠誠が報われぬことは決してない。今後は、わが護衛隊の司令官をつとめよ」そして、声を低めて付け加えた。「そなたの家臣から一隊を集めて編成し、わたしの大義を終始支持する者を選別して、わが宮殿へ連れて参れ。わたしはむやみに人々を信用しない」

このやりとりを理解できないアセルステインが、突然、口をはさんだ。「ひげの老人はどこに行った？」

ターロウは、はっとして見まわした。魔法使いのことはほとんど忘れかけていた。逃げるところは見なかったが――姿はない！　ブリュンヒルドは悲しそうに笑った。

「人目につかないところで計略をめぐらすため、そっと立ち去ったわ。スカーが倒されたとき、彼とゲルカは消えた。彼には秘密に行き来できる道があって、誰にも突きとめられない。よく注意していて――やがて、いやというほど付き合わされる！」

二人の頑強な奴隷にかつがれた、繊細な彫刻と豊かな装飾の駕籠《かご》を族長たちが用意してきた。ブリュンヒルドは乗りこみ、仲間にいった。「彼らはあなたたちに触れるのを恐れていますが、あなたたちも駕籠に乗りたいか、訊いています。わたしはあなたたちが、左右にひとりずつ徒歩で同行するのがいいと考えます」

「トール神の血に誓って！」つねに抜身のままの大剣を肩にかついだアセルステインが、だみ声でいった。「ガキじゃあるまいし！　おれを運ぼうなんてやつには唾を吐いてやる！」

そういうわけで、オークニー諸島のレーン・トーフィンの息子がもうけた娘、海の女神、年ふりたバル・サゴスの女王、ブリュンヒルドは長く白い道を進んだ。屈強な二人の奴隷にかつがれ、むきだしの鉄をまとった二人の白い巨人をしたがえて運ばれた。族長の集団が後に続き、彼女の行進につれ群衆は左右に退いて広く道をあけた。黄金のトランペットが勝利のファンファーレを吹き鳴らし、太鼓がとどろき、崇拝の詠唱のこだまが空をどよもした。このほとばしる栄光、壮麗で野蛮なページェントは、まさに北方生まれの娘の誇り高い気持ちを酔わせ、帝国の誇りに酔いしれさせた。

アセルステインはこの荘厳な異教の雰囲気を単純に喜んで目を輝かせていたが、黒髪の西方の戦士にとって、勝利の高らかな歓声、トランペット、太鼓、叫び声のなかにあっても、それらは忘れ去られた塵、永遠の沈黙へと葬り去られてしまうものだった。王国や帝国は洋上の霧のように消えてしまう、とターロウは思った。民衆は叫び、勝利するが、ベルシャザルの饗宴のさなかでさえ、バビロンの門はメディア人によって破られたと伝わっている。いま現在も、悲運の影はこの都市をおおい、いささか鈍感なこの民族の足もとに、忘却の緩慢な波が打ち寄せている。そんな一風変わった気分におちいって、ターロウ・オブライエンは駕籠の脇を歩いた。そして、彼にしてみれば、自分とアセルスティンは死んだ都市の、亡霊の女王に喝采を送る幽霊もどきの民衆のなかを歩いているような気がした。

3　神々の没落

古代都市、バル・サゴスに夜が訪れた。ターロウとアセルスティンとブリュンヒルドは、彼らだけで宮殿の奥の部屋にいた。女王はシルクの寝椅子になかば横たわって、二人の男たちはマホガニーの椅子に坐り、奴隷女たちが黄金の皿に盛って運び入れたご馳走に没頭していた。ほかと同じく、宮殿のこの部屋の壁は黄金の唐草模様が入った大理石でできていた。天井は青金石、床は銀象嵌《ぞうがん》の大理石のタイルだった。重いビロードが壁を飾っており、シルクのクッションが配され、壁際に豪華な長椅子、マホガニーの椅子やテーブルが過剰なくらい置かれていた。

「エールを一杯、ぜひとも飲《や》りたいが、このワインもそんなに酸っぱくなくていい」アセルスティンが、ワインの入った金の大壜をうまそうに空けながらいった。「おれたちをあざむいたな、ブリュンヒルド。あんたが勝利して王位に復位するまでには、厳しい戦いが待っているといった――しかし、おれは一撃しただけだから、この剣は飢えているし、ターロウの斧だって同じくまるで血を吸っていない。門を一撃すると人々がひざまずき、それ以上の面倒もなく崇拝された。そして、さっきまでおれたちは大宮殿の玉座の脇に立ち、あんたのもとにやってきて、頭を床につける人々に対して語りかけるのを、ただ聞いていた――トール神に誓って、おれはあんな言葉など聞いたこともない！　おれの耳はまだがんがんしている――彼らはなにを話したんだ？　そして、あの老魔法使いのゴーサンはどこにいるんだ？」

「あなたの剣はこれからたっぷり血を味わいます、サクソン人」娘はたけだけしく答え、両手に顎をのせ、戦士たちをひどくふさぎこんだ目で見た。「わたしがしたように、あなたたちも都市と王座をかけた大勝負をしました。王位はそれを簒奪《さんだつ》するほうが、維持するよりもたやすいかもしれない。鳥神の首を持ったわたしたちの突然の出現、あなたによるスカーの弑逆《しぎゃく》は、人々をすっかり夢中にさせました。それ以外のことについては――わたしは宮殿で引見《いんけん》を行いました。言葉はわからなくとも、あなたたちが見たとおりです。そして、人々は群をなしてやってきて頭を下げ、わたしは彼らの忠誠に報いることを約束しました——まったく！　わたしは愛想よく、彼らをみな許しましたが、わたしはばかじゃない。彼らに考える時間ができれば、また不平をもらすにちがいありません。ゴーサンはどこかの陰にひそんで、わたしたち全員に対する邪悪なたくらみをめぐらしているのも確かです。この都市にはハチの巣状に秘密の通路や地下道があって、神官しかそれを知らないのです。ゴーサンのあやつり人形だったときのわたしはその一部を通ったのですが、どこに秘密のドアがあるのかも知りません。なぜなら、ゴーサンはわたしに目隠しをして連れて行ったからです。

　いま現在、わたしの支配は貫徹されていると思います。わたしより、あなたたちを見るときのほうが、人々の畏怖の念は強い。鎧兜はあなたたちの肉体の一部で、したがってあなたたちは不死身だと考えている。群衆のあいだを通るとき、彼らが恐るおそる鎧にさわり、鉄の感触を知ったその顔に驚きの表情をうかべているのに気づかなかったかしら？」

「人々はある点ではとても賢いが、べつの面ではきわめて愚かしい」とターロウ。「ここの住民は何者で、どこからやってきたのだ？」

「とっても古い民族よ」ブリュンヒルドが答えた。「彼らの起源については、もっとも古い伝説さえなにも語ってくれない。何世代も昔、彼らはこの海に浮かぶ多くの島々からなる大帝国の一部だった。でも、島のいくつかはその都市と住民もろとも沈んで消えてしまった。そのうち、赤い肌の野蛮人たちが攻めてくるようになり、彼らの前に島がひとつずつ攻略されてしまった。しまいにこの島だけが征服されずに残ったものの、人々は弱体化し、多くの古い学芸が忘れ去られた。航海に出られる港がなくなったため、ガレー船は波止場で朽ち、その波止場も老朽化して崩れてしまった。バル・サゴスの息子たちから航海の記憶は消えてしまった。船首に笑う頭蓋骨をつけた長い戦闘カヌーに乗って海を渡ってくる赤肌の連中は、不規則な間隔でこの神々の島へ急襲を繰り返した。ヴァイキングが航海とみなすほど遠くはないが、海のへりの先の島々には、何世紀もまえに先住民を虐殺した赤い肌の民族が住んでいる。わたしたちはつねに彼らを撃退した。城壁がよじ登れないのに、なおやってくる彼らは、この島に住むわたしたちにつきまとう恐怖となっている。

でも、わたしが恐れているのは彼らじゃない。いまこの時間も、ゴーサンはいまわしいヘビのように闇のトンネルに入りこみ、あるいは隠し部屋のひとつで嫌悪をもよおすたくらみにふけっている。彼のトンネルが通じている丘深くの洞窟のなかで、彼は恐ろしくも罪深い魔法を操っている。彼の臣下のけものたち――ヘビ、クモ、大きな類人猿。そして、赤い肌の捕虜や自民族の悪党たちを配下としている。ぞっとする大洞窟の奥深くで、彼はけだもののような人間や、人間のようなけだもの、人獣を混成した恐るべき創造物を生み出している。闇のなかで彼が創り出す恐怖の存在は人間には推測がつかない。あるいはゴーサンが積年のあいだに生んだ嫌悪すべきものが、どんな恐ろしいかたちをした瀆神《とくしん》のものかもわからない。というのも、彼は普通の人間とちがい、永遠の生命の秘密を発見したからだ。彼はついに下劣な生命、彼自身さえ恐ろしく思うようなしかめ面のきーきーいうだけの名付けようもない存在を生み出し、彼以外誰も入ったことがない大洞窟の最深部に鎖でつないでいる。もしものときが来れば、彼はわたしに対して、それを解き放つでしょう……。

でも、もう遅くなったのでわたしは眠りたい、このドア以外は出入りができない隣室で眠ります。奴隷女さえ入れません。ここの人たちを完全には信じていないからです。あなたたちはこの部屋にいてもらいます。しかし、外側のドアのかんぬきもかかっています。交代で寝るのがいいでしょう。ゾマールと彼の衛兵たちが外の回廊を警備していますが、同じ肌の二人が都市の住民とのあいだにいてくれれば、より安心できます」彼女は起き上がり、ターロウに絡みつく視線をあびせて自室に入り、ドアを閉めた。

アセルスティンは身体を伸ばしてあくびをした。「さて、ターロウ」彼はゆっくりといった。「男の運命は、海と同じように定まりない。昨夜のおれは略奪者の仲間の選りすぐりの剣士で、あんたはその虜《とりこ》だった。今朝、おれたちは迷える追放者で、おたがいの喉に飛びかかるところだった。いま、おれたちは剣の兄弟で、女王の片腕だ。そして、どうやらあんたは王となる運命だ」

「なぜ？」

「オークニー諸島出の娘の目つきに気づかなかったのか？　おまえの黒髪、おまえの褐色の顔を見つめたその視線には、友情以上のものがまことにあった。あのな――」

「たくさんだ」ターロウの声は古傷が痛むように辛辣だ

った。「権力を持った女というものは、白い牙のオオカミだ。その悪意ときたら――」彼は口を閉ざした。

「まあ、まあ」アセルステインが、寛大に応じた。「悪女より、善良な女のほうが多い。知っている――あんたが追放されたのは、女の不義のためだ。そう、おれたちはよい仲間だ。おれも追放者だ。もし、おれがウェセックスに顔を出そうものなら、即座にオークのいかつい枝にぶら下げられて故郷を見下ろすはめになる」

「なんで、ヴァイキングの仲間に加わったんだ？　サクソン人はこれまで、海上の道を忘れていた。だからウェセックスのアルフレッド大王は、デーン人と戦った際、わざわざオランダ北部のフリジア人海賊をやとって艦隊を建設したくらいだ」

　アセルステインは屈強な肩をすくめ、短刀を研ぎはじめた。

「ウェセックスにいたもじゃもじゃ頭のガキのころから、おれは海にあこがれていた。青年時代に若い貴族を殺して、一族の復讐から逃れた。オークニー諸島に隠れ場所を見つけ、故郷での生き方よりも、ヴァイキングの生き方が好みにあった。だが、イングランド、デンマーク、ノルウェーの王を兼ねた、カヌート王と戦うために帰還した。そのときイングランドは彼の支配下に落ちてしまい、おれは王室の護衛隊員となるよう命じられた。すると自分たちに歯向かったサクソン人のおれに名誉があたえられたことで、デーン人からの嫉妬が集まった。そして、サクソン人のほうも、おれがかつて疑惑を受けてウェセックスを去ったことを思い出し、征服者から過度の厚遇を受けていると噂になった。それで、サクソン人の藩主とデーン人の首長がある夜の宴会で、辛辣な言葉を使っておれを非難した。おれは自分を見失い、二人とも殺害した。

　そのためイングランドは――ふたたび――おれを――締め出した。おれは――また――ヴァイキングに――なる道を――選んだ――」

　アセルステインの声が消えていった。彼の両手は力なく膝からすべり、砥石と短刀が床に落ちた。広い胸もとに頭がのめり、目が閉ざされた。

「ワインの飲みすぎだ」ターロウがつぶやいた。「眠るがいい。わたしが見張りをしよう」

　そういいながらもゲール人は、奇妙なだるさに襲われたのに気がついた。彼は幅の広い椅子に背をあずけた。目蓋が重くなり、ひとりでに眠気が脳に押し寄せてくる。そして、椅子にもたれた彼に不思議な悪夢の光景が見えた。ドアと反対側の壁面に掛かった重いつづれ織りの壁掛けが大きく揺れると、その陰から不気味なものがこっそり忍び出て、よだれを垂らしながら室内を横切った。ターロウは無関心にそれを見守り、自分が夢を見ているのを意識しつつ、同時にその夢の奇妙さに疑問を感じた。そいつは醜く腰が曲がったこぶだらけのグロテスクな人間だが、その顔は獣類のものだった。黄色い牙をむき、彼のほうに音もなくよろめき進んだ。突き出た額の下には悪魔的な赤い眼が輝いている。しかし、そのふるまいにはどこか妙に人間的なところもあった。類人猿でも人間でもなく、両者が異様に混在した不自然な生き物だった。

　いまやその醜怪な幻影は彼の前で立ち止り、そのふしくれだった指が彼の喉につかみかかり、突如、ターロウはこれが夢などではなく、不愉快きわまりない現実であることを恐怖のうちに理解した。彼は自分を抑えていた目に見えない鎖を決死の努力で引きちぎり、椅子から立ち上がった。つかみかかってきた指は彼の喉をそれてしまったが、素早く突き出された毛むくじゃらの腕を避けそこない、次の瞬間には怪物の柔らかな鉄のような筋肉をもつ必殺の拳につかまって、床を転げまわっていた。

　かすれた苦しい呼吸の音以外は、恐ろしい戦いは静かに行われた。ターロウの左腕は類人猿めいた怪物の顎の下に突き出され、不快な牙から喉を守ったが、敵の指は首から離れなかった。アセルスティンは頭をうなだれて、まだその椅子で眠りこけている。ターロウは呼びかけようとするが、絞めつけてくる手のため、声が出せない――窒息死が近い。部屋は彼のふくらんだ眼球の前に赤いもやがかかってぐらついた。右手は鉄の槌を握って、のしかかってくる恐ろしい顔を必死に殴った。その打撃でけだものの歯が砕け、血が飛び散ったが、なお赤い眼はほくそ笑み、かぎ爪のある指は刻一刻と深く食いこんで、ターロウの耳はがんがんして、魂の抜ける弔鐘を鳴らした。

　半無意識のなかに落ちこみつつも、彼の下がった手になにかが当たり、戦いに麻痺した頭でも、それはアセルステインが床に落とした短刀であるのがわかった。死にかけたやみくもな身のこなしでターロウが突きかかると、突然指の力が弱まるのを感じた。命と力がもどるのがわかり、倒れた敵から起き上がった。赤いもやが次第に晴れ、ターロウ・ダブは血まみれで身もだえする猿人を見つめ、恐怖の怪物の目がうつろになって、動かなくなるまで短刀でとどめを刺した。

　ゲール人はなんとか立ち上がったが、めまいと息切れが激しく、手足全体が震えていた。彼は大きく息を吸い、めまいはゆっくりおさまった。喉の傷口から血がたっぷりしたたっていた。彼は驚きとともに、サクソン人がまだ眠っているのに気がついた。そしてまた急に、最前彼を襲ったばかりの不自然な疲労感と脱力感にとらわれた。斧を取り、なんとかその感覚を振り払って、猿人が入ってきたつづれ織りの壁掛けの裏へと歩んだ。彼は重い足を引きずって、玄妙な力で目に見えない波動が放射されているつづれ織りへと、室内を横切った。ようやくつづれ織りの前に立った彼は、魂をおびやかして、頭脳と身体を虜にしようとする途轍もなく邪悪な意志にさらされるのを感じた。二度にわたって手を上げたが、二度とも力なく脇に下がってしまった。三度目、彼はすさまじい努力を払って、壁から下がったつづれ織りを真っ向から切り裂いた。その瞬間、半裸の身体にオウムの羽のマントをはおり、揺れる羽飾りを頭にのせた風変わりな人影を垣間見た。そのとき彼は燃える目から放たれる催眠光線のすさまじい直撃をくらって目を閉じ、やみくもに猛打した。彼は斧が深々とえぐるのを感じた。そして目を開け、すでに動かなくなって足もとに横たわった人影の割れた頭から、血が丸くひろがるのを見つめた。

　すると、アセルステインが突然立ち上がり、途方にくれて目を輝かせ、剣をかまえた。「どうした――？」彼は視線をとがらせ、口ごもっていった。「ターロウ、トール神の名にかけて、なにが起きたんだ？　トール神の血に誓って！　そいつは神官じゃないか、だがこっちの死骸はなんなのだ？」

「この邪悪な都市の悪鬼のひとつだ」死体から斧を取り、ターロウが答えた。「どうやらまた、ゴーサンは敗れたらしい。こいつはつづれ織りの裏にひそんで、わたしたちに気づかれないよう魔法をかけた、わたしたちを眠らせる呪文をとなえて――」

「ああ、おれは眠ってしまった」サクソン人はぼうっとしてうなずいた。「しかし、連中はどこから入ってきた――」

「つづれ織りの後ろに秘密のドアがあるにちがいない。もっともわたしはまだ見ていないが――」

「耳を澄ませろ！」女王が眠る部屋からかすかに足を引きずる音がした。きわめて小さく、かえって恐ろしい可能性をはらんだものに思われた。

「ブリュンヒルド！」ターロウは叫んだ。首を絞められた喉のなる音が返ってきた。彼はドアに体重をかけた。鍵がかかっている。彼が斧を振り上げ、叩き割ろうとすると、アセルステインが彼を脇に押しのけ、全体重をかけてぶち当たった。羽目板が砕け、その残骸のあいだから、アセルステインは部屋に飛びこんだ。怒鳴り声が彼の口からもれた。サクソン人の肩ごしに、ターロウは異様な光景を目にした。バル・サゴスの女王、ブリュンヒルドは悪夢の黒い影につかまって、なすすべなく宙で身をよじっていた。そして、大きな黒いものは振り返り、冷たく燃える目を彼らに向けると、ターロウはそれが生き物であるのを認めた。樹木のような二本足を持ち、人間のように立っているが、その身体の輪郭と顔は、人間ではなくけだものか悪鬼だった。こいつは、ゴーサンでさえ敵に解き放つのをためらった、恐怖の存在であるのを、ターロウは感じた。悪魔にとりつかれた神官が、その隠れた恐怖の大洞窟で生み出した大悪魔だ。このためにどれだけの恐ろしい知識が必要だったのか、闇の虚空から招聘《しょうへい》した名付けようもない、人間とけだものとのどれほどいまわしい混成物か？

　両腕にかかえられた赤ん坊のようにブリュンヒルドは身をよじり、恐怖に眼を血走らせたが、怪物が身を守るため異様なかたちの手を彼女の白い喉からどけると、その青白い唇から身も凍る絶叫がほとばしった。最初に部屋に入ったアセルステインは、ゲール人の前にいた。黒い怪物はサクソン人の巨漢におおいかぶさり、彼を小さく見劣りさせたが、アセルステインはもろ手で剣の柄を握り、上方に突き上げた。大剣は黒い身体に半分埋まり、怪物は血をほとばしらせてあとじさった。地獄の修羅場もかくやという大音声が発せられ、その恐るべき叫びのこだまが宮殿中に響いて、人々の耳を襲った。ターロウが斧を高く振りかぶって肉迫すると、大悪魔は女王を落とし、部屋をよろめき出て、壁に口を開けている暗闇に消えた。まったくの狂戦士となったアセルステインはあとを追って飛びこんだ。

　ターロウも続こうとしたが、彼を引き寄せてしがみついたブリュンヒルドの白い腕は、容易に解けなかった。「だめ！」彼女は恐怖に燃える目で叫んだ。「彼らを追いかけて、恐怖の回廊に入ってはいけません！　地獄に直行するのも同じです！　サクソン人は決してもどらない！　そんな運命をまねてはなりません！」

「離せ、女！」逆上しつつも、彼女を傷つけずに身を離そうとしたターロウが怒鳴った。「仲間が命懸けで戦っているかもしれないんだ！」

「わたしが衛兵を呼ぶまで待ちなさい！」彼女が泣きついたが、ターロウは彼女を突き飛ばして秘密の戸口へ駆けこんだ。ブリュンヒルドは翡翠《ひすい》の銅鑼《どら》を宮廷中に響くよう強打した。大きな足音が回廊で聞こえ、ゾマールの叫び声がした。「女王さま、危険が迫っているのですか？

ドアを破りましょうか？」

「急がねば！」彼女はかん高い声をあげ、外側のドアに急行すると勢いよく開いた。

　無鉄砲に回廊に踏みこんだターロウは、しばし暗闇のなかを走り、前方に手負いの怪物の苦悶の咆哮とヴァイキングの太くすさまじい叫び声を聞いた。やがて彼が、壁のくぼみについたたいまつでほんのり照らされた狭い通路に入ると、それらの音は遠くへ消えてしまった。床には派手な羽のマントをまとった褐色の肌の神官がひとり、卵の殻のように頭をかち割られてうつぶせに倒れていた。


　ターロウ・オブライエンはめまいを起こしそうに曲がりくねった暗い回廊をどれだけ長くたどったかしれない。細い通路が左右に枝分かれしていたが、彼は主回廊を進み続けた。ついにアーチの下の戸口を抜け、不思議に広い空間に出た。

　暗く陰気な太い柱が薄暗くてひどく高い天井を支えていた。まるで真夜中の空にぼんやり浮かぶアーチ形の雲のようだ。ターロウは神殿に来たのがわかった。赤い染みのある黒い石の祭壇の背後に、大きくて禍々しい、嫌悪感をもたらす神像がそびえていた。ゴル・ゴロスの神だ！　そうにちがいない。しかし、ターロウは影にそびえるその巨体を横目で見ただけだった。彼の前には異様な光景が展開していた。アセルスティンは大剣にもたれ、足もとの血のなかに大の字になった二つのものを見つめていた。どんな不正な魔術が黒い怪物に生命をあたえていたにしろ、そいつはイングランド製の鉄のひと突きを受けて、もともとやってきた地獄の辺土へと還されてしまった。怪物はその最後の犠牲者――白ひげのやせこけた男で、その目は死後ですらまったく邪悪だった――の近くに横たわっていた。

「ゴーサンだ！」ゲール人は驚きのあまり不意に叫んだ。「そうさ、あの神官だ――おれは回廊をずっとたどって、あの洞窟の巨人《トロール》だかなんだかのすぐ近くまで迫った。だが、あんな大きな図体のくせに、シカのように逃げ足は速かった。一度、羽のマントをはおった男が立ちふさがったが、やつはその頭をかち割って、一瞬たりとも止まらない。ついにおれたちはこの神殿に駆けこんだ。おれは怪物の直後に迫り、必殺の一撃をおみまいしようと剣を振り上げた。しかし、トール神の血に誓って！　怪物は老神官が祭壇のそばに立っているのを見つけると、恐ろしい咆哮をあげて彼をめちゃくちゃに引き裂き、おれが追いついて剣をふるう一瞬前に、死んでしまった」

ターロウは巨大で不定形な怪物を見つめた。じかに見ても、なにが原形になっているのか見当もつかない。わかるのはとにかく大型の混成物という印象と、人間的でない邪悪さだ。もはや怪物は大理石の床を汚す大きな影のように横たわっていた。きっとその誕生に際しては、月のない湾の上で黒い翼をはばたかす、名もない悪鬼のぞっとする魂が、その裡に宿されたのだろう。

そしていまや、暗い回廊からゾマール、衛兵たちとともに、ブリュンヒルドが駆けつけた。そして、外のドアや秘密の一隅から静かにほかの者たち――戦士や羽のマントをまとった神官たち――が入ってきて、影の神殿は大群衆で埋まった。

なにがあったかを見て取った女王が、荒々しい叫び声をあげた。まなこがらんらんと輝き、驚くべき狂気におちいっていた。

「ついに!」彼女は不倶戴天の敵の亡骸を、かかとで蹴った。「ついにわたしはバル・サゴスのほんとうの女王になった! いまや、隠された通路の秘密はわたしのものになり、老ゴーサンのひげは自身の血にまみれた!」

彼女はめざましい勝利に両腕を振り上げ、無慈悲な神像のもとに駆け寄ると、狂女のように勝ち誇って、罰当たりな言葉を叫んだ。するとその瞬間、神殿が揺れた!巨大な偶像はのけぞったかに見えたあと、塔が崩壊するように突然、もろに前方へと倒れてきた。ターロウが叫び、前方に飛び出したが、それより早く、凍りついて立ちすくむ悲運の女性の上に、はじけ跳ぶ落雷さながらゴル・ゴロスの神像は砕け散った。巨大像は千々に割れ、大きな破片となって、人々の視線からレーン・トーフィンの息子のもうけた娘、バル・サゴスの女王、ブリュンヒルドの姿を永久に消してしまった。瓦礫の下に赤い血が広くにじみ出てきた。

戦士や神官たちは耳をろうする崩壊の音に凍りつき、異様な惨事に茫然となった。ターロウの背筋に冷たい恐怖が走った。死んだ男の手によって、あれほどの巨大な神体が突きのけられたのだろうか? 神の偶像が下方へ倒れるとき、ゲール人にはその人間離れした顔つきが、一瞬、死んだゴーサンの顔に見えた気がした!

いまや誰もが言葉もなく立ちつくしたが、待祭のゲルカがその好機をとらえた。

「ゴル・ゴロスは語った!」彼は叫んだ。「神は偽の女王をぺしゃんこにした! 彼女はよこしまな死すべき人間にすぎなかった! そして、ここにいる二人の異邦人もまた死すべき人間だ! 見ろ――こいつの血を!」

神官の指がターロウの喉の乾いた血を示し、そして大群衆から激しい怒号が巻き起こった。立て続けに起きた出来事の進行の速さと重大さに狼狽した人々は、狂ったオオカミさながら、疑念と恐怖を流血の事態で清算する気になっていた。ゲルカはターロウの前に飛び出し、かまえた斧がきらめき、ゲルカの取り巻きのひとりがゾマールの背中をナイフで襲った。怒号の意味がターロウにはわからなかったが、アセルステインと自分に危機が迫っているのは緊張した雰囲気でわかった。彼は向かってきたゲルカと対決し、揺れる羽の頭飾りごと一撃で頭をかち割り、六本からの槍を丸盾で防ぎ、攻め寄せる敵からあとじさり、神殿の巨大な柱を背にして戦った。のみこみの悪いアセルステインは、一瞬ぽかんとしていたが、すぐに事態を悟ると、怒りをみなぎらせた。大音声で蛮声をあげ、重い剣が必殺の弧を描いた。風音とともに剣は首をはね、胴を切断し、背骨へ深く埋もれた。三者はたがいにもつれあう死体となって倒れ、争いの修羅場にありながら、人々はその剣さばきに警戒の叫びを上げた。

　しかし、褐色の肌をしたバル・サゴスの人々はたけり狂い、盲目の怒りに駆られる潮流となって、次々に敵と変じて迫ってきた。死んだ女王の衛兵たちは、殺到する人波にのまれ、反撃のいとまもなく死んでいった。しかし、二人の白人戦士を倒すのは、それほどたやすいものではなかった。背中合わせになって二人は撃破し、強打した。アセルステインの剣は死の雷鳴、ターロウの斧は稲妻だった。歯をむいてうなる褐色の顔がふるう剣の海にじりじり追われ、二人は戸口のほうにゆっくり切り進んだ。攻撃者は密集していたため、剣をふるう余地がなくなって、バル・サゴスの戦士たちを妨げた。他方、船乗りたちの武器は、彼らの前方を血に染めて活路を開いていった。

　死体の山をきずいて、二人の仲間は、殺意に歯をむいた敵のあいだを少しずつ進んだ。たくさんの血なまぐさい行為の目撃者であった影の神殿は、毀《こぼ》たれた神々への血のいけにえのように、血糊の海となった。白人戦士たちの重い武器は、裸で手足がむきだしの敵には恐ろしい破壊力を発揮し、しかも彼らの生命は鎧で守られていた。それでも二人の腕、足、顔は傷つき、無我夢中で繰り出される武器により、深い裂傷も受けていて、衆寡《しゅうか》敵せず、彼らはドアまで行けずにやられかねなかった。

　しかし、ついに彼らはドアにたどりつき、戸口の前に赤い死体の山を残し、褐色の肌の戦士たちがもはや四方から殺到できなくなるまで死力をつくして、ひと息ついた。そして、その瞬間、二人は回廊へと飛び出し、真鍮の大きなドアの扉を押して、閉めさせまいと鬨の声をあげて突っこんで来る戦士たちの面前でぴしゃりとドアを閉ざした。二人は力を合わせ、アセルスティンが強力な足の力で押さえて時間をかせいでいるうちターロウがドアにかんぬきをかけた。

「トール神に誓って！」顔からしたたる血を払いのけ、サクソン人はあえいだ。「間一髪だった！　次はどうする、ターロウ？」

「回廊を進め、急いで！」ゲール人は手短にいった。「やつらが前から来て、ドアとのあいだにはさまれたら、袋のネズミだ。サタンに誓って、都市全体が蜂起しているにちがいない！　あのどよめきを聞いてみろ！」

　実際、彼らが暗い回廊を疾走しているうちにも、バル・サゴス全体に叛乱や内乱が拡大しているようだった。あらゆる方向から聞こえる剣を打ちあわせる音、男の罵声や女の悲鳴も、ぞっとするどよめきの前には影が薄かった。回廊の先では赤い炎の輝きがはっきりしてきて、先行するターロウが角を曲がると、ひらけた中庭に出た。すると、彼に襲いかかる人影があり、重い凶器が意外な力で盾に打ち下ろされ、倒れそうになった。しかし、彼はたたらを踏んで持ちこたえて反撃し、斧の背についた大釘を攻撃者の心臓の下に埋めると、敵は足もとに倒れた。あたりを照らすまばゆい炎のなかで、敵がこれまで戦ってきた褐色の肌の戦士とはちがうのにターロウは気づいた。こいつは裸体で筋骨たくましく、肌は褐色ではなく銅色がかった赤色だった。動物めいたいかつい顎、後退した低い額は、褐色の肌の人間とはちがって、知性も洗練も感じられず、野蛮な獰猛さだけがあった。稚拙な彫りで飾られた重みのある戦闘用こん棒がその横に転がっていた。

「トール神に誓って！」アセルスティンは叫んだ。「都市が燃えている！」

　ターロウは視線を上げた。二人は高みにある中庭に立っていた。そこから広い階段が大通りへと下っていて、その見晴らしのきくところからバル・サゴスのすさまじい最後が一望できた。炎が高く、猛烈に高くまで上がり、月の光をかすませ、赤い火炎のなかをちっぽけな人々がちょこまかと走り、黒い神々の曲にあわせて踊るあやつり人形のように倒れて死んでゆく。炎のうなりと崩れ落ちる城壁をとおして、死の絶叫とぞっとする勝利の金切り声が聞こえてくる。都市には銅色めいた赤肌の裸の悪魔たちがうようよいて、連中は焼き払い、強姦し、狂った血のカーニバルのように虐殺した。

　群島の赤肌の男たちだ！　何千もの連中が、この神々の島を夜襲したのだ。はたしてなんらかの裏切りを誘って連中が城壁を破ったのか、二人にはあずかり知らぬことだったが、いまや連中は死体が散乱する大通りを荒らしまわり、血に飢えた欲望を満たして、大破壊と大量虐殺をほしいままにしていた。血の大通りに横たわる傷ついた遺体のすべてが褐色の人々というわけではなかった。都市の悲運な住民は決死の勇気をふりしぼって戦ったが、数で圧倒されたうえ不意をつかれたので、その勇気もむだに終わった。赤い肌の男たちは、血に飢えたトラのようだった。

「なんてことだ、ターロウ！」その場の狂気から自身に眠っていた獰猛な魂に火をつけられたアセルスティンが、ひげを逆立て、目を輝かせて叫んだ。「世界の終わりだ！　おれたちもそのまっただなかに突っこんで、思う存分剣をふるって死のう！　どっちに味方して戦えばいいんだ――赤い肌か、褐色か？」

「落ち着け！」ゲール人はきっぱりといった。「どちらの連中もわたしたちの喉を掻っ切るだろう。門に向かって血路をひらくしかない、全員が敵だ。ここにわたしたちの友人はいない。こっちに――この階段を下ろう。屋根の向こうのあちらの方角に、外門のアーチが見える」

　二人の仲間は階段を駆け下り、下の狭い通りに達してターロウが示した方向へと速やかに走った。彼らの周囲では虐殺の血が流れていた。濃い煙がすべてをおおい、それらは陰気で無秩序な集合体をなして、合流し、身もだえし、まばらになり、血だらけの人影が横たわる敷石の舗道に散った。悪夢を見ているように悪魔的な人影が飛び出し、跳ねまわり、炎のもやのなかに突然浮かびあがり、また急に見えなくなる。炎は大通りの左右をなめつくして迫り、走る二人の戦士たちの髪を焦がした。屋根が雷鳴のような恐ろしい音とともに落下し、城壁は人をのみこんで崩れ落ちた。煙のなかから無差別な攻撃を受け、船乗りたちは相手が褐色か、赤色の肌かなどかまわずに切り倒した。

　恐怖の大変動に新たな特徴が加わった。煙に巻かれ、曲がりくねった大通りに混乱した赤い肌の男たちは、自分でつくったわなにかかってしまった。炎はえこひいきしない。狙った犠牲者と同じく、火をつけた者も焼いてしまう。そして、崩れる城壁は行く手をさえぎった。赤い男たちは獲物を追うのをやめ、逃れ出ようとけだものじみた叫びをあげながら、あちらこちらへと走った。多数の男たちがむなしくあきらめ、行き止まりでとって返すトラのように理屈に合わない最後の狂気にとらわれて引き返し、深紅の炎のもとで生の最期を迎えた。

オオカミのような人生を送ってきたターロウは正確な方向感覚を持ち、外門があるほうに走り出した。しかし、大通りは曲がりくねり、煙幕にさえぎられて、強い疑いの念が生まれた。前方の炎のかたまりの背後から恐ろしい悲鳴が聞こえた。裸の娘がよろめき出るのが見え、彼の足もとで倒れた。切り裂かれた乳房から血がほとばしり出ている。怒号とともに赤肌の悪魔が追いつくと、彼女の頭をつかんであっというまにその喉を掻っ切ってしまった。ターロウの斧がそいつの首をはね、にやけた顔のままの頭部が道に転がったが、遅きに失した。と、そのとき突風が吹いて路上に渦巻く煙を吹き払ったので、二人の仲間は赤い肌の戦士であふれる開いた外門を目にすることができた。雄叫びをあげ、狂ったような猛烈な獰猛さを一瞬発揮して、死体の散乱する外門の出口を通り抜け、遠くの森やその向こうの海岸を目指して、斜面を駆け下りた。前方では夜明けの空が白んできた。背後では、呪われた都市の、魂を震撼させる動乱が進行中だ。

　追われている人間のように彼らは急ぎ、ときにはたくさんある木立に短時間隠れて、都市に向かって走る蛮人たちを避けた。島中に赤い肌の男たちがうようよいるようだ。大規模な攻勢をかけるため、族長たちは百マイル四方の群島すべてに動員をかけたにちがいない。そしてついに、二人の仲間は森のはずれに到着し、海岸に出ると大きく息をつぎ、頭蓋骨の飾りのついた長い戦闘カヌーが放置されているのを見つけた。

　アセルスティンは腰かけ、肩で息をついた。「トール神の血に誓って！　次はどうする？　赤い悪魔たちに狩りだされるまでこの森に隠れているか？」

「カヌーを海に下ろすのを手伝え」ターロウが鋭くいった。「大海原に運を賭けるんだ――」

「おい！」アセルスティンはさっと立ち上がって指さした。「トール神の血に誓って、船が見えるぞ！」

　太陽は昇ったばかりで、海のへりで大きな金貨のように輝いていた。そして、太陽に照らされ、船尾楼が高く上がった船がすべるように進んでいた。二人の仲間は一番近いカヌーに飛びついて海に出し、狂ったようにこいで、船員の注意をひこうとして、叫んだりオールを振ったりした。強靭な筋肉によって、細長いカヌーは驚くべき速度で進み、船はまもなく停止して、彼らはカヌーを横づけした。鎧に身をつつんだ浅黒い顔の男たちが手摺から見下ろした。

「スペイン人だ」アセルスティンが、つぶやいた。「おれの本性がばれるくらいなら、島に残ったほうがましだ！」

しかし、彼はためらいも見せずに錨鎖を登り、二人の放浪者は、スペイン北部、アストゥリアス王国の騎士を示す鎧姿の、やせて陰気な顔の男と対した。彼はスペイン語で彼らに話しかけ、ターロウが答えた。ゲール人はその一族の例にもれず生得の語学の才に恵まれ、あちこち遠方まで放浪したおかげで、たくさんの言葉が話せた。ダルカシアン家のターロウは、事の次第を手短に語り、いま、朝の大気に島から立ち昇っている太い煙の柱について説明した。

「こいつに途轍もない戦利品が得られると伝えてくれ」アセルスティンが、口をはさんだ。「銀の門があるといってくれ、ターロウ」

しかし、ゲール人が凶運の都市の莫大な略奪品について説明すると、司令官は首を振った。

「承知しましたが、われわれは略奪に割く時間も、人員もない。あんたのいう赤い肌の蛮人たちは自分たちが手にしたものを、熾烈な戦いなしには手離さないだろう——たとえ彼らにとって無用なものであろうとも。しかも、わたしの時間と軍隊はわたしのものではない。わたしはカスティリャのドン・ロドリゴ・デル・コルテスだ。この船はグレイ・フライアー号、ムーア人の私掠船《しりゃくせん》を攻撃するため出航した艦隊の一隻だ。数日前の海戦のこぜりあいと嵐のために航路をだいぶそれて離脱してしまった。いまも、艦隊が発見できれば復帰しようと急いでいる。たとえ見つけられなくても、われわれは異教徒を可能なかぎり攻撃する。われわれは神と国王につかえ、あんたの教えるつまらないくずどもを相手にしている暇はない。しかし、あんたたちは歓迎する。どうやら見たところ歴戦の勇士らしいから、われわれの力になる。イスラム教徒に抗してキリスト教国を守るわれわれの戦いに加わりたいと望むなら、あんたたちは後悔しないだろう」

狭い鼻梁、くぼんだ黒い眼、やせた苦行僧のような顔に、ターロウは狂信的な騎士道の権化、過剰な義侠心を読み取った。彼はアセルスティンに語った。「この男は狂っているが、風まかせに異国を見るのもいいだろうし、わたしたちに選択肢はない」

「主君をもたない放浪者にとってはどこでも同じだ」サクソン人の巨漢はいった。「おれたちに少しでも略奪の機会があるなら、地獄だろうと悪魔の尾を焼くまでお供すると、やつにいってくれ」

4　帝国

ターロウとアセルステインは手摺に寄りかかり、急速に遠ざかる神々の島を眺めていた。煙の沖天《ちゅうてん》する島は、積年の世紀の亡霊にあふれ、忘れられた帝国の影と神秘に満ちていた。アセルステインはサクソン人にしかわからない悪態をついた。

「おびただしい財宝――そして結局、あの殺戮だ――戦利品はない！」

ターロウは首を振った。「わたしたちは古代王国の崩壊を見届けた――わたしたちは世界最古の帝国が炎にのみこまれ、忘却の淵に沈み、廃墟の上に野蛮が復権するのを見た。栄光と光輝、そして皇帝の紫の衣は、赤い火焔と黄色い煙のかなたに消えてしまった」

「だが、ひとかけらの略奪品も得られず――」ヴァイキングは言い張った。

ふたたび、ターロウは首を振った。「わたしは島からとりわけ貴重な宝石を持ってきた――これが欲しくて人々が死に、側溝に血が流れるものを」

彼は腰帯から小さな品物――奇妙な彫りの入った翡翠の偶像を取り出した。

「王権のシンボルじゃないか！」アセルステインが興奮して叫んだ。

「そうとも――あんたを追いかけて回廊に入ろうとしたわたしを阻止しようとしたブリュンヒルドともみあった際、鎧に引っ掛かって、彼女の黄金の鎖からちぎれたのだ」

「そいつを身に帯びた者は、バル・サゴスの王だ」力強いサクソン人は思いを馳せた。「おれの予言どおりじゃないか、あんたは王だ、ターロウ！」

ターロウは苦笑し、海のへりでもくもくと空に立ち昇る太い煙柱を指さした。

「そうとも――死者の王国――亡霊と煙の帝国だ。わたしは幻影の都市のハイ・キング、すなわち上王《アード・リー》にして、バル・サゴスのターロウ王だ。しかも、わたしの王国は、朝空に消えていく。これについては、世界中のどんな帝国も同じだ――夢と亡霊と煙にすぎない」

Sword and Sorcery 剣と魔法

暗黒神のくちづけ

The Black God's Kiss

C・L・ムーア C.L.Moore
安野玲訳

『ウィアード・テールズ』は女性作家の活躍の場でもあったことに、近年あらためて目が向けられている。中でもハワードと人気を二分したC・L・ムーア（一九一一―八七）の存在は大きい。代表作のスペースオペラ〈ノースウェスト・スミス〉の連作は『大宇宙の魔女』で読めるが、本書では並び称される〈ジョイリーのジレル〉シリーズの第一作を、新訳でお届けする。初出は一九三四年一〇月号。十四世紀フランスの小国ジョイリーを統べる猛き女公ジレルは、ヒロイック・ファンタシー史上初の女性主人公として名高い。

1

ジョイリーの丈《たけ》高き指揮官は鎖帷子《くさりかたびら》の両腕を縛《いまし》められ、縄尻をきつく引き絞る兵士二人にはさまれて、身をよじらせながら引っ立てられていった。三人は山なす死体を分けて大広間を突っ切り、征服者が座すひときわ高い玉座へと近づいた。途中、床の敷石に飛び散った血で二度ばかり足をすべらせる。玉座を占める甲冑の人物の前に引きすえられると、ジョイリーの指揮官は荒々しく呪いの言葉を吐いた。悲憤と絶望にかすれた声が、兜の内でうつろに響く。

征服者ギヨームは大剣の柄に指を絡めて身を乗り出し、玉座の高みから眼前の怒れる虜囚を見下ろして、満足げな笑みを浮かべた。たださえ巨漢のギヨームだが、血まみれの甲冑を着けているといっそう大きく見える。向こう傷のある厳しい顔も血で汚れていた。笑む顔の短い縮れた鬚《ひげ》のあわいに白々と歯が光る。大剣に身をあずけ、たくましい兵士のあいだで身をよじらせるジョイリーの君主を見下ろして笑むギヨームの姿は、いかにも堂々として、いかにも残忍だった。

「この大海老めの殻を剝け」ギヨームが口をひらいた。低い、物憂げな声だった。「われら相手にあのような戦《いくさ》をしかけた男の顔が見たい。兜を脱がせろ、おまえ」

ジョイリーの指揮官は、両腕を縛められながらもすさまじい力で抗《あらが》った。縄尻を捕らえた兵士二人は手をゆるめるにゆるめられず、やむなく三人目の兵士が鉄の兜を留めた革紐を切るべく歩み寄る。つかのまの激しい揉み合い。やがて革紐が切れて、兜がけたたましい音を立てて床に転がった。

ギヨームが白い歯をかちりと鳴らして驚きの声を漏らし、目を瞠《みは》った。兵士どもに囲まれて赤い髪を振り乱し、獅子のごとき金色の目を荒々しく燃え立たせ、ジョイリーの女公はそれをにらみ返した。

「外道が!」ジョイリーの女公の声が凄みを帯びて低く響く。「うぬの黒い心臓など破れてしまうがいい!」

言葉は征服者の耳を素通りした。ジョイリーのジレルと初めて相見《あいまみ》える男の例に漏れず、ギヨームもやはりその姿に目を奪われていた。たいていの男に劣らぬ身の丈、荒くれ男もかくやの猛々しさ、それがこうして巨軀の征服者の前に立って呪いの言葉を吐きかけながら、ジョイリー陥落に胸も張り裂けんばかりに憤悶している。鎖帷子の上の顔は女らしい髪飾りこそ似合わぬかもしれないが、鋼を鎧《よろ》った身がまとう美しさは、剣のきらめきのごとく冷たく凄烈だった。傲然ともたげた顔を縁取る短い髪は赤、金色の瞳は炎を湛える坩堝《るつぼ》さながら憤怒に燃えている。

ギヨームの凝視がゆっくり溶けて笑みに変わった。ジレルのしなやかで力強い体の線を思惑ありげに眺めまわす目の奥に、かすかな光が灯る。笑みが大きくなったかと思うと、不意にギヨームは呵々《かか》と笑いを放った。深く轟く雄牛の吼え声めいた、歓喜と愉楽の笑いだ。

「なんと!《バイ・ザ・ネイル》」高らかにギヨームはいった。「歓迎いたすぞ、戦士どの! さてその命、どう購《あがな》う?」

ジレルは悪罵を叩きつけた。

「ほほう? 美しい口に憎まれ口は似合わぬぞ、女公どの。いや、みごとな戦いぶりだったことは否むまい。男でもなかなかあれほど上手くはやれぬ。下手を打つ輩《やから》も多い。ただし、このギヨームが相手となると――」征服者は厚い胸を膨らませてジレルを見下ろし、突き出した鬚の奥から笑みかけた。「こちらへ来い、かわいいの」有無をいわせぬ声音。「おまえのその口、きっと吐き出す言葉よりも甘いにちがいない」

ジレルは兵士の一人の脛《すね》に踵《かかと》の拍車を叩き込むと、呻《うめ》いたそいつの手を振りほどき、鉄の膝でもう一人の腹を蹴り上げた。すかさず身をひるがえして扉に向かって大股で走る——が、三歩も行かぬうちにギヨームに追いつかれた。背後から伸びた腕が胴に巻き付く。ジレルは尖った踵を後ろに蹴り上げたが、脛当てに攻撃を阻《はば》まれ、死にもの狂いで身をひねり、膝と拍車で抗いながら、あらんかぎりの力を込めて腕を縛る縄を引きちぎろうとした。ギヨームは一笑してジレルを振り向かせると、薄い笑みを浮かべて金に燃える瞳を見下ろした。そのままおもむろにジレルの頤《おとがい》に拳をあてがい、顔を仰向かせて唇を寄せる。かすれた痛罵の声が途切れた。

「いや、これは……まさに剣の刃のごときくちづけよ」

ようやく唇を放して、ギヨームが囁く。

ジレルはなにやらはっきり聞き取れぬことをつぶやくや、獲物に襲いかかる蛇のようにすばやく横に首を伸ばし征服者の喉首に歯を立てた。頸静脈まで惜しくも親指の幅ほど届かない。

ギヨームは無言だった。と思うと、ためらいのない手が伸びて、ジレルの激しい抵抗をものともせずに後頭部を探り当て、がっきとつかんだ。鉄の指が顎の蝶番《ちょうつがい》に食い込んで、容赦なく口をこじあける。やっとのことでジレルを喉首から引きはがすと、つかのまギヨームはその双眸の底の金色の地獄を覗き込んだ。炎の眼差《まなざ》しが向こう傷の顔を熱く焦がす。征服者は苦く笑うと、籠手《こて》を外した片手を振り上げ、ジレルの顔に重い拳の一撃を食らわせた。ジレルは大広間の真ん中まで吹っ飛んで、敷石に打ち倒れ動かなくなった。

2

金色の目をあけると、そこは漆黒の闇だった。騒ぐことなくしばし横たわり、散りぢりの記憶を寄せ集める。徐々に記憶がもどってくると、ジレルは口元を覆った腕のなかに呪詛《じゅそ》とも慟哭《どうこく》ともつかぬ声を放った。ジョイリーは落ちたのだ。闇のなか身を強ばらせて横たわったまま、ジレルはその現実を無理にも受け入れようとした。

ついそこの石床を行きつもどりつする足音が、ジレルを絶望から引きもどした。慎重に体を起こし、ジョイリーの君主たるこの身がどこに閉じ込められたのか突き止めようと、あたりのようすをうかがった。聞こえる足音は見張りのものだろう。この闇のじめつくにおいからすると、ここは地下。いわずと知れた、地下牢の独房だ。音を立てぬようそっと立ち上がった拍子に頭がふらつき、ずきずきする痛みに襲われて思わず毒づく。漆黒の闇のなか、ジレルは四囲を手探りして、ほどなく片隅に小さな木のスツールを探り当てた。これは使える。ジレルはスツールの脚をしっかりつかむと、音もなく壁沿いに移動して、扉までたどりついた。

　見張りが覚えているのは、助けを求める恐ろしい悲鳴が耳朶《じだ》を打ち、扉の閂《かんぬき》をあけたところまでだ。その後のことは覚えていない。見つけ出されたときには、閂をかけた独房のなかで頭を殴られ昏倒していた。

　ジレルは北塔の暗い階段を忍びやかにのぼっていった。胸にあるのは殺意のみ。ささやかな憎しみならば過去にいだいた覚えもあるが、これほどまでに激烈な思いは初めてだった。眼前の闇のなかにギヨームの侮蔑に満ちた向こう傷の顔が呵々と笑うのが見える、突き出した短い鬚を割って白い歯が嬉しげにひらめくのが見える。口にギヨームのぬぐい消せぬ重さを感じる、胴に腕の力を感じる。迸《ほとばし》る熱い怒りに呑まれてジレルはよろめき、壁に手をつき体を支えた。赤い怒りの靄《もや》に包まれてジレルは進んだ。脳随を焼き尽くす狂気にも似たものが、混沌とした憎しみの底で一つの決意としてゆっくり形をとりはじめる。その決意が生まれた瞬間、つぎの一歩を踏み出しかけたところで、ふたたび足を止めた。かすかな冷気に身を撫でられたような気が……。すぐに冷気は去り、ジレルはわずかに身震いすると、肩を一揺すりして狼めいた笑みを浮かべ、先を急いだ。

　壁の細い明かり取りごしに見える星から判断するに、真夜中に近いようだ。ジレルは忍びやかに階段をのぼりつづけたが、誰とも出くわさなかった。塔のてっぺんの小部屋は無人だった。ふだんは端女《はしため》が眠っている藁のベッドも、今夜は使われていない。さんざん身をよじったりくねらせたりしたあげく、ジレルはどうにか自力で鎖帷子を脱いだ。鹿革の肌着が汗でごわつき血で汚れていた。それを厭《いと》わしげに部屋の隅に投げ捨てる。双眸《そうぼう》の激しい怒りは冷めて、今は謎めく小さな炎となっていた。ジレルは独り笑みを浮かべると、新しい鹿革の肌着に乱れた赤髪の頭を通し、あらためて短い鎖帷子を身にまとった。脚に着けた名も知れぬ軍団《レギオン》の脛当ては、遠い昔、まだローマが世界を統べていた時代の遺物だ。つづいて腰の剣帯に両刃の短剣《ダガー》を押し込み、両手持ちの長剣を抜身のまま握る。それからジレルは階段をこんどは下へと向かった。

今宵、大広間では飲めや歌えの大騒ぎがくりひろげられたはず。重く垂れ込めるこの静けさからすると、敵はあらかた酔って眠りこけているにちがいない。大量の上物フランス産ワインが無駄になったと、未練がましい思いが胸をよぎる。ふと、こんな考えが浮かんだ――女一人でも覚悟と鋭い剣があれば、取り押さえられる前に寝《い》穢《ぎたな》い酔っ払いどもに多少は思い知らせてやれるかもしれぬ……。しかし、ジレルはその考えを押しやった。ギヨームのことだ、きっと見張りを残してあるだろう。この密かな自由をいたずらに捨てるわけにはいかなかった。

暗い階段をおりたジレルは、ワインで酔いつぶれた連中が闇に紛れて眠る大広間の一角を突っ切って、ジョイリーの誇る無骨な小礼拝堂の仄明かりをめざした。礼拝堂にはジェルヴェーズ神父がいるはずだ。はたしてジレルの思ったとおりだった。祭壇の前にひざまずいていた神父が立ち上がった。ローブ姿は黒々と闇に沈み、剃髪の頭頂《トンスラ》部が細長い窓から射し込む星明かりを映している。

「わが子よ！」ジェルヴェーズが小声を漏らす。「わが子よ。よくぞ逃げておいでになった。馬はご入り用か？　見張りさえやりすごせれば、夜明けまでには従兄《いとこ》どのの城に着けましょう」

ジレルは片手を挙げてジェルヴェーズを制した。

「いや」と答えていう。「今宵わたしが行くのは外ではない。それ以上に危険な旅路を行かねばならぬ。罪の赦《ゆる》しを与えてほしい」

ジェルヴェーズはまじまじとジレルを見つめた。

「なんですと？」

ジレルは神父の前にひざまずくと、もどかしげに荒織りのローブをつかんだ。

「罪の赦しだ！　今宵わたしは地獄へおりて、悪魔に武器を乞う。二度ともどれぬかもしれないからな」

ジェルヴェーズは身をかがめ、震える両手でジレルの肩をつかんだ。

「わたしを見なさい！」神父は命じた。「それがどういうことかわかっておられるのか？　まずは従兄どのの城へ――」

「行くのは下だ！」きっぱりとジレルはいった。「あの道を知るのはあなたとわたしだけ――その先になにが待つかはわれらとて確《しか》とは知らぬ。だが、あの男を倒す武器を得るためとあらば、もっと恐ろしい危険にも喜んで飛び込もう」

「本気でいっておられるのなら」とジェルヴェーズ。「すぐにもギヨームめを起こして、あやつの腕にあなたを委ねるところですぞ。そのほうが、わが子よ、まだ慈悲深い運命ゆえ」

「その運命から逃れるために地獄へ行くといっている」

ジレルは荒々しく囁き返した。「わからぬか？　そうとも、むろんわたしとて光を愛する道を知らぬわけではない――それでも、一夜か二夜か男にもてあそばれたあげく首をへし折られるか奴隷に売られるかするのは――ましてや、その男がギヨームとあらば！　わかってくれ」

「確かにそれは耐えがたい恥辱」ジェルヴェーズはうなずいた。「よいか、ジレルよ、考えてみなさい。その恥辱には贖いと赦しがあり、その死には天国の門が大きくひらかれる。しかしもう一方には――ジレル、ジレルよ、あえて下へ行くならば、肉体も魂も、永遠に出られぬかもしれんのですぞ！」

ジレルは肩をすくめた。

「ギヨームへの恨みを晴らすためならば、永久に地獄で焼かれることになろうとも下へ行くまで」

「いいやジレルよ、あなたはわかっておられない。待っているのは、地獄の業火の深奥よりも恐ろしい運命だ。あそこ――あそこは、われらの知る地獄の埒外。かの地で降りかかることに比べれば、悪魔の熱き業火さえ天国の息吹きに思えよう」

「むろんわかっている。覚悟もないのにわざわざ下へ行くと思うか？　神の領土の外よりほかのどこで求める武器が見つかるというのだ？」

「ジレル、ならぬ！」

「ジェルヴェーズ、わたしは行く！　どうか罪の赦しを」星明かり揺らめく金色の双眸が、ジェルヴェーズの目を焼いた。

ややあってジェルヴェーズはこうべを垂れた。「あなたはわが主人《あるじ》。どうか神のご加護があらんことを。しかし役には立ちますまい――かの地では」

3

ジレルはふたたび地下牢へとくだった。漆黒の闇のなか、じくじく濡れて湿ったにおいを放つ敷石を踏みしめ、一度も光に触れたことのない暗黒を抜けて、果てしない道をおりてゆく。ふだんならば多少は怯えたかもしれぬ。だが、目の奥で燃えつづける憎しみの炎が道を照らす松《たい》明《まつ》となってくれた。ギヨームの腕が胴を締めつける感触と、ギヨームの口が嘲《あざけ》るように唇を押しつぶす感触は、今なおしつこく記憶を苛《さいな》んでいる。小さな嗚咽を、ジレルは喉の奥に封じ込めた。憎しみの熱い風が身を焦がす。

揺るぎない闇のなか、ようやく石壁に達すると、ジレルは剣を置こうとせずに、あいた手でゆるんだ石を一つ、また一つと抜きはじめた。モルタルで固定されていないおかげで、簡単に抜き取れる。抜け穴ができると、石壁の向こうに足を踏み入れた。足元はなめらかな石でできたゆるやかなくだりの通路だ。壁の穴から邪魔な石をきれいに除《の》けて、すばやく通れるように広げておく。この道をもどるときには——もどれたらの話だが——速さが運命を分けるかもしれぬ。

通路をくだりきったところで、ジレルは冷たい石床に膝をついてあたりを探った。指が細い隙間に行き当たり、円の輪郭をなぞってゆく。さらに探りつづけ、円の中央に把手の環を見つけた。環は信じられないほどすべらかな、名も知れぬ冷たい金属でできていた。名などあるはずもない。ついぞ太陽の光を浴びたことのない金属なのだから。

環を引く。石蓋はびくともしない。しかたなく剣は口にくわえることにして、両手を環にかける。おおかたの男に劣らぬ力を誇るジレルが、それでも渾身の力を込めねばならなかった。ついに石蓋が持ち上がる。溜息めいた奇怪な音が響き、ジレルは総身が粟立つのを感じた。

こんどは剣を口から手に持ちかえて、足元に穿《うが》たれた文目《あやめ》も分かぬ闇の淵に片膝をつく。かつて一度、一度だけ、この道を進んだことがある。生きてあるうちに今ひとたびこれをおりるまでに追い詰められようとは思ってもいなかった。これほど異様な道をジレルは知らない。このような道は世界広しといえどもここよりほかに存在しないのではあるまいか。人間の足が旅するために作られた道ではなかった。いや、そもそも足ある生きものための道ではなかった。幾重にも螺旋を描く、磨き上げられた狭い竪坑《たてあな》なのだ。蛇が潜ればめくるめく渦巻となってまたたく間にすべりおりてゆけるかもしれぬ——が、この坑にぴたりとおさまるほど巨大な蛇は地上には存在しない。この螺旋坑の内壁をかくもなめらかに磨り減らしたのが人間の足でないのなら、いったいどんな生きものが何年かけて行き来すればこんなふうに磨かれるのか、わざわざ考えたくもなかった。

誰かが足場を彫り刻んでくれていなかったら、ジレルは（ジレルでなくとも）あの一度目の降下の旅に踏み切ることはなかっただろう。あのときゆっくりとおりられたのは足場のおかげだ。これを彫り刻んだ誰かは人間にちがいない。少なくとも、おおよそ人の手足にふさわしい形をしているし、間隔もちょうどよい。とはいえ、誰がいつどうやって彫り刻んだのかは見当もつかなかった。そして、忘れられた遠い昔にこの螺旋坑を作った生きものについては――そう、人間の前は邪神が地上を跋扈していた……この世界はたいそう古いのだ。

　ジレルは後ろを向いて、足のほうから螺旋坑にすべり込んだ。一度目のあのときはジェルヴェーズと二人、下でなにが待ち受けるのか、足を引くのは悪霊どもかと、恐怖に汗しておりたものだ。今回は足を踏み入れるのに躊躇はない。ジレルはあえて足場は探さずに、勢いがつきすぎたときに両手だけで速さを加減しながら、長い螺旋をぐるぐると疾風のごとくすべりおりた。まわりまわって行く。まわりまわって……。

　くだりの道は果てしなかった。そう遠くまで行かないうちに、ジレルはかつて経験したあの不思議なめまいにまたしても襲われた。このめまいは、螺旋状に回転しながら降下するせいとばかりはいいきれない。おのれの身のみか周囲のものまで移動しているような、もっと根源的な、原子レベルの不安定さのせいでもある。螺旋の角度がどこかおかしいのだ。ジレルには幾何学やなにかの知識はないが、すべりおりてゆく道の曲がり具合や傾き具合が自分の知る曲線や角度とちがうことは直感的に感じ取れた。それらが導く先にあるのは未知の闇――だが、単に地形上のことではない、もっと深い暗黒と神秘に通じていると、おぼろげながらそんな気がした。ことによると、この竪坑の奇怪かつ正確な螺旋は計算されつくした角度で折れ曲がり、地中を――そして、おそらくは時間をも――通り抜けると同時に、多次元空間を通り抜けているのではあるまいかと、ジレルは明確にではなかったものの考えた。いや、考えたとは意識していない。めくるめく靄のなかをぐるぐると勢いよくすべりながら意識していたのは、この道がいまだ知らぬ奇怪な旅路へといざなう道だということだった。

　下へ、さらに下へ。めくるめく速さですべってゆく。だが、これがいつまでつづくかはわかっている。あの一度目の道行きでは、ジレルもジェルヴェーズもこの螺旋坑の無限の深さに驚くと同時に帰路の長いのぼりに不安を覚え、手後れになる前に降下を中断しようとした。だが、できなかった。いったんすべりだしたら最後、中断は不可能だった。止まろうとしてはみたが、たちまち吐き気とめまいの波に襲われて意識が飛びかけた。母なる自然の不変の流転を道半ばで止めんとしたかのようだった。先へ進むしかなかった。二人の体の原子そのものが宇宙の反転に抵抗して悲鳴を上げた。

　さてもどろうとなったとき、のぼってゆくのは難しくなかった。果てしない螺旋坑の過酷なのぼりを予想していたところが、またしても既知のものとは異なる例の不可解な角度があらわれた。妙な具合に体が重力を寄せつけなくなったように思われた――あるいは、重力の影響がおよばぬ道を通り抜けたということかもしれぬ。行路と同じく帰路も二人は吐き気とめまいに襲われたが、くだり同様やすやすと竪坑をすべるようにのぼってゆくのが混乱の靄のなかで感じ取れた。いったんこの竪坑に入れば、おそらく、のぼりもくだりもないのだろう。


　通路が徐々に水平に近づく。竪坑を行き来したのがどんな生きものであれ、それのスピードはこの部分でゆるんだにちがいない。とはいえ、人間の移動にはここが最大の難所でもある。狭くて体の向きを変えられず、うつぶせになって進行方向に足を伸ばし、すべりやすい平らな床面を両手で押して進むしかない。探る踵が広い空間に出ると、ジレルはほっとして通路の口からすべり出て、闇のなかにすっくと立った。

　ともかくも一息入れて気持ちを落ち着ける。そう、かつての探索行でジェルヴェーズ神父とともにたどった長い道の、これこそが始点だった。この場所を見つけたのはただの偶然だし、かくも遠くまで二人を連れてきたのはただの蛮勇でしかない。神父はジレルを置いてずっと先まで行って――あのころジレルは幼くて、目上の者に従順だった――やがて松明の火明かりでもわかるほど蒼白な顔でもどってくると、ジレルを追い立てるようにしてふたたび螺旋坑を上へと向かったのだ。

　今、手探りしながら慎重に進むうち、ジレルはおのれがかつて少し先の闇のなかに見たもののことを思い出していた。いったいなにがジェルヴェーズ神父をあれほど慌ててもどらせたのだろうとわれ知らず考えて、心臓がとくん、とわずかに跳ねる。神父の説明にはいまだに納得していない。あれはこのあたりだったか――いや、もう少し先だったか。静寂が轟々と耳を打つ。

　そのとき、行く手の闇が動いた。それはあたかも――そう、広大な、底知れぬ闇の塊が身じろいだとでもいえばいいのか。神よ！　こやつは新手だ！　ジレルは片手で首にかけた十字架を、片手で剣の柄を握りしめた。つぎの瞬間もうそれは目の前にいて、暴風さながらジレルに襲いかかり、振りまわして壁に叩きつけ、千もの風の悪魔のごとく耳元で喚《おめ》き、荒ぶる闇の竜巻のごとく容赦なく全身を殴打し、なびく髪を掻き乱し、行き場をなくして夜に噎《むせ》ぶ亡者たちの万の声で耳をなぶった。恐怖と孤独を宿した哀れな声――。いい知れぬ恐怖に震えながらも、ジレルの目に涙があふれた。この旋風は本能的な妄執で生かされている――まさしく地の底の闇を馳せる生きものだ。確かに怖気立つほど不浄な存在ではある。それでも、風など吹くはずのない場所で風に噎ぶ亡者たちの哀れにかすれた声は、ジレルの心を掻き乱した。

　唐突にそれは去った。一瞬にして掻き消えて、通過を偲《しの》ばせる囁きさえも残らなかった。噎び泣くかすれた悲しい声も、狂ったような風の喚《おめ》きも、あの渦の中心にいるときだけしか聞こえないのだ。気づけばジレルは、振るうことなく終わった剣を片手に握り、滂沱《ぼうだ》の涙で頬を濡らしながら、呆然と立ち尽くしていた。哀れな亡者のかすれた声、噎び泣いて……。ジレルは震える手で涙をぬぐい、内なる弱さに押し流されたおのれの心に歯噛みした。五分ほどたつうちに、やっと先へ進む気力がよみがえる。数歩歩くうちに、膝の震えもおさまった。

　踏みしめる床は乾いてなめらかで、ゆるやかなくだり坂だった。今はいったいどれほど深くにおりたのか。またも静寂が重く垂れ込めていたが、おのれの柔らかな足音ではない音が聞こえてきそうで落ち着かなかった。と、いきなり濡れたもので足がすべった。ジレルは身をかがめて指を伸ばした。この濡れたものが見えるなら色はきっと赤だろうと、なぜかそんな気がする。指先でたどってゆくと、巨大な足跡の輪郭が浮かび上がった。指と指とのあいだが離れた三本指で、蛙によく似た――だが、途轍もない大きさだった。足跡はまだ新しい。前回の探索行のとき松明の火明かりにちらりと見えたものの記憶が、どっとばかりによみがえる。あのときは明かりを持っていた。しかし今回は闇のなか、あの化け物の棲み処にいながら、なにも見えない……。

　つかのまジレルは、熱い復讐に追い立てられて禁断の武器を求めるジョイリーの女公ではなく、不浄な暗闇のなかで独り怯える女となった。かつての記憶はあまりにも生々しく……。そのとき、突としてギヨームの蔑むように笑む顔がまぶたに浮かんだ。黒々とした短い鬚に縁取られた顎の線、笑みに白くひらめく頑丈な歯。細い炎のごとく熱く消しがたいものがジレルの身内を走り抜け、ふたたびジョイリーの女公、鉄の意志持つ復讐の女神が立ちもどる。ジレルはこれまでよりも歩みをゆるめ、悪夢の怪物の長い腕にいきなり絡み付かれて慌てることのないように、三歩ごとに剣で半円を描くようにあたりを薙《な》いで進んでいった。しかし、守る術《すべ》のない背中を這う不快な寒気は消えなかった。

なめらかな通路はどこまでもつづいた。伸ばした手が左右の冷たい壁に触れ、振り上げた剣が天井をこする。長虫かなにかの棲み処の隧道を、大地の無限の重みを背負って闇雲に這い進むような気分だった。頭上に、四囲に、押しつぶされそうな重苦しさを感じる。この這うような暗黒行路を早く終わらせてくれ、終わったあとがどうなろうとどうでもよいからと、われにもなく祈りの言葉が口を突く。

はたして隧道の終わりでは夢想だにせぬ奇怪な事象が待っていた。唐突に、あの巨大な計り知れぬ重苦しさがなくなった。四囲を圧する大地の無限の重みはもう感じない。壁が消え失せた。足が踏むのは今やなめらかな床ではない、無数の石塊《いしくれ》だ。包帯さながら目を覆っていた闇も名状しがたい変化を遂げていた。いや、もはや闇ですらない。虚空だ。光がないのとはまたちがう、単なる無だった。周囲にひらけるのは底知れぬ無限――むろん、見えるわけではない。ただ、広大な空間のとば口に立っていることはわかった。足元で名状しがたいものがうごめくのが感じられ、見ひらいた目に映る無に向かってジレルはむなしい戦いを挑んだ。気づけば喉元にもなにかがぎりぎりと食い込んでいる。

片手でまさぐると、首にかけた十字架だった。鎖がちぎれんばかりに引っぱられて震えている。ジレルの顔に暗い笑みが浮かんだ。なるほど、そういうことか。十字架――。手がどうしようもなく震えていたが、鎖を外して十字架を地面に投げ捨てた。それから大きく息をつく。

そのとたん、あたかも夢の帳《とばり》が取り払われたかのように、思いも寄らぬ彼方へと無がひらけた。見知らぬ星々をちりばめた空の下、ジレルは山の頂高く立っていた。眼下には霧をまとう草原と谷、遠くそびえる峨々たる山脈が仄見える。足元では飢え狂う小さな盲目の生きものの一群が、よだれを垂らし歯を鳴らして跳ねまわっていた。

忌まわしい生きものどもの姿は山肌の暗がりに紛れて見分けがたいが、その立てる音はなんともおぞましく耳を打った。ジレルの剣が半ばひとりでに跳ね上がり、脚のまわりで跳ね狂う小さな黒い異形どもを荒々しく叩きつぶす。異形どもがびしゃりびしゃりとつぶれてゆき、飛び散る汚穢《おわい》がジレルの剝き出しの腿を汚す。数匹が刃の下で動かなくなると、残りの連中は怯えたあえぎを残し、水を撥ねかすような不気味な足音を石の上に響かせて、あっという間に闇の奥へと逃げ散った。

ジレルはそこらに生えた硬い草を一つかみむしり取る

と、飛び散った嫌らしい汚れを脚からぬぐい、荒い息をつきながらあたりを見まわした。この地は穢れている――そう、十字架を身につけた者の目では見ることもかなわぬほどに。ほかならぬこの地でならば、求める武器も見つかるかもしれぬ。背後にはさっき出てきた狭い隧道が山腹に口をあけていた。頭上には見知らぬ星々が輝いている。見分けられる星座は一つもない。幾つかひときわ明るくきらめくのは惑星なのか――だとしても、紫や緑や黄のその星々には見覚えがなかった。炎の切っ先さながら真紅に輝く星もある。眼下でなだらかにうねる大地のはるか彼方に、太い光の柱が見えた。燃えるでもなく、あたりの闇を照らすでもない。影すら落とさない。夜に白々とそそり立つ、ただの巨大な柱だ。自然にできたもののようには見えなかった。もしや、人間が作ったものか――いいや、こんなところに人間がいるなど、とうてい望むべくもない。

　耳慣れた話どおりの炎熱地獄と対峙するものと、強気の言葉とは裏腹に半ば覚悟していたジレルだが、かくも穏やかな星降る土地は意想外で、なおのこと警戒心を掻き立てられた。あの隧道を作ったものが人間のはずはない。当然ながらここに人間がいるとも思えない。これほど深い地下に広い空があるのを見て少々呆気にとられはしたが、自分がどんな手段でここにたどりついたにせよ、今いるここが地下ではないと察する程度の知性を、ジレルは持ち合わせていた。そもそも、このような星空が地球内部の空洞におさまるわけがない。盲信の時代に生まれたジレルは、こうしてさほど深い疑問もいだかず周囲の状況を受け入れた。が、実をいうと、この霧深い星降る地の穏やかさに少々落胆してもいた。ギヨームを倒す武器が見つかる土地としては炎熱地獄のほうがよほどふさわしいのではあるまいか。

　草できれいに剣をぬぐい脚を拭くと、ジレルはそろそろと山をくだっていった。遠く光の柱が差し招いている。一瞬の逡巡ののち、そちらへ向かうことにした。いつときも無駄にはできない。求めるものが見つかるとしたら、この地以外にありえない。

　硬い草が脛をかすめ、足元でざわめく。山は険しく、ときに石塊に足を取られはしたものの、ジレルはなにごともなく麓《ふもと》にたどりつき、彼方に燃える光輝めざして草原を歩きだした。どうしたものか、さっきまでより軽やかに歩ける気がした。足元の草は踏んでも折れず、おかげで踵に羽を得たかのごとくするすると大股で進んでゆける。まるで夢のようだった。この地の重力は馴染んだものより小さいにちがいない。とはいえジレルにわかるのは、驚くほどの速さですべるように大地の上を馳せているということだけだった。

　そんな具合に、ジレルは不思議な硬い草に覆われた大地を越えていった。一つ、二つと渡った小川は奇怪な言葉で絶え間なく独りごち、なにか物語りするかのようなその水音は、確かに地球のつねの小川のせせらぎではなかった。あるときは中空に浮かぶ真空の袋ともいうべき闇の塊にうっかり踏み込んで、息をあえがせ、冒された目をしばたたきながら、もがくように駆け抜けた。ここはなんの変哲もない土地に見えて実はそうではないのだと、ようやくジレルは身をもって感じはじめた。

　驚異の速さで、先へ先へとジレルは進んだ。そのあいだにも草原は飛ぶように足元をかすめ過ぎ、しだいに光が近づいた。ここまで来ると、その正体が光輝をまとった円塔だと見て取れる。さながらそれは大地からそそり立つ純粋な炎の壁。そのくせそれは揺らぐわけでもなければ、仄かに空を照らすわけでもなかった。

　さほど時が流れぬうちに、めざす場所は夢の速さで目前に迫っていた。足元の地面がぬかるんできたかと思うと、立ちのぼる沼地の臭気がやがて鼻に届いた。足元から光の塔まで、葦に似た黒い草が群生する不安定な地面が帯状に伸びているのが見える。あちこちでうごめく仄白い塊、あれは獣か、はたまた霧の切れ端か。星明かりが心なしか翳《かげ》りを帯びる。

　ジレルは一歩一歩足元を確かめながら黒く揺らぐ沼地を渡りはじめた。草が群生するあたりはいくらか地面が固いとわかり、あの不思議な軽やかさで茂みから茂みへと跳んでゆくことにした。おかげで足は黒い泥濘《ぬかるみ》にほとんど触れずにすんだ。いたるところで泥のなかからゆるゆると泡が湧いては重たく弾ける。なんとも嫌な場所だった。

　半ばまで渡ったところで、仄白い塊の一つがゆっくりと近づいてきた。それにしても異様な動きだ。ひょこりひょこりと弾むような――。そのふらふらと目的の定まらぬ近づきかたからして、一見、生きものではなさそうにも思える。奇怪な弾む動きのまま、泥濘のなか飛沫《しぶき》を撥ねかし吸いつくような音を立て、ほどなくそれはひょこりひょこりとすぐそこまでやってきた。星明かりの下、突然ジレルはそれの正体に気がついた。とたんに心臓がどくんと跳ねて、吐き気が押さえがたく込み上げる。女だ。美しい女が、大理石像を思わせる優美な曲線の白い裸身を曝して、蛙のようにうずくまっている。ジレルが唖然として見つめる目の前で、女はだしぬけに脚を伸ばして蛙そっくりに――だが、いささかぶざまに――跳ねたかと思うと、少し先の泥濘につんのめるように着地した。ジレルのことが見えていないのか、泥まみれの顔は無表情だ。女はなおもぶざまに跳ね飛びながら、泥濘を渡っていった。ジレルが目を離せずにいるうちに、やがて女は闇をさまよう仄白いおぼろな塊としか見えなくなった。女のありさまに対する動揺を打ち消すほどの憐憫《れんびん》の情が、そして、筆舌に尽くしがたい怒りが、胸に湧き上がる。いったいなにがああも美しい女をあんなものに――うつろな心と空《むな》しく見ひらく目をして泥濘をぶざまな蛙跳びでさまようものに変えたのか……。先を急ぐジレルの目を、不覚にもその夜二度目の涙が焼く。

　ただ、女の存在は安堵を与えてもくれた。この地にも人間がいないわけではないのだ。蹄と角持つ蝙蝠翼の悪魔がいるのだろうと、今なおジレルは半ば期していたが、人間も自分一人ではないかもしれぬ。とはいえ、ほかが皆さっきの哀れに惚《ほう》けた女と同じだとしたら――ジレルはその考えを追うのをやめた。胸糞悪いことこのうえない。沼地を渡りきったところで、やっと人心地がついた。これでもう仄白い姿が闇のなかぶざまに跳ね飛ぶ姿を見ずにすむ。

　ジレルは光の塔と自分のあいだに横たわる狭い空地に踏み出した。今はこの塔が建造物だとわかる。光でできた建造物だ。仕組みは理解できないが、それは厳として目の前に存在していた。塔を組み上げている壁と柱が見えた。全体は光の固い膜といえばいいのか、輪郭がくっきりと定まって、まぶしくも熱くもない。さらに近づくと、光は動いて見えた。どうやら地下になにか光源があって、そこから上へ向かって逬りのぼっているらしい。光で照らされた水の膜がすさまじい勢いで噴き上げられているようでもあったが、それが水ではなくて実体化した光だと、ジレルは直感的に感じ取った。

　剣を握りしめ、おそるおそる歩を進める。巨大な塔の周囲には光を撥ね返さない黒くなめらかな物質が円形に敷き詰められ、そこから光の壁がくっきり鋭い輪郭を見せて高々と屹立していた。その途轍もない大きさの前に立つと、おのれが縮んで極小の点になった気がする。ジレルは眩惑されぬ眼差しを上に向け、理解しようとした。固く、まぶしくも熱くもない光というものが存在しうるなら、これこそまさしくそうだった。

4

　威容を誇る巨塔は、真下にたどりつかぬうちから細部にいたるまでくっきりとよく見えた。ジレルの目にはどれもこれもが不思議に映った——基部のぐるりに配された無数の大柱とアーチ、途方もない大きさの入口が正面に一つ、すべてが迸る光を封じて作られている。一瞬迷い、それから正面入口へと足を向ける。光は触れれば固いと見えた。通り抜けようとして抜けられるものではなさそうだ。

頭上に覆いかぶさる巨大な正面入口のアーチの下に立つと、ジレルはなかをうかがい見て、この場所の大きさに戦いた。噴き上げる光がしゅうしゅうパチパチいう音が聞こえるようだ。内部は泡の内側を思わせる大広間といおうか、恐ろしく大きな球形の空間で、その大きさたるや、壁が湾曲していることもほとんどわからないほどだ。広間の中央に、光の球が浮いていた。ジレルは目を瞠《みは》った。光の泡のなかに光が住んでいる。中空で皎々と揺るぎなく輝くそれは、なにがなし息づく命を感じさせた。しかも、建造物自体の静謐な光と異なって、まともに見ると目が痛いほどのまばゆさだ。

ジレルは足を踏み出せぬまま、入口に立ち尽くして見つめていた。ためらううちに、光の球に変化が起きた。白々とした輝きが薔薇色に染まってゆく。その薔薇色がみるみる濃く暗くなり、やがて血の色になった。形にも奇妙な変化が生じていた。いつしか縦に長く細く伸び、下半分が二つに枝分かれして、上のほうに蔓めいたものが二本生えている。と、血の色がふたたび淡くなって、どうしたものか光のまばゆさが薄れ、完成しつつある物体の中心部へと吸い込まれていった。ジレルは剣を握りしめ息をするのも忘れて見守った。光は人間の姿を取りはじめていた。女の姿——鎖帷子に身を包み、赤い髪を乱した丈高い女の姿だ。その両の眼《まなこ》がはたと見すえるのは、塔の入口の瓜二つの眼……。

「よう来た」と、球形の空間の中央に浮かんだジレルが口をひらく。二人のあいだの距離にもかかわらず、声は深く朗々と響いた。入口のジレルは、驚き怯えて息を呑んだ。あれは自分、なにからなにまでそっくりな、鏡に映ったジレルだ——なるほど、抑えがたく燃えたぎる光の表面《おもて》に映るジレル自身というわけか。あれの目が燃えたぎる光にきらめいているのも、必死に人間の姿を保とうとして見えるのも道理、形が解《ほど》けてもとの純粋な、混沌とした光にもどらぬよう、必死にこらえているからだ。もっとも、声はジレルのものではない。光でできた壁と同じ異質な知性を宿して、朗々とあたりを響動《どよ》もした。その声が、からかうようにくりかえす。

「よう来た！　なかへ入れ、女！」

ジレルは顔を上げ、光迸る周囲の壁に警戒の目を向けながら、無意識にあとずさった。

「なかへ、さあ！」鏡に映ったジレル自身の唇から発せられる、からかうような声がせっついた。どうにも嫌な響きの声だ。

「入れ！」三たび声が叫ぶ。こんどは命令だった。

ジレルの目がすっと細まる。もどれ、と直感が告げる。そうはいっても――ジレルは腰の剣帯からダガーを抜くと、手首一閃、球形の大広間めがけて投げた。ダガーは音もなく床に突き立った。たちまちまばゆい光が炎のごとく燃え立ってダガーを押し包む。あまりのまぶしさに、なにが起きているのかよくわからなかった。ただ、ダガーが膨らみ、しだいに大きくなって形がぼやけ、めくるめく光の環に囲まれたように見えて――つぎの瞬間、ダガーは消えた。ダガーを構成する原子そのものが崩壊して、巨大な球を形作る金の光のなかに消し飛んだとでもいおうか。ダガーとともにまばゆい光も消えて、ジレルはなにもない床を呆然と見つめていた。

もう一人のジレルが哄笑する。呵々と響く軽侮と悪意の笑いだった。

「なれば外にいろ」声はいった。「思うたよりもおまえは賢い。さて、ここへはなにゆえ？」

ジレルはなんとか声を絞り出した。

「武器を探している」と答えていう。「憎き男を倒す武器だ。地上には求めるに足る武器がない」

「ほほう、それほど憎いか」考え込むように声がいう。

「心の底から」とジレル。

「心の底から！」声がくりかえす。どうにも理解しがたい笑いの気配を含んだ声だった。愉快そうな響きが広大な球の内部を駆けめぐる。その嘲笑が孕むどこか淫らな気配に対する怒りで、ジレルはおのれの頬が火照るのを感じた。笑いの余韻が薄れてゆき、淡々と声はつづけた。

「湖の黒き神殿で得たものを男に与えるがいい。それをわれからおまえへの贈りものとしよう」

ジレルと同じ唇が歪み、紛れもない愚弄の笑いを放った。と思うと、ジレルと寸分違わぬその似姿全体が燃えるような光に包まれた。輪郭が液体のように溶けてゆく。ジレルはまぶしさに痛む目をそらした。形を失った光は泡の中央で今一度まばゆく燃え上がり、嘲笑の谺《こだま》とともに掻き消えた。

ジレルは痛む目を手で覆い、身をひるがえしてまろぶように巨大な円塔の下を離れた。ようやく塔の周囲に敷き詰められた光を撥ね返さない黒い円のへりにたどりつき、そういえば武器があるという湖への道を知らないと、遅まきながら気がついた。いや、それ以前に、悪魔の贈りものを受け取ると破滅する、といわれてはいなかったか。買うにしろ、もらうにしろ、決して受け取ってはならぬ、と。ままよ——ジレルは肩をすくめて草の上へと踏み出した。この身はとうに呪われているはず。だいそれた目的のためにおのれの意志でこの奇怪な地へとおりてきたのだから。どうせ失う魂はこれ一つだ。

　見慣れぬ星々を見上げ、めざすべきはどの方角かとジレルは頭を悩ませた。空は無数の無意味な目でうつろに見下ろしている。と、星が一つ流れた。迷信深い心にそれは予兆と映り、光の尾が消えた方角めざして、ジレルは果敢に暗い草原を歩きだした。そちらには道を阻む沼地もなく、やがてこの地ならではの不思議に軽やかな足取りで踊るように草の上を馳せていた。先へと進むうち、どこか遠い世界のはるか昔のことのように、男の傲慢な哄笑と強引な唇の感触がよみがえる。身の内に憎しみが熱く湧き上がり、予感の小さな笑いが猛々しく唇から迸る。湖の神殿で待つのはどんな恐ろしいものなのか、この手でギヨームに与えることになるのはいかなる地獄の罰なのか。たとえその代償がこの魂だとしても、あの唇から薄笑いを引きはがし、邪なあの目を恐怖で濁らすことができるなら、むしろ喜んで公正な取引と見なすとしよう……。

　そんな思いが長い旅路の道連れとなった。背後の巨塔の影すら落ちぬ不気味な闇にも孤独や恐怖は感じなかった。不変の草原は夢のなかの草原のように、軽やかに足元を飛び去ってゆく。あたかも自分ではなく大地のほうが動いているかのように、楽々とジレルは進んでいった。星がさらに二つ、空に同じ弧を描いて落ちていったところをみると、正しい方向をめざしているのはまちがいない。

　この草原にも棲むものがないわけではなかった。ときおり近くの闇に気配を感じた。一度など、山の頂にいたのとよく似た騒々しい小さな生きものの巣を全速力で突っ切る羽目になった。醜怪な異形どもが歯をカチカチ鳴らし、闇雲な獰猛さで四方八方から突進してきた。ジレルは剣を振り上げ、異形どもが草のなかに跳ね飛ばされて刃に滴る死を残す音に吐き気をもよおしながら、猛然とあたりを薙ぎ払った。なんとか撃退すると、おのれの悪心《おしん》と戦いながら先を急いだ。今の小さな怪物ほどおぞましいものは知らなかった。

　闇のなか奇怪な言葉で物語りするかのように絶え間なく独りごちる小川を渡り、向こう岸を数歩進んではっと足を止めた。近づいてくる蹄の轟きで大地が震えるのが感じ取れる。ジレルはその場にたたずみ、なにごとかと闇の奥を透かし見た。いくらもたたぬうちに大地を響動もす蹄の音が大きくなって、左手の遠く離れた薄闇のなかをすべるように移動する仄白い塊が見えてきた。蹄の轟きがますます深く大きくなる。と、夜のなかから雪のごとく白い馬の群れがなだれを打って押し寄せた。たてがみを激しく揺らし、尾をなびかせ、躍る蹄でリズミカルに大地を叩き、悠然と疾駆する一群の馬。その動きの美しさに、ジレルは思わず息を呑んだ。馬たちは頭を振り立て、嘲る蹄で大地を蹴りつけながら、すぐそこへと駆けてきた。

　馬群が真横に来たとき、一頭がわずかによろめいて隣の一頭にぶつかった。ぶつかられたほうが戸惑ったように首を振る。この馬たちは目が見えていないのだと、ジレルははたと思い当たった。自分が手探りで抜けたあの闇よりもなお濃い闇をこれほど鮮やかに駆け抜けるとは――。よくよく見れば、その体毛は汗でごわつき、口からは泡が垂れ、鼻孔は真紅に燃えている。ときおりよろめく一頭がいるのは、ひとえに疲労のせいなのだ。それでも群れは取り憑かれたように、当て処もなく、自分たちの理解のおよばぬなにかに追い立てられ、闇を抜けて駆けつづけた。

　最後の一頭が汗にまみれてよろめく足でジレルのそばを駆け過けざまに、頭をもたげ、泡を撒き散らし、星に向かって高くいなないた。ジレルの耳になぜかそれは言葉に聞こえた。そう、名前めいて響いたのだ、「ジュリエンヌ！　ジュリエンヌ！」と。その甲高く、絶望に満ちた声――。いかにも場違いな、苦い絶望の響きは胸を鋭く締めつけて、ジレルはその夜三度目の涙の刺すような痛みを知った。

　蹄の轟きが消えても、恐ろしいほど人間じみたその叫びはなお耳に谺した。疲労によろめきながら、絶望の果てに女の名を呼び、獣の喉から闇へと放たれたその声は永遠に虚空へと失われ……。美しい盲目の生きものを思って流した涙を振り払い、ジレルは進んだ。

　やがて星がまた一つ空を流れた。この星降る闇の地のために流す涙の源ともいうべき奇妙で不可解な憐憫に心を閉ざし、ジレルはさらに先を急いだ。自分が足を踏み入れたのは角ある悪魔どもが跳ねまわる地獄ではなかったものの、それでもやはりこうして駆けゆくこの地は一種の地獄なのかもしれぬと、そんな思いが胸の内に膨らんでいった。

ほどなくジレルの目は遠くにちらりと光を捉えた。その後は徐々にくだりになって、光も見えなくなった。そのまま狭い谷を進むと、青白い生きものがひらひらと道をあけてつぎつぎに暗がりへと逃げ込んだ。生きものの正体はわからずじまいだったが、むしろそのほうがありがたかった。ふたたび高みに出ると、行く手に広がる仄かなきらめきがさっきよりもよく見えた。湖だといいのだがと願いながら、ジレルはいっそう足を速めた。

はたしてそれは湖――この闇濃き地獄以外の地には存在しえない湖だった。ジレルは水際《みぎわ》に立ち尽くし、光の悪魔がいっていた場所はここでまちがいないのだろうかと、疑わしげに首をかしげた。眼前には黒い、光る水面《みなも》が広がり、見知った水とは似ても似つかぬ動きで穏やかにうねっている。水底を覗いてみると、無数の小さな光が、あたかも氷に閉じ込められた蛍のごとく、ちらちらと瞬いていた。光はそこに留めつけられて動けないのか、水のうねりにも揺らがない。水底を見ていると、頭上でシュッと音がして、暗い大気を光の筋が引き裂いた。振り仰いだ瞬間、なにか光るものが天空に弧を描いて落ちてきて、飛沫も立てずに湖中に吸い込まれた。燐光を孕んだ波紋が細波となってゆるゆると岸に打ち寄せ、ジレルの足元で砕けて囁きめいた不思議な音を立てる。つづけざまに打ち寄せる細波は、なにか一つの言葉の音節を発しているようでもある。

落ちてくる光の源を突き止めようと視線を上げたが、馴染みのない星々がうつろに見下ろすばかりだった。ジレルは腰をかがめ、こんどは広がる波紋の中心を覗き込んだ。今の光が落ちたあたりで、水底に新たな光が瞬いているように思える。それがなんなのか判断がつかぬまま、しばしあれこれ考えてから答えを探すのはあきらめて、光の悪魔がいっていた神殿を探しはじめた。

ほどなく湖の中央に黒っぽいものが見えた気がした。数分じっと目を凝らすうちに、星を湛えた湖を背にして黒々とそそり立つアーチの形がしだいにはっきり見えてきた。神殿かもしれない。もっとよく見えるところはないかと、ジレルは湖の岸辺をゆっくりと移動した。この位置からでは、それはさながら星を宿さぬうつろな夜空、光の粒を掻き消す闇としか見えない。と、そのとき、草に埋もれたなにかに足を取られた。

驚きに金色の目を瞠り視線を落とすと、なにやら判然としない奇怪な闇めいたものがある。いや、足に当たる感触は固いのだが、目にはそうとは見えない。そもそも、目の焦点がどうにも合わぬ。草のなかの空洞というのか、暗黒というのか、存在しない物体に目を凝らしでもしているようだ。階段の形だけはなんとか見て取れた。目で追うと、どうやら橋のたもとの部分らしい。細い弧を描いて湖上に伸びる、無でできたおぼろなる黒い橋だ。輪郭は周囲の薄闇に溶け込んで見分けがたく、はっきりした形がないようにも見えた。とはいえ触れることはできるし――凝《ここ》った暗黒を刻んで作った太鼓橋にはちがいない――行きたい方向へと連れていってくれる。湖の中央にある仄黒い塊こそが探していた神殿だと、今やジレルは無邪気に信じて疑わなかった。天から落ちた星々が導いてくれたのだ、まちがえようはずがない。

　かくしてジレルは腹をくくると、剣を握りしめて橋の上へと踏み出した。足元は巌《いわお》の硬さだが、幅はせいぜい爪先から踵までの長さ程度、欄干もない。一歩、二歩と進むと、もうめまいがしてきた。眼下の水が嫌なうねりかたをするうえに、水底で星が不気味にきらめくせいだ。それでも、幅の狭い暗黒のアーチから足を踏み外すのが怖くて、目を背けることができない。星々を踏みしだき、不安定な無の帯だけに身を委ね、虚空にかかる橋を行くようなものだった。半ばまで渡るころには、眼下の水のうねりと星々をちりばめた広大な宇宙の幻影、そして、行く手の無にも紛《まが》う見た目と、それら三つが相重なって、頭がふわふわしてきた。自分がよろけると、橋までいっしょにぐらついて、星を宿した眼下の虚空で大きく揺れる巨大な弧と化すような気がした。

　やっと神殿が近づいてきたものの、岸で見るよりよく見えるとはいいがたかった。背後の星群れの光を背にした無の影絵、きらめく水に浮かぶ暗黒のアーチや柱の線画としか見えない。その漆黒の入口へと橋は下に向かって長くおぼろな弧を描いて伸びてゆく。ジレルは最後の数歩を無謀にも駆けおりて、神殿のおぼろな入口を形作るアーチの下で息を切らせて足を止めた。その場であえぎながら剣を構え、目を細めてようすをうかがう。奥はうつろで物音一つしない。が、床に足が触れたとたん、気配を感じた。

　ジレルの眼前にあるのは星の湖に浮かぶ漆黒の小さな空間――それのみに思えた。壁と柱は、水を背にした輪郭と星散る空を切り取る闇とでそうとわかるが、その先は暗黒以外なにも見えぬ。こぢんまりした場所としか形容しようのない、きらめく水面に浮かぶわずか数ヤード四方のうつろな空間だった。その中央に、一体の像があった。

　無言でそれを見つめるうちに、外部のなにかが密やかに命じているかのように、奇妙な欲望が抑えがたく湧き上がってくるのが感じられた。名も知れぬ黒い物質でできた像だ。闇のなかでもはっきり目に映るところをみると、神殿とは異なる素材で作られているらしい。うずくまって首を突き出した、男とも女ともつかぬ異相の亜人像——恍惚と一つきりの目を閉じ唇をすぼめているのは、くちづけを求めているのか。ただの像だ、生きているわけではない。それにもかかわらず神殿のなかには紛れもなく生けるものの気配が、あまりにも異質で得体の知れぬなにかの気配が感じられ、ジレルは本能的にあとずさった。

おのれの内に湧き上がる声なき欲望を半ば意識しながらも、かくも異質な存在が棲まう場所に入るのがためらわれ、ジレルはたっぷり一分ほど立ち尽くしていた。と、おぼろな建物の線や角度によって描かれる曲線がすべてこの像に集中していることに、遅まきながら気がついた。そもそも橋が長い弧を描いていたのも、そういう意匠を完成させるためなのだ。観察するうち、アーチを支える柱の向こう、湖底と空の星々までが、像に焦点を結ぶ構図に配されているように見えてきた。どうやらこの薄闇の世界では、線の一本、湾曲の一つにいたるまで、目を閉じ唇をすぼめた眼前の像めざして伸びているらしい。

遍在する曲線の集中はやがてジレルにも影響をおよぼしはじめた。そうとは意識せぬままに、おずおずと一歩、足を踏み出す。だが、胸の内でまどろんでいた欲望を揺り起こすにはその一歩で充分だった。一歩踏み出したその瞬間、抗いがたい欲望が嵐のごとき激しさでジレルに襲いかかった。自分が為す術もなく前へと進んでいるのが感じられた。この神殿を構成するあらゆる線に課されている同じことをしなくてはという盲目的で抗いがたい衝動に、狂気に、自分が為す術もなく囚われていることが、ささやかな正気を保っている心の一部で自覚できた。渦巻く星々に促されてジレルは床を進んでゆくと、座像の丸く屈《こご》めた肩に手をかけ——忘れられていた剣を、差し伸べられた座像のうなじに騎士叙任の首打ち儀式《アコレード》よろしく載せ——赤い髪を振り払って顎を上げ、座像のすぼめた唇におのれの唇を寄せた。

夢のなかでジレルはそのくちづけを受けた。夢にも似た浮遊感と混乱のなかでジレルの唇は鉄の冷たさの唇がかすかにうごめくのを感じた。温かな血の通った女と名も知れぬ石でできた像——くちづけという両者の結合を通して、重なった唇を通して、なにかが、なにか冷たくめくるめくものが、なにか異質であらゆる言葉を超越したものが、ジレルの魂に押し入った。想像を絶するほど異質で恐ろしいものを孕んだ泡ともいうべきそれは、虚空から生まれた氷の重石かなにかのように、震える魂の上に居すわった。おのれの内の触れられたくない部分がそれに触れられ、重みに怯むのが感じられる。どこか悔悟か絶望にも似たその重みは、しかしそれよりずっと冷たく、妖しく、そして——どういうわけか——禍々しかった。これはただの卵の重みで、想像するだに恐ろしいものがここから孵化するのかもしれぬ、そんな気がした。

　一呼吸の間にも満たないはずのくちづけは、ジレルにとっては永遠だった。夢のなかであの欲望がやっと剝がれ落ちるのが感じられた。おぼろな夢のなかでおのれの手が像の肩から離れ、握りしめたままの剣の重さに気づき、しばしぼんやりそれを見つめているうちに、ようやく曇った頭が晴れてきた。ふたたび完全におのれを取りもどしたときには、恍惚と目を閉じた像の前に力の入らぬ体と重い頭で立ち尽くしていた。胸にのしかかる重みは、過ぎし日の悲しみのように切なく、そのくせ言葉に尽くせぬほど冷たく禍々しかった。

　頭が晴れるとたちまち圧倒的な恐怖が——像と暗黒の神殿に対する恐怖、冷たくきらめく湖とおのれをとりまき広がる奇怪な薄闇の世界に対する恐怖が——どっとばかりに襲いかかった。もとの世界が恋しくてたまらない。燃え盛る憎しみに、ギヨームの口の感触に、熱い傲慢さを湛えたあの目に、ふたたび身を曝してもかまわない。これ以外ならばなんでも……。気づけばわけもなく駆けていた。水面に触れては舞い上がるカモメの翼さながら、ジレルの足はすべるように軽々と細い橋を渡っていった。星宿す広大な湖はたちまち眼下をかすめ過ぎ、足元には固い大地があった。暗い草原のはるか彼方に光の巨塔が、その向こうに星を背にしてそびえる山の頂が見える。ジレルは駆けた。

　恐怖に追われ、おのれの速さが起こした風のなかの悪魔の咆哮に追われ、ジレルは駆けた。人智を超えた禍《わざわい》の重みを担った重たい体から、なぜか他人のもののように思えるおのれの体から、ジレルは逃げた。青白い生きものがひらひらと逃げ散る狭い谷を駆け抜け、ゆるやかにうねる草原を恐怖に駆られて逃げた。小さい重力の許すかぎり軽やかに跳び、鹿よりも速く、恐慌に喉を締めつけられながら、魂にのしかかる引きずるような重みのあまりの切なさに涙も流せず、駆けて駆けて駆けた。逃れたくて駆けたが、逃れられなかった。考えるのも恐ろしいなにかを運んでいるという忌まわしい確信は強まるいっぽうだった。

　長いことジレルは疲れを忘れ、踵に羽が生えたように、赤い髪をなびかせて草原を疾駆した。しばらくすると恐慌は去ったが、禍を運んでいるという重い感覚は居すわりつづけた。泣けば気持ちが和らぎそうな気もしたが、魂の冷たい闇に潜むなにかが、異質な灰色の凍てつく冷気で涙さえも凍らせた。

やがて、内なる闇の奥で生まれた強烈な期待が少しずつ頭のなかで形を取りはじめた。ギヨームへの復讐！　神殿で得たものはくちづけだけ。かくなるうえは、あやつにそれを届けてやるまでだ。疑いもせぬギヨームにあのくちづけがなにをもたらすだろうと考えて、ジレルは残忍な愉悦に震えた。それがなにかはわからぬが、想像しながら狂おしい歓びに満たされた。

光の円塔を後目に、白い哀しい女たちが例のごとくぶざまに泥濘を跳ね飛ぶ沼地をかすめ過ぎ、近づきつつある山めざして硬い草の大地を渡るころ、地平に沿って空が白みはじめた。その仄白さとともに新たな恐怖が、この不浄の地の夜明けに対する狂おしいまでの恐怖が、ジレルを捉えた。これほど恐ろしいのはあの光そのものなのか、はたまたあの光の下に曝されるものなのか――闇雲に駆け抜けた漆黒の大地の夜闇のなかで、いったいいかなる未知の恐怖と危うく遭遇しかけたのか――どちらなのかはわからない。いずれにせよ、おのれの正気を守りたいならあの光がこの地をあまねく照らす前に去るべきだと、本能が告げていた。かくしてジレルはふたたび気力をふりしぼり、萎えかけた四肢に鞭打って飛ぶような速さでひた走った。とはいえ、苦しい競り合いになりそうだった。すでに星影は薄れ、奇怪な緑の光が空に射しそめて、周囲の大気は淡い、不吉な灰色に染まりつつある。

息を切らして険しい山を駆けのぼる。半ばまでのぼったあたりで、岩肌に落ちるおのれの影がはっきり形を取りはじめた。およそ見覚えのない、理解の範疇を超えた忌まわしいなにかを想起させるその形――。その意味が今しも脳髄を蹂躙し破壊しそうで、たまらずジレルは影から目を背けた。

白んだ空を背にして、山の頂が黒々と浮かんでいるのが見える。ジレルは剣を握りしめ、死にもの狂いで駆けのぼった。この世界に踏み出したとき足元を跳ねまわっていたおぞましい異形どもを白昼の光で目にしようものなら、とめどなく悲鳴を上げてしまいそうだった。

行く手にあの隧道が、背中を照らす暁の光からの逃所《にげど》が、差し招くようにぽっかりと漆黒の口をあけていた。この見晴らしのよい場所で振り向いて、おのれが駆け抜けた世界を見渡したいという気持ちが抗いがたく湧き上がったが、剣をきつく握りしめて天邪鬼なその切望を抑えつける。と、足元の岩場を這い寄る気配があった。あえて視線を落とさぬままに、下唇をきつく噛みしめ、すばやく剣を打ち振るって幾度もそこらを薙ぎ払う。鼠めいた小さな声とぺたぺた岩を踏む音が響き、獰猛な歯が噛みつくまもあらばこそ、刃が三度ぐにゃりと肉を断つのを感じた。やがて異形どもはちりぢりに山腹を逃げてゆき、ジレルは唇から迸り出そうになる悲鳴の誘惑を押し殺し、おぼつかない足取りで先へと進んだ。

隧道の入口までのぼるあいだもどんどん膨れ上がってゆくその誘惑と戦いつづけた。いったん気を許したら最後、喉が破れるまで悲鳴を上げつづけることはわかっていた。

隧道にたどりついたときは、声を出すまいと噛みしめた唇からは血が滴っていた。と、すぐそこ、岩の上でなにかがきらりと瞬いた。ひどく馴染みのある小さなもの。安堵のあまり嗚咽しながら腰をかがめて拾い上げたそれは、この地に足を踏み入れたとき首からむしり取った十字架だった。十字架を握りしめると、たちまち守護の広大な闇がおりてジレルをすっぽり包み込んだ。安堵に大きくあえぐと、ジレルは隧道の入口まで一歩、二歩と探りさぐり歩を進めた。

のぼりの途中の山肌に映るおのれの影の恐ろしさを思い出し、肩を打つ払暁の光の禍々しさを思い出し、目を覆う毛布のごとき晦冥を、ジレルはありがたく受け入れた。暗黒のなかをつまずきつまずき進むうち、震える体とあえぐ肺がゆっくりと平静を取りもどし、夜明けが身の内に掻き立てた説明しがたい恐慌がゆっくりと和らいでゆく。恐怖が去ると、魂に背負った重みがまたしても鈍くのしかかった。恐慌のさなかで忘れかけていたものの、切迫する未知の脅威の重苦しさと耐えがたさはこの地中の闇のなかで弥増すばかり、ジレルは絶望のあまり茫然自失して、運んでいる奇怪な禍の重みに鈍る足で探りさぐり進んでいった。

行く手を遮《さえぎ》るものはなかった。朦朧とかすむ意識のなかでジレルはそれにもほとんど気づかず、あたりに棲まう得体の知れぬ異形どもが飛びかかってくるやもしれぬと身構えることもしなかった。闇のなかよろめき歩く足の向く先に伸びる道は、脅威とてないうつろな道。一度だけ生きものが立てる音が——かすれた耳障りな息遣いと岩をこする鱗の音が——聞こえたが、ジレルの通る道筋と交わらぬ位置だとみえて、相見えることなく終わった。

ほどなく隧道が途切れた。行く手に立ちはだかるのは冷たく高い壁だった。壁に沿って手探りしたのは無意識の習性でしかなかったが、その手がやがて穴の口を探り当てた。穴は闇のなかをゆるやかに上へと伸びている。ジレルは剣を引きずり潜り込んだが、のぼり勾配《こうばい》と低い天井のせいで、そのうちうつぶせに這い進むしかなくなった。そこを過ぎると、こんどはすべりやすい螺旋の竪坑を爪先と指先を使い無理やり体を引きずり上げてのぼっていった。

　そう遠くまで行かないうちに、自身が重力に逆らって動いているとも気づかずに、苦もなくのぼりはじめていた。この竪坑特有の不思議なめまいが――体を構成する物質そのものが変化するような奇妙な感覚が――襲いかかり、ぼんやりと麻痺したような知覚を通して、自分が苦もなく螺旋坑をまわりまわってすべってゆくのが感じられた。こんどもやはり、ぼんやりと、この奇妙な角度のついた竪坑にはのぼりもくだりもないという感覚を覚えた。めくるめく回転がいつ果てるともなくつづいた。

　ついに螺旋が果てたとき、指は頭上の坑の縁を――ジヨイリーの最下層にある地下牢の床下に穿たれた坑の縁を――つかんでいた。やっとのことで体を引きずり上げて、闇のなかで冷たい床に身を投げ出す。しばらくそうしているうちに、内なるあの禍々しい重みだけを残して、めまいの靄がゆっくりと頭から晴れていった。周囲の闇の回転が止まり、床が揺れなくなると、のろのろと立ち上がって石蓋で元どおり竪坑をふさいだ。冷たい、太陽の光をついぞ浴びたことのないすべらかな金属の環の感触に、手が震えた。

　周囲の闇は薄らいでいたが、作業を終えて顔を上げて初めて理由がわかった。壁にあいた穴が――石を取り除けてあれを作ったのは一世紀前だったか？――揺らめく光に浮き上がって見える。長いこと闇のなかで過ごしたあとでその光はまぶしすぎ、ジレルは片手で目を覆うと、わずかにふらつきながらしばしその場に留まって、それからようやく穴の向こうで待つ懐かしい松明の光のほうへと踏み出した。ジェルヴェーズ神父にちがいない。今か今かと帰りを待っていてくれたのだ。もっとも、その神父でさえ壁の穴を抜けて螺旋坑の縁まで来ようとは思わなかったらしい。

　無事に帰還できたことに、ふたたび人間の世界にもどれたことに、ほんとうなら目もくらむほどの安堵を感じていいはずだった。なのに、よろめく足で光と安全を求めてのぼりながら感じていたのは、麻痺した魂にのしかかる、いまだ解き放たれぬ禍の鈍い重みだけだった。

岩壁に口をあけた穴を抜け、ジレルは明々と燃えて待っていた松明の光のなかに歩み出た。なにか恐ろしいものから逃げてこの道をもどることを思って穴を広げたことを思い出し、独り苦い笑みを浮かべる。そうとも、身の内にかかえているこの恐怖から逃げる術はない。そういえば胸の鼓動も前より遅くなり、疲れ果てた走者のようにときおり脈が乱れてつまずくような気もする。

　疲労によろめき、噛みしめた唇から滴る血で口元を朱《あけ》に染め、脛当てしか着けぬ剥き出しの腿と抜身の剣を隧道の出口に群がっていた小さな異形どもの死で汚し、ジレルは松明の光のなかに進み出た。もつれた赤い髪のあいだから覗く目は、名状しがたいものを見つづけて、暗く、冷たく、鬱々と内に向いている。かつてジレルのものだった鋭い、鋼の輝きの美しさは剣同様に見る影もなく汚れ果て、その双眸に宿る光に、ジェルヴェーズ神父は身震いして十字を切った。

5

　ジレルを迎えたのは落ち着かぬようすの一団だった——ジェルヴェーズ神父は鬱々と顔を曇らせ、ギヨームは火明かりのなか堂々と傲慢に丈高く、松明を掲げたわずかな数の兵士たちは不安げに身じろいでいる。ギヨームの姿を目にするや、ジレルの両の眼に光が燃えて瞳の奥の禍の暗い気配をつかのま掻き消し、遅くなっていた胸の鼓動が拍車をかけられた馬のように跳ねたかと思うと血管に怒濤のごとく血を送り込んだ。ギヨームは甲冑姿も勇壮に、大剣に身をあずけ、短い黒い鬚を突き出して、蔑むような高みから見下ろしていた。ギヨーム、この男の手でジョイリーは落ちたのだ。ギヨーム。

　ジレルがおのれの魂の深奥で運んできたものは、この世のなによりも重かった。あまりに重く、膝を折らずにいるのがやっとだった。あまりに重く、心臓は重圧にあえいでいた。その重みに屈してしまいたかった。圧倒的な重荷の下で低く低く身を沈め、己《おの》が身を包んで立ちこめる靄の向こうにぼんやりとしか見えない冷たい灰色の寒々しい場所にすべてをなげうち倒れ臥してしまいたかった。だが、ギヨームがいた。無慈悲に薄い笑みを浮かべていた。この男への激しく苦いこの憎しみ——なげうつわけにはいかない。やりとげねばならない、いかなる犠牲を払おうとも。なぜなら、そう、この荷を長く背負っていれば、待っているのは死なのだから。一撃を与えそびれれば振るう者をも打ち滅ぼす、これは諸刃の剣なのだ。頭のなかで濃くなりまさる暗い靄ごしにそれを悟ったジレルは、持てる力をあらんかぎりふりしぼり、床を渡って男に近づいた。わずかによろめきながら、もつれる足で一歩、また一歩。男のほうへ両手を差し伸べた拍子に、剣がすべり落ちて甲高い音を立てる。

　ギヨームはたくましい腕で、強く、温かく、ジレルを抱き留めた。勝ち誇った笑いを憎々しく響かせて、もたげたジレルの口からくちづけを受けようと、ギヨームはうつむいた。唇が重なりかけたその瞬間、ジレルの目に浮かんだ荒々しい勝利の輝きを男は見たはずだ、そして驚いたはずだ。だが、男は微塵もたじろがなかった。ギヨームの口が重くジレルの口をふさいだ。

　長いくちづけ。ジレルは腕のなかの男が身を硬くするのを感じた。重ね合わせた男の唇に冷たさが這い寄るのを感じた。おのれが担っていた闇の重みがゆっくりと軽くなり、消えて、頭の靄が晴れてゆく。体のすみずみまで力がみなぎる。息づく世界がふたたびよみがえる。ほどなくジレルは力なく垂れたギヨームの腕を振りほどいて身を離すと、激しく残酷な喜びの浮かぶ顔で男の顔を振り仰いだ。

　見守るジレルの目の前で、向こう傷のあるギヨームの顔の赤みが失せてゆく。表情が石のように強ばってゆく。まだ死んでいない目のなかに、苦悶と、そして理解が見て取れた。ジレルは愉悦に震えた――望んでいたのはまさにこれ、求められずしてジョイリーの女公のくちづけを奪った代償がなんなのか理解させてやることだ。ジレルは苦悶を浮かべたギヨームの目を見つめ、薄く笑みかけた。なにか冷たく異質なものがギヨームに入り込み、人間の知り得ぬ名状しがたい感情とともに、男の内にゆっくりと広がってゆくのがわかる。ジレルはその感情の呼び名を知らなかったが、男の目の奥にはそれが――生身の人間には知る由もない恐ろしい感情が、灰色の形なき虚空に棲まう想像を絶する生きものだけが感じうる鉄の冷たさの絶望が――およそ人間には耐えられそうにないぞっとするほど異質なものが、はっきりと見て取れた。ギヨームの目から覗くそのおぞましい、荒涼たる冷たさにジレルでさえも震え上がり、そして、思い知った――そう、いかなる人間も経験しえない、経験すれば生きてはいられない、そういう人智をはるかに超えた感情が、恐怖と喜びが、まちがいなく数多《あまた》存在しているのだ。それが灰色にギヨームの全身を冒してゆくのを、その鉄の重みの下でギヨームの肉体を形作る物質そのものが戦くのを、ジレルは感じた。

　と、こんどは傍目《はため》にもわかる肉体的な変化が起きた。見守りながら、ジレルは慄然とした。自分はこの恐ろしい花の種を、おのれの身に、おのれの魂に、宿して運んできたのか――。これほどまでに耐えがたい重みの下、胸の鼓動が遅くなっても不思議はない。腕を半ば曲げたまま、ジレルが抱擁からすり抜けたときの格好で凝然と立ち尽くしていたギヨームの、今や全身が波打つように震えはじめていた。甲冑に身を鎧い目を苦悶に濁らせた灰色の顔の幽鬼かなにかが、松明の火明かりに揺らめいているようにも見える。額に噴き出す玉の汗。口元から滴る血――新たに知った、理解のおよばぬ感情にもてあそばれる苦痛で唇を噛み切りでもしたか。やがて、今一度激しい震えに身を波打たせてから、ギヨームは顔を振り上げた。短い縮れた鬚が天を向き、太い首に筋肉が浮き出したかと思うと、唇を割って長く太い叫びが放たれる。およそ人間のものとは思えぬ異様なその声――。おのれの血管を冷気が走り抜けるのを感じて、ジレルは聞くまいとして両手で耳をふさいだ。なにかを意味する叫びだった。そう、なにか恐ろしい感情を、後悔でも絶望でも怒りでもない、しかし途轍もなく異質で途轍もなく哀しい感情を語る叫びだった。ついにギヨームは長い脚を折って膝からくずおれ、甲冑の音も高く床に倒れ臥して動かなくなった。

その場の誰もがギヨームの死を知った。今の倒れざまを見ればまちがいない。ジレルはそれを見下ろし、立ち尽くしていた。どういうわけかこの世の光のすべてが消えたような気がした。一瞬前までギヨームはいかにも大きく生気にあふれ、火明かりのなかいかにも堂々として――今もまだ唇に彼のくちづけを感じる、彼の腕の硬いぬくもりを感じる……。

不意に、霹靂《へきれき》のごとく、おのれがなにをしたのかジレルは悟った。今ならわかる、ギヨームのことを考えるたびなぜあれほど苛烈な激情に襲われたのか――今ならわかる、この身に瓜二つの光の悪魔がなぜあのような愚弄の笑いを放ったのか。そうだ、悪魔の贈りものを受け取れば代償を払わねばならない。そうだ、この世のどこにも光はない、もうギヨームはいないのだから。

ジェルヴェーズ神父がいたわるように腕に触れる。ジレルはわずらわしげにそれを振り払い、ギヨームの亡骸《なきがら》のかたわらに片膝をつくと、深くうなだれた。頬に垂れかかる赤い髪が、涙を隠した。

Sword and Sorcery　剣と魔法

不死鳥《フェニックス》の彼方に

Beyond the Phoenix

ヘンリー・カットナー　Henry Kuttner

田村美佐子 訳

C・L・ムーアの夫君にして合作者、多岐多作で知られるヘンリー・カットナー（一九一五―五八）も、ハワード亡きあとの『ウィアード・テールズ』にヒロイック・ファンタシー〈アトランティスのエラーク〉ものを書いている。狼のごとく勇猛な傭兵エラークと、酒好きな相棒ライコンの四つの冒険はすべて邦訳されているが、本書では長らく入手困難だった本作を新訳でおくる。初出は一九三八年一〇月号。初訳は都筑道夫編のヒロイック・ファンタシー傑作集『魔女の誕生　幻想冒険譚』（一九七〇）。

一　王、死す

そしてたいまつの炎が淡き髪に触れ
白銀《しろがね》が雲のごとく黄金を覆う
彼《か》のおもざしの輪郭は糸によりて描かれ
若き君は諸侯を見わたし
そしていった、「王は老いておられる」と

——G・K・チェスタトン

「ひと思いには殺さぬぞ」丸顔に獰猛な笑みをにやりと浮かべ、さも満足げにライコンがいった。「そうだ。貴様にはさんざ愚弄されてきた。貴様の卑しい神とやらの祭壇に日々の供物を捧げねばならん。まずは片方の耳からだ！」

男は剣を容赦なく振りおろした。

「どうだ！　お次は鼻だ、ザンダー——貴様はこいつで、あまりにも多くの餌食を嗅ぎつけすぎた。だからこうだ——」ふたたび鋼《はがね》が閃いた。

「お次は目だ、ザンダー——見えるか？　この切っ先で目玉を抉《えぐ》り出してやる。丁重にな。銅貨一枚にかけて、そいつを貴様に喰わせてやろうじゃないか」

「この酔いどれのチビ公めが」エラークはテーブルに近づき、いった。「豚の丸焼きをいじくりまわすなよ。切り刻んじまったら喰えなくなるだろうが」

木製の大皿の上の、肉汁したたるこんがりと焼けたかたまりを、ライコンは見おろした。「別に駄目にしちゃいねえぞ」不服そうにいう。

「そうやってザンダーへの脅し文句をしじゅう口にしてると、いずれ俺たち自身の首を絞めることになりかねんぞ。俺とて奴のことは気に喰わん。だが——奴は王のもとで——このサルハドンを治める人物なのだ」

不幸なことにこれは真実であった。エラークとライコン、このふたりの傭兵は、アトランティス西部のほぼ無名の都市、サルハドンに身を寄せて以来、フリジョー王のもとで出世を果たし、いまや王づきの護衛を務めるまでの地位にのぼりつめていた。だが、おそらく彼らがポセイドニアの港町出身の他所者《よそもの》だったせいで、再三にわたり、大神官ザンダーの嫌悪を浴びせられてきた。なににせよ、ザンダーはこのふたりを疎《うと》んでおり、それをあからさまに態度にあらわしていた。権限を持つ彼は、すべての市民に貢ぎものを課すことができたため、ライコンの財布は常にすっからかんだった。エラークの懐からたびたびこっそり失敬していたのだが、どうやら近頃、相棒もそれに気づきはじめてしまったようだ。

「まったく気に喰わん」浅黒い、狼じみたおもざしに深く皺を寄せ、エラークがいった。「本来であれば、俺たちはいまごろ王のお側《そば》に仕えていたはずだ。王がお休みになるときは、供の者たちがかならず護衛につくことになっていた。ところが隊長殿は俺たちをこんな厨房に留め置いたうえ——ああ？　ことづてを待て、などとは」

「ほかの場所よりやだいぶましさ」巨大な角杯を勢いよく傾けながら、ライコンがいった。「なんて気の抜けた蜂蜜酒だ！　十二杯飲んだってまっすぐ歩けらあ。ポセイドニアじゃ絶対にこんなことはなかったんだがなあ」

エラークは閉口して顔を背《そむ》けた。彼は中央で仕切られた窓の側へ行き、サルハドン渓谷を包む街の灯に視線を注いだ。もの寂しい花崗岩の断崖が街を囲み、その手前にはシラ川が銀色の網目模様を描いて流れている。川の先は城の地下へ続いていた。いい伝えによれば、さらにその先には〈不死鳥の門《フェニックス》〉があるという。そのようなものの存在などエラークはまったく信じていなかったが、街の人々はみな信じきっていた。むろん彼とて、歴代の王に受け継がれてきた伝統的な死の儀式については知っていた。王の亡骸《なきがら》は王家の艀船《はしけぶね》に乗せられ、シラ川に流されて——居酒屋で交わされる噂話によれば——〈不死鳥の門〉の彼方にある、彼らの父祖の地へ還っていくのだという。

　エラークは不満げな声を低く漏らすと、腰にさげた細身の剣《レイピア》の柄《つか》に手をやった。

「俺は戻る」彼はいった。「おまえはここにいたけりゃいろ。どうも嫌な感じが——」

　最後までいい終えぬうちに、彼は慌ただしく廊下へ飛び出すと、角杯の蜂蜜酒をあおりながらついてくるライコンを従え、螺旋階段の石段を駆けあがった。フリジョー王の寝室はこの城の、灰色の石を積みあげた胸壁のさらに上に聳《そび》え立つ高い塔にあったため、階段は長く続いていた。激しい戦闘の音に鼓膜を揺さぶられ、エラークは唸るように罵りの言葉を唇から漏らすと、素早く剣を抜き放った。

「ローカーの畜生め、裏切ったな！」抜き身の剣を手に階段を駆けのぼりながら、彼は小声でいった。その背後で、角杯がライコンの手を離れ、けたたましい音をたてて石段を転げ落ちていった。だが王の間から響いてくる激しい物音に、それすらもかき消された。エラークは控えの間にたどりつくとしばし立ち止まり、目を凝らした。傍《かたわ》らの吹き抜け穴が深く口を開け、螺旋階段は下まで続いていた。だが十数フィート先の部屋を見据えながら、エラークはなぜか、それよりも深い地の底を覗きこんでいるような錯覚に襲われた——果てしなく続く底なしの穴を。敷居の奥には黒々とした影が立ちこめ、手に取れるのではないかと思えるほど濃い闇がたゆたっていた。まるで戸口が漆黒の帳《とばり》で仕切られ、足を踏み入れようとする者を拒《こば》んでいるかのようだった。

　だがその向こうからは、戦いが繰りひろげられているとおぼしき物音が響いてくる。突然、王の苦悶の叫び声があがった。

　理性よりも衝動が先走り、エラークは敷居を飛び越え、闇のヴェールをものともせずに突進した。一瞬、極寒の地のごとき冷気が肌を刺し、視界が闇に包まれた。いつしか、エラークは殺戮のまっただ中にいた。視界が戻ったとき、背後の黒い帳が跡形もなく消え失せているのが、彼の目の端に映った。

室内はひどいありさまだった。貴重なタペストリーの数々は引きずりおろされ、刃でずたずたに切り裂かれて血みどろだった。まともに立っている調度類はひとつもなかった。嗅ぎ慣れた香のかおりに交ざって、汗と血の臭《にお》いがつんと鼻をつく。足もとには喉をぱっくりと切り裂かれた男が横たわっており、むごい傷から砕けた軟骨が飛び出ていた。十数名が死体となって転がっており――息のある者は数えるほどもいなかった。そのうちのひとりであった護衛隊長のローカーが、いままさに剣を振りかざし、横倒しになったテーブルにしがみついて必死に立ちあがろうとしているフリジョー王の首を刎《は》ねんとしていた。

エラークは電光石火のごとく動いた。細身の剣と利き腕と身体が一体となり、素早く一撃を繰り出すと、ローカーが声をあげて剣を取り落とし、その剣が石の床に転がって耳障りな音をたてた。巨軀の兵士が貫かれた手首を押さえ、赤い血がほとばしる。彼はエラークを見やり、言葉にならぬ怒りの咆哮をあげた。

腕の傷も顧《かえり》みず、ローカーがエラークに飛びかかった。エラークは気圧《けお》されたふりで剣先をふとさげた。寸前まで引きつけたところで、彼は敷石を踏む片足に力をこめて身を乗り出し、目にも留まらぬ早技で切っ先を薙ぎ払った。ローカーは身の危険を悟ったが、すでに遅かった。細身の剣がその片目を刺し、薄い骨を突き破って脳髄を貫いた。

「気をつけろ――危ない、エラーク！」ライコンが戸口から叫んだ。エラークは歯を剝き、くるりと振り向いた。まだ生きている敵がいた――相手は丸腰だった。だがその男を目にしたとたん、身も凍らんばかりの震えがわけもなく背筋を走るのをエラークは感じた――かの神官、ザンダーの姿がそこにあった。

背骨が曲がり瘤《こぶ》のようになってはいるが――小男ではなかった。身体が醜くねじくれているものの、かなり大柄で、黒ずんだ皮膚の下には隆々たる筋肉が波打っている。背中の瘤は禿げあがった扁平な頭よりも上に盛りあがり、それを包む見事な黄金の衣が、異様なほどの不気味さをよりいっそう際立たせていた。顔の片側は、昔年の戦いの名残である刀傷の跡で皮膚が盛りあがり、もはや原形をとどめていなかった。左半分だけが妙に形の整った赤い唇の反対側には、穴だけが恐ろしげに空いているのみだった。

異形の者は声を轟かせた。「ほほう、愚か者めが！　去《い》ね！　戻るがよい！」

「俺がお仕えしているのは王だ、貴様ではない、怪物め」エラークはぼやくと、剣を構えた。足もとで、フリジョー王が身じろぎをした。白い顎鬚《あごひげ》は血まみれだった。王のはだけた胸に深紅の染みがひろがっていき、その真ん中に短剣の柄が突き立っているのが、エラークの目に映った。

神官がふたたび咆哮をあげた。「去ね！　去ね！」

猫のごとくしのび寄っていたエラークがふとためらった。頭の中で、なにともつかぬ警報が鈍く鳴り響いていた。彼はザンダーを見据えたまま歩みを止めた。

幻か？　異形の者のねじくれた身体が膨らんでいき、室内いっぱいに聳え立つかのごとくに巨大化したように見えたのだ。エラークは悪態をつき、頭を振った。なにを乱心しているのだ？　彼はザンダーの姿を捉えようと、ますます暗くなっていく、黒々と澱《よど》んだ靄《もや》の奥に目を凝らした。仄暗い中に、形の定まらぬ柱のごときものが揺らいでいた。ザンダーであった。エラークの歪む視界の中で、その姿が伸び縮みする。霧がどこから湧いてきたのか彼には見当もつかなかったが、そこはかとなく漂う邪悪な気配に、まるで警告を知らせんとする指に心の砦《とりで》をかきむしられているような感覚をおぼえた。ここには危険が待ち受けている——あるいは命取りになるやもしれぬ。麝香《じゃこう》に似た、甘ったるい匂いが強く鼻孔をついた。なにかが生長するような臭い——だが、健《すこ》やかなるものが育っているとはとうてい思えぬ臭いだ。菌類や地衣類のごとく胞子から菌糸を伸ばし、腐った死骸を餌食とするものが放つ、胸の悪くなるような瘴気とでもいおうか……。

背後でライコンの耳障りな息遣いの音がし、そのおかげで彼はふとわれを取り戻した。ザンダーの姿はおぼろな影となっていた——構わずエラークは影に向かって剣を水平に突き出した。するとさらに濃い影がみるみる彼を取り巻き、瘴気のごとき凄まじい悪臭に息が詰まりかけた。刃が肉を切り裂く慣れた手応えがし、骨に当たった鋼の震える感触が、細身の剣から彼の手に伝わってきた。神官のいた方角から、凄まじい苦悶の声があがった。

やがて叫びが言葉に変わっていった——狂気じみたその喚き声は、なにをいっているのかエラークにはまったく聞き取れなかったが、この世のものならぬその響きは、彼を身構えさせるにじゅうぶんであった。彼は不敵な笑みを浮かべると、いま一度、鋼の刃を影に突き立てた——しかし手応えはなかった。

まるでヴェールが引きあげられたかのように、闇が晴れていった。エラークは呆然と息を呑み、部屋の中心を見つめたまま立っていた。彼は勢いよく振り向いた。

「ライコン！　奴がそっちへ行ったか?」

　小男はかぶりを振り、おのれの重厚な剣にちらりと目をやった。「イシュタルにかけて、来なかったぞ！　もし来やがってりゃ、脳天から股までまっぷたつにしてやったものを――」

「おそらく壁のどこかに隠し通路があるんだろう」エラークはいい、王の傍らに膝をついた。髭に囲まれたフリジョー王の唇がひらき、エラークがあてがった瓶から葡萄酒を飲みこんだ。灰色石のごとく冷えきった両の瞳が傭兵の目を覗きこみ――ふいに燃え立つような輝きを帯びた。

「あの神官じゃ！　あ奴の息の根を止めよ！」

「逃しました」エラークはいった。「あとの連中は――」

　フリジョー王は自身の身体を見おろし、弱々しい指で、おのれの胸に突き立った短剣の柄に触れた。彼は掠れ声でいった。「このままでよい。抜けばその瞬間に予は命を失うであろう。なによりもまず――」彼は葡萄酒のフラスコ瓶を手で探った。「エサーラを――わが娘を――ここへ」

　エラークは素早く合図をした。「王女をお連れしろ、ライコン。俺は王をお護りする」

「もはや――それには及ばぬ。ザンダーの奴めは――目的を果たしおった」エラークがフリジョー王の口もとにフラスコ瓶を近づけると、瀕死の王は葡萄酒をごくりと飲みくだし、わずかに生気を取り戻すと、ふたたび話しはじめた。

「かの神官は長きにわたり、予に対する謀叛《むほん》を企てておったのだ、エラーク。奴の犬どもめが予の護衛兵の中に紛れこみ、そやつらが今夜、いまだ予に忠実であった者たちを手にかけたのだ。奴はかねてより玉座を――そしてエサーラを狙っていた。だがさすがの奴も、〈不死鳥《フェニックス》〉――サルハドンの王が祀《まつ》る神に盾突くことはできなかった。そこで奴がすり寄ったのは――葡萄酒をくれ、エラーク。予の血がみるみる失われていく……。

　そうだ。バアル・ヤゴス――そなたも名は知るまいな。もはや記憶にとどめている者はほぼおらぬが、バアル・ヤゴスとは、太古の昔、かつて神々が地上に暮らしていた時代の暗黒神であり、邪悪な欲望の権化であった。奴は世界征服を企んだものの、さきの大いなる戦《いくさ》において、アッスラー、すなわち〈不死鳥〉に打ち倒され、神々の国に封印された……だがアッスラーが眠りについているこのときを狙い、ザンダーはサルハドンの覇権を握らんと、暗黒の地よりバアル・ヤゴスを召喚したのだ。怨恨と憎悪に狂った輩《やから》でなければできる所業ではない。かの暗黒神が地上で力を放つには、人間がおのれの意志で、理性と魂とをバアル・ヤゴスの住処《すみか》として明け渡さねばならぬからだ。いまザンダーの内には、奴の信奉する神が棲みついておるのだ」

　かの神官に攻めかかったさいのできごとを、エラークは思い返した。

　王はさらに葡萄酒を口にした。「力が抜けていく。エサーラはまだか――」彼は苦痛にびくりと身をこわばらせた。「エラーク！　もう待てぬ！　そなたの腕を――」

　エラークが片手を差し伸べると、王がその手を摑み、みずからの手首から黒い石のついた腕輪を外した。石には印が刻まれていたが、それの示す意味はエラークにはわからなかった。だが最も広い面の菱形の部分には、鷲の姿にも似た、不死鳥の輪郭が描かれていた。伝説の鳥の色彩を模し、紅玉《ルビー》と黄金で彩られている。王は素早くその腕輪をエラークの逞しい腕にはめた。ひやり、と妙に冷たい感触が走った。

　フリジョー王は妖しげな、古めかしい動作で不死鳥の文様に触れた。彼はなにやら呪文を呟いた――すでに死の影がしのび寄っている険しいおもざしに、わずかに光が差した。「これで、聖なる腕輪をそなたの手首から外すことができるのは、もはや〈不死鳥〉のみとなった」彼は穏やかにいった。「アッスラーのもとへ行け――〈不死鳥の門〉の彼方へ。よく聞くのだ、エラーク、もはやこの身体には力が残っておらぬのでな。

　この塔の最下階の壁に、バシリスクとドラゴンの戦いが描かれたタペストリーがある。バシリスクの目を三たび叩いたのち、ドラゴンの目を一度押すのだ。さすれば扉がひらく。仲間とともにその扉を抜けよ。ザンダーの魔手に捕らわれぬよう、エサーラも連れていってほしい。通路の奥で艀船が待っている。長いことその場所で――予の亡骸《なきがら》を待ちつづけていた艀船が。そなたに――予をそこまで運んでほしいのだ。エサーラが案内するだろう。娘は〈不死鳥〉の血を継ぐ者――」

　フリジョー王の命を支えていた不屈の意志が、突如として力を失った。彼は痙攣したように全身を震わせ、苦悶のあまりに身体をのけ反らせて、白い髭が泡まみれになった。やがてその身体からがくりと力が抜け、彼はエサーラとライコンが戸口を跨《また》ぐ直前に息絶えた。

　娘が父親の傍らに駆け寄った。エラークは立ちあがり、赤く染まったライコンの剣に目を留めた。小柄な傭兵は軽く頷いた。

「ザンダーの犬どもがまだいやがった。俺が始末してやった。姫様もずいぶん役に立ってくれたぞ――俺の剣も顔負けってくらい、短剣をぶん回して連中を血祭りにあげなさった。で、このあとはどうするね？」

説明している暇はあまりなかった。ことのしだいをエサーラに手短に告げると、彼女は足早に階段をおりていき、エラークも、王の亡骸を抱えてそのあとを追った。ライコンが周囲に目を配りつつ、しんがりを務めた。

塔の最下階はひとけがないように見えたが、さほど遠からぬ場所から、剣の打ち合う音や男たちの怒鳴り声が聞こえた。件のタペストリーは壁一面を覆うほどの大きさだった。バシリスクとドラゴンの目にはそれぞれ宝石が埋めこんであり、エラークはフリジョー王に命じられたとおりにそれらを押した。すると、ほぼ音もなく敷石のひとつがせりあがり、その下に、漆黒の闇へ続く階段があらわれた。

ライコンが立てかけてあったたいまつを一本手に取り、先に立って歩きだした。エラークは隠し扉を閉めようとしたがうまくいかず、ややあって娘のあとを追った。たいまつの炎に彼女の横顔が浮かびあがるたびについ目が行った。美人だ。王族らしい凛とした顔立ちだが、慈愛に満ちた表情が印象を和らげており、白い額には褐色の巻き毛が汗で貼りついている。すらりとした華奢な身体の曲線が、絹の化粧着越しでもわかり、その化粧着も一か所といわず破れていて、そこから象牙色の肌が覗いていた。

背後に足音を聞きとがめたエラークは連れのふたりに声をかけ、三人はさらに足を速めた。階段をおりた先は石壁に挟まれた湿っぽい通路で、さらにそこを抜けると、天井の低いひろびろとした空間に出た。周囲には狭い足場が張りめぐらされており、その下には水面が黒々と不気味にひろがっていた。艀船がぽつんと浮いていた。

宝石がちりばめられ、黒い絹と天鵞絨《ビロード》が用いられた、まさしく王の亡骸を覆うにふさわしい天蓋を、エラークはちらりと見やった。彼は艀船に飛び乗ると、腕の中のものをおろし、振り向きざまに細身の剣を抜いた。素早く周囲を見わたしたところ、この洞《ほら》にはあとひとつ出入り口があるだけだった――その金属製の門には緑青《ろくしょう》が生え、すっかり腐食して緑色に変色しているうえ、高さは天井から水面下まで続いていた。地下道の抜け道から、追っ手がどっと押し寄せてきた――刃を血に赤く染めたザンダーの手下どもが、猟犬さながらの雄叫びをあげながら突進してきた。

「ライコン！　ここは任せろ！」エラークは声をあげたが、小男の返事はなかった。長身の傭兵はふたたび足場へ飛び移ると、先頭にいた敵の喉を剣で貫き、そのまま鮮やかに引き抜いた。相手の身体が飛沫《しぶき》をあげて水中に転落した。ライコンとエサーラがふたりして、天井からぶらさがっている金属製の巨大な棒——レバーだ——をどうにか動かそうと必死に取りついている姿が目の端に映った。まもなくエラークは戦いの紅蓮の炎に包まれ、周囲のことは脳裏から消え去った。

　三人の敵を葬り、みずからも肩に傷を負った。危うく喉をかすめた敵の刃が、彼の頬に薄い傷をつけた。眠っていた機械仕掛けの軋《きし》む轟音が響きわたり、ライコンの怒声が耳に届いた。振り向くと、激流に乗り、艀船が遠ざかりつつあった。

　息の根を止めんと向かってくる男たちには目もくれず、エラークは跳躍した。跳んだと同時に槍が唸りをあげて彼の頭上をかすめ、ドスッと音をたてて艀船の舷側に突き刺さった。皮肉にも、彼はこの槍に救われることとなった。跳躍がわずかに届かず、とっさに手がかりを探した指先に、槍の柄が当たったのだ。一瞬だがそこにぶらさがることができたおかげで、ライコンに両手首を摑まれ、無事に船上へ引きあげてもらうことができた。

　艀船から見あげると、灰色石で築かれた城が荒涼と聳え立っていた。すでに船は奔流によって扉の外へ運ばれ、三人は追っ手を逃れた。だが竿もなければ櫂もなく、船を岸につけることは不可能だった。しだいに深くなっていく峡谷を船は流されていき、彼らの耳に、凄まじいまでに荒れ狂うシラ川の轟きが響きわたった。

二　門、ひらく

荒地や雑木林に草木は生えず
ヒースの花も蔦もなく
花をつけぬ罌粟《けし》の芽と
プロセルピナの青き葡萄と
風にそよぐ灯心草の白き寝台があるばかり
茂り色づく葉とてなし
かの女神が死者どもに
死の葡萄酒を振る舞うこの場所のほかは

——スウィンバーン

川はサルハドンを囲む山々の奥へ流れこみ、頭上の青空も、聳え立つ断崖の隙間から覗くだけの、まばゆいジグザグの細い筋となってしまった。艀船の上の三人はただ流されていくしかなかった。話をしようにも声を張りあげねばならなかった。それでもエラークは必死に、それまでの顛末を連れのふたりに話して聞かせた。

「イシュタルにかけて！」激流の轟音に負けじと、ライコンが声をあげた。「あのザンダーの悪魔め、ずっと怪しいと思ってたんだ！　どうなんだ、奴の息の根は止めたのか？」

　エラークはかぶりを振った。「腕には傷を負わせたはずだ。だがそれだけだった」そこでみずからも傷を負ったことを思いだし、自分で手当を始めた。エサーラは艀船の舳先に立ち、白い手をかざして前方の靄に目を凝らしていた。ふいに彼女が声をあげたので、あとのふたりは駆け寄った。

「〈門〉が！　〈不死鳥の門〉ですわ！」

　立ちこめる水煙の中からゆっくりと門があらわれた。はっきりと姿をあらわしてはまた霧に紛れ、だが確実に近づいている——激流に聳え立つ門は百フィートにも届こうという高さで、そこに用いられた鋼は、絶えず流れつづける水にどれほどさらされようと、汚れることも錆びることもけっしてないのだった。銀白色の門は青みを帯びてきらめいていた。中央には人間の背丈の三倍ほどもある巨大な〈不死鳥〉の像が鎮座しており、その全身は紅玉《ルビー》の中心にきらめく炎のごとく赤く、志那《カセイ》の岸辺を洗う金色《こんじき》の川のごとく黄金に輝いていた。羽冠を高々と掲げたその巨大な像は、まるでシラ川の水面を——艀船の上の三人をじっと見おろしているかに見えた。川の流れは、容赦なく船を門のほうへ押し流していった。

「なんてこった！」エラークがぼそりといったが、その声は水の轟きにかき消された。「川は門の下を潜ってやがる！　このままじゃ転覆するぞ——」

　エサーラが彼の腕を摑んだ。「腕輪を！　それを〈不死鳥〉に示すのです——」

　わけがわからぬまま、エラークは娘が彼の剝き出しの腕を持ちあげるに任せた。不死鳥の腕輪がきらめき、光が靄を照らした。腕輪と門の像との間に、一瞬ひと筋の閃光が走ったような気がしたのは、ただの目の迷いだろうか？　だとしても、その次のできごとはけっして幻ではなかった。門が開いたのだ。門は音もなく両側にひらき、その奥に煌々と輝く深淵があらわれて、艀船はなににも妨げられることなく門を通り抜けた。船はつかの間流れに揉まれて激しく揺れたが、やがて門がふたたび閉じると揺れは収まった。あたりは妙に静まり返っていた。いつしか三人は、不気味な輝きをたたえた洞窟の中にいた。紫色の光が壁に躍っていた。

　突如として、じつに不可思議なことが起こった。まばゆい光がふいに走ったかと思うと、艀船を取り囲むように、突然、円柱状の透明な壁があらわれたのだ。まるで周囲の水の中からせりあがってきたかのようだった。エラークは神経を研ぎ澄ましてあたりを見まわし、危険を察知した瞬間にすぐさま剣を抜けるよう身構えた。

　硝子《ガラス》の壁が上昇した。艀船の真上で、壁の上端が中心へ集まってひとつとなり、壁は円蓋《ドーム》の形になった。〈不死鳥の門〉の向こう側からかすかに響いていた川の轟きがぴたりとやんだ。あたりはすべてが死に絶えたような静寂に包まれた。

　エラークがいった。「気に喰わんな。これじゃまるで監獄だ。姫、いったいこれは――」

　エサーラは細い肩をすくめた。「アッスラーのみぞ知ることですわ！　けれどもサルハドンの王はみな、人々の記憶に刻まれるよりも遙か昔から、この道のりを旅してきたのです」彼女の視線は、フリジョー王の亡骸が横たわる、宝石をちりばめた天蓋の下に注がれていた。彼女は涙声でいった。「いい伝えによれば、サルハドンの初代の王は〈不死鳥〉の国からやってきたのだといいます。ですからその子孫は死後、かならずかの地へ戻らねばならないのだ、と。ですから――」

「おい！」ライコンが鋭い叫び声をあげた。「見ろ、エラーク！」

　艀船を支えていた水がいつの間にか引き、船は透明な殻の上に乗っていた。透きとおった球体の内側に船ごと閉じこめられていることに、エラークは気づいた――ライコンが警告の声をあげたと同時に、動きだしたらしき振動が伝わってきた。球体はひとたび震えると――落下していった。周囲が突然、深い闇に包まれた。動いているような感じはしなかったが、エラークは、船が球体ごと下へ――下へ――底知れぬ深淵に向かって確実に沈んでいる、という奇妙な感覚をおぼえた。眩暈《めまい》が襲ってきた。ぶつかってきたエサーラのしなやかな身体を、彼は力強く抱き寄せた。落ちていく感覚がさらに強くなった。球体が移動しているのは間違いなかったが、なぜそう感じるのかについてはどうにも説明しがたく、ただ勘がそう告げている、としかいいようがなかった。手首にある〈不死鳥〉の腕輪からは、この世のものならぬ魔力が彼の身体を伝わってあふれ出ていた。やがてまばゆい光が闇を照らした。ライコンとエサーラはまぶしげにあたりを見まわしていた。ふたりともまだよく目が見えていないようだった。

透明な球は金属の縦坑を落下していたが、スピードがあがるにつれて縦坑の側面は速度でにじみ、ぼうっと輝いているようにしか見えなかった。一瞬、赤い閃光がエラークの眼球を灼き、やがて純白のまばゆい光があたりを包んだ。彼は思わず顔を伏せ、あまりの激痛に両の拳を目に押し当てた。吐き気がするほどの眩暈がさらに――さらに強くなっていく――

　エラークは、ぱっくりと口を開けて待ち受ける、無意識という名の黒い淵にみずからを委ねた。彼は意識を手放した……。

　これは夢だ、そうにちがいない、とエラークは思った。目を閉じているのに、周囲のようすがはっきりと見えたからだ。あたり一面に立ちこめた濃い霧がゆっくりと渦を巻きながら、周囲をくすんだ灰色に染めていく。やがて靄はすこしずつ薄れていき、そのうちにすっかり晴れた。そのあとには、遙か彼方まで果てしなく続いているかのような、冷えきった虚ろな青がひろがっていた。

　星のようにきらめく光の点が視界に入ったが、やはり空ではないことがエラークにも見て取れた。光の点がしだいに明るさと大きさを増し、やがて、花弁の多い花によく似た形をしていることがわかったからだ――とはいえけっしてこの世では見かけない花だった。しかも生きている。そら恐ろしさに思わず背筋がひやりとした。

　揺らぎもせず青い虚空に浮かんでいる花のごときものの視線が降りそそぐ。悪夢がエラークを囚えていた。もはやこの悪意に満ちた花々のほかにはなにも存在せず、しかもそれらが、激しい飢えを満たさんとばかりに迫ってくるような気がしてならなかった。花のごときものは、青を背景として空間をびっしりと埋めつくしていた。大きさの見当はまるでつかなかった。じつはすぐ近くにあって人間の掌ほどの大きさのものなのか、あるいは思いのほか巨大だが遠くにあってちいさく見えるのか。じっと待っている。虎視眈々と……。

　夢が転換した。ひとりの女がエラークの視界に入ってきた。ほっそりとした身体つきに浅黒い肌、生命力にあふれたその姿は、さながら黒い炎のようであった。その唇に負けじと赤いロングドレスを身にまとい、両の瞳と長い髪は夜半を思わせる漆黒だった。女はゆっくりとエラークに歩み寄り、傍らに立った。彼女は風変わりな細《さい》金《きん》細工が施された杯を手にしていた。杯からは薄い湯気のようなものが立ちのぼっている。

　女がエラークに覆い被さった。灰色の靄がふたたび渦を巻いて立ちこめ、視界が遮られてなにも見えなくなった。霧の狭間から、女の傲然たる端正なおもざしと、白い手と、その手の中の杯とが浮かびあがった。女は杯をエラークの口もとに近づけた。甘ったるい香りが鼻腔をくすぐり、嫌悪感に思わず全身が震えた。酒からほのかに甘い芳香がした。その滴が唇に触れたとき、灼けるような激痛が、彼の全身の細胞という細胞を駆け巡った。

「ティラーラ！」

その呼びかけに、女は地獄の業火のごとき炎を瞳に宿らせてあとずさった。霧の中からゆっくりと近づいてきた人影に、女が向き直った。

男だった。小柄だが身体つきはすらりと優雅で、ぴったりと身体の線に沿った銀色の衣服を身につけており、その姿を目にしたエラークは、北欧の神バルドルを連想した。髭のない透きとおるようなおもざしと、なにかを面白がっているような、けだるげな瞳からみなぎる確固たる強い自信とが、まるでそぐわぬ感じがした。

男がもう一度いった。「ティラーラ、そなたの性急さは軽率に過ぎる。予はその男の到着すら知らなかった」

女は白い指で杯を握りしめたまま立ちすくんでいた。彼女はためらったのち、訊ねた。「わたくしの奴隷に関心をお持ちになるだなんて、いつからそのような卑しい者になったのです、イスローン？」

男は棘《とげ》のある笑みを浮かべた。「そう申すが、その男はほんとうにそなたの奴隷なのか？　ニルヴァーナの者は白い肌に黄色の髪ときまっている。予のようにな。ところがこの男はさながら狼のごとく、黒い髪に痩せた身体をしている。しかもこの男、確《しか》としたしるしを身につけているではないか……」

ティラーラは、エラークの手首にある腕輪にちらりと目をやった。その瞳に一瞬恐怖の色がにじんだが、特になにかを口にすることはなかった。

イスローンと呼ばれた男はくくっと笑い声をあげた。

「しかも、地上からやってきた者たちはどうやらほかにもいるようだ。契約を忘れたのか？　ニルヴァーナを治めているのはそなたと予だ――われわれふたりのものであって、そなただけのものではない。闖入者どもは裁かねばなるまい？――ふたりでともに」

「そうですわね」ややあって、ティラーラはいった。だがそのおもざしは暗く、恨めしげであった。「お望みのとおりに……」

ふたたび霧が立ちこめ、あたりは漆黒の闇に包まれた。エラークはしばらくの間意識を失っていたが、やがてゆっくりと目を開けた。馴染みのない、胸のむかつくような味が舌に残っている。彼は身体を起こすと、唾を吐いて悪態をついた。傍らからライコンのいびきが聞こえてきた。

ふたりは、窓のない大きな部屋の真ん中に並べて置かれた、つづれ織りの低いソファに寝かされていた。金糸銀糸を織りこんだ赤い絹地の壁掛けが四方を覆っている。天井からは銀製のランプがぶらさがり、黄色味を帯びたまばゆい光を放っていた。それらを除いては、部屋はがらんとしていた。

エラークは重い身体を起こして立ちあがると、ライコンをソファから蹴落とした。「起きろ！」彼はいった。「寝てる間にふたりして喉をかっさばかれててもおかしくなかったぞ、この飲んだくれの犬っころめが」

「蜂蜜酒をもっとくれ」〝飲んだくれの犬っころ〟はどうやらまだ葡萄酒色の夢の中にいるらしく、むにゃむにゃと呟いた。「ああ、カップが空《から》になっちまった……」

エラークは相棒の襟首を摑んで無理やり立たせた。「〝起きろ〟といってるんだ」彼は不満げにいった。「俺たちは呪術使いの隠れ家かなにかに来ちまったようだ。おまえの剣が必要になるかもしれん。失《な》くしちゃいないようだが」と、自分のベルトにさがった細身の剣を満足げに見やる。

ライコンは非難がましく目を開けた。「とりあえず俺たちの喉は無事だった、いまのところはな。俺たちを殺《や》るつもりなら、昨夜《ゆうべ》のうちにいくらでも時間はあっただろうよ」

「どういう意味だ？」

「目が覚めたとき、ここにゃ俺しかいなかった。扉をガンガン叩いて七か国語で喚きまくったが、なんにも起こりゃしなかった。八方塞がりで、しょうがないからまた寝ちまったのさ」

「王女はどこだ？」エラークがふと訊ねた。ライコンは肩をすくめた。

「俺が知るかよ？　誰かが扉を開けるまで待つんだな、エラーク。そしたら俺たちの剣の出番てわけだ。それまでは――」彼はいい終えずに黙りこんだ。低い音色が響きわたったと同時に、奥の壁に細い裂け目があらわれた。

そこには、黄色の髪に華奢な身体つきの、緋色のローブをまとった男が立っていた。武装はしていなかった。彼は片腕をあげると、招くような身振りをした。

エラークは剣の柄に手をかけたまま前に踏み出した。「いったいここはどこだ？」彼はぶっきらぼうに訊ねた。「姫は――」

「どうぞこちらへ」相手がいった。エラークは、その青い瞳の男の目つきがふと気になった。まるで目に見えないものを見つめているかのように、どこか焦点が合っていないのだ。瞳の奥に渦巻く好奇心、といったものも皆無だった。男はぼんやりと虚ろな目をエラークに向けると、もう一度いった。「こちらへ」

ライコンはふんぞり返って敷居を跨いだ。「案内してもらおうじゃないか」彼はいった。「だが下手なことはしないほうが身のためだぞ。なにしろ俺の剣は鋭いからな！」

緋色のローブの男は踵《きびす》を返し、窓も扉もない、白い石敷の廊下を先に立って歩きだした。エラークとライコンはそのあとから、通路を渡り、吊りさげランプの冷たく青白い灯のともる螺旋階段をのぼって、さらに傾斜した廊下をくだり、青銅の扉の前にたどりついた。威圧するような、耳障りな銅鑼の音が響きわたった。入り口がひらいた。

敷居の向こう側はひろびろとした部屋だった。天井が高く、床には敷石で不思議なモザイク模様が描かれている。いくつもの吊り香炉から青い煙が立ちのぼっていた。部屋の奥には壇があり、その上に——玉座がふたつ並んでいた。

いっぽうの、夕焼け雲さながらに燦然と赤く輝く艶やかな金属製の玉座には、黒いクッションが敷かれていた。もういっぽうの玉座は銀白色だった。銀の玉座に金髪の小柄な男がすわっているのが、エラークの目に映った。男のまなざしはけだるげで、どこか面白がっているようでもあった。赤の玉座には女がすわっていた。

ティラーラだ！　彼女の右手にある台座の上に杯があるのは確かめずともわかった。黒い瞳に謎めいた視線をたたえ、ほっそりとした色白の顔と象牙色の両肩が、まとったローブの燃えるような赤にくっきりと映えていた。

玉座を見おろす高い壁には意匠を凝らした不死鳥の彫刻が施されていた。螺旋を描いてのぼっていく香の煙が、その突き出た嘴《くちばし》を撫でていった。

案内人の男は、エラークに部屋の奥へ行くよう身振りで示した。招かれたふたりは壇に近づいていった。そこで立ち止まったとき、なにかがちらりと動くのが目の端に映った。エラークが振り向くと、ふたりのもとへ駆け寄ってくるエサーラの姿と、開け放たれた扉の脇でじっと目を光らせて立っている、先ほどとは別の、黄色い髪の華奢な男の姿が見えた。

「エラーク！」娘の白いおもざしを、豊かな栗色の巻き毛が際立たせていた。彼女はかすかに身を震わせ、エラークにすがりついた。王女は破れた化粧着を銀のドレスに着替えており、ちいさな両足には銀の上靴を履いていた。

「エラーク！」彼女は息を切らせ、いった。「心配しましたわ――」

そこでエサーラが玉座のふたりに気づいた。王女は、庇うように彼女の腰に回されたエラークの腕をすり抜けると、くるりと玉座に向き直った。

赤い衣の女、ティラーラがもういっぽうの玉座をちらりと見やった。彼女が小声でなにごとか呟き、男が頷いた。彼は身を乗り出した。

「恐れずともよい」彼はいった。「いまのところはまだなにも危害を加えられてはおるまい――そうであろう？」

先ほど見た幻がエラークの脳裏によみがえった。「それには感謝を申しあげねばなりませんでしょうな――イスローン殿」

女がはっと息を呑んだ。イスローンが両眉をあげた。

「かもしれぬな」彼はただそういった。「とはいえ、外《と》つ国《くに》の者がニルヴァーナに足を踏み入れるなどめったにあることではない。サルハドンの代々の王だというのなら――話は別だが。彼らは〈不死鳥〉の血筋を引く者。だが彼らとて、死してようやくこの地を訪れることができるのであり、長きにわたり――そうだ、そなたらには想像もつかぬほど長い歳月だ！――生きたままの人間が地上世界からここへやってこられた例はないのだ」

「よくわからない」エラークはいった。「ここはどこだ？　最後に、なにやら忌々しい洞に空いた穴から落ちたことだけは憶えているが――ここは地下なのか？」

「そうだ」イスローンは頷いた。「そなたはいまニルヴァーナにいる。地上世界より遙か遠く離れた地だ。ニルヴァーナは洞窟内にあるが、この洞窟はあまりにも巨大であるため、人間ごときがその幅や高さを測ろうとしても無駄だ」

エサーラがひそやかな声でいった。「神々の国ですわ！　アッスラーのおわす――」彼女は不死鳥の彫刻を見あげた。

「われわれはアッスラーのもとでこの地を統べている」イスローンがいった。「それがティラーラと予だ。不死鳥は眠りにつく前に、われわれにこの任を委ねた。ニルヴァーナを治め、護らねばならぬのだ――護らねば――」彼はいいよどみ、ティラーラをちらりと見やった。彼女は憎さげなまなざしをエラークに向けた。

「この者たちは裁かれるべくここにいるのではないのですか」彼女がいった。「そうでしょう？　さあ、さっさと裁くのです！」

「そなたらはなぜここへ来た？」イスローンが訊ねた。

エサーラがエラークから離れ、すっと背筋を伸ばして壇の前に立ち、堂々と誇らしげに顔をあげて、これまでの顛末を語って聞かせた。話が進むにつれ、娘を見据えるティラーラの目は暗く不穏な光を宿しはじめ、いっぽうでイスローンのまなざしにはみるみる驚愕がひろがっていった。

「というわけで、サルハドンはザンダーに支配されております」娘は締めくくった。「かの者はわたくしの父までも手にかけました。〈不死鳥〉の掟が破られたのです。バアル・ヤゴスがその身を縛る鎖から解き放たれ――」

「アッスラーにかけて、なんということだ！」イスローンが小声で呟いた――彼は薄い色の瞳をかっと見ひらき、両目に炎を燃え立たせて、傍らの玉座の女を睨《ね》めつけた。「アッスラーとイオドにかけて！　これはそなたの所業であるな、ティラーラ！」

ティラーラはさっと立ちあがると、細い指を鉤爪のごとく曲げてみせた。彼女は男に向かって吐き捨てた。

「ええ――わたくしのしたことですわ！　それがどうかしまして？　アッスラーの世はすでに遠い昔のこと、かの者にはもはやなんの力もありませぬ。あなたはわたくしに、このまま永遠にこの黄泉の国を治めつづけろとおっしゃるのですか。わたくしに傅《かしず》き――わたくしの葡萄酒を口にするのは、青白い顔をしたあなたの奴隷たちばかりの、この――」

ティラーラの玉座の傍らに置かれた杯をちらりと見やったイスローンのおもざしに、かすかな恐怖がにじんだのがエラークにはわかった。女は恨みがましく話しつづけた。

「そもそも、もしわたくしがバアル・ヤゴスを召喚したからとて――だからなんだとおっしゃるの、わが君イスローン殿？　わたくしを止めようなどとは、いったいあなたは何様ですの？　お望みなら、せいぜいアッスラーにお仕えなさるがいいわ――あなたはニルヴァーナを統治していればよろしいのです！　わたくしはサルハドンの神官と契約を結び、あの者の望みどおり、バアル・ヤゴスをその鎖から解き放ってやりました。わたくしはまもなく外つ国へまいりますの――屈強な男たちの――燃ゆる情熱と生命力を秘めた男たちのいる世界へ。そう、まさしくこの者のような」――彼女は片手でエラークを示した――「そしてその者たちに、わたくしの葡萄酒を味わわせてやるのです！」

「やめろ！」イスローンはこわばった険しい表情を浮か

べ、女に向き合った。「よくも――アッスラーの象徴たるものの見守る中でそのような――」

「ええ――いくらでもいってさしあげますわ！　もはやわたくしの邪魔はできなくてよ、イスローン。よくお聞きになることね――あなたはここでおとなしく、ニルヴァーナを治めていらっしゃればよいのです。けれどもわたくしの計画に口を出そうなどと企んだが最後、あなた自身がわたくしの葡萄酒を味わうことになりましてよ！」

　ティラーラは笑い声をあげながらひらりと壇をおり、部屋を横切って、開け放たれた青銅の扉から出ていった。イスローンは振り仰ぎ、壁の〈不死鳥〉の彫刻に両手を差し伸べた。彼は轟く雷鳴のごとき声をあげた。

「アッスラーよ！　目覚めたまえ！　かの淫らなる女に神罰をくだし、完膚なきまでに破壊しつくしたまえ！」

　香の煙が立ちのぼった……。

「ニルヴァーナの主《あるじ》よ……目覚められよ！　バアル・ヤゴスが檻より放たれ、全世界に影を落としておりまする。その雷《いかづち》でかの者を灼きたまえ、その鉄の嘴でかの者を引き裂きたまえ！

　アッスラー――サルハドンの神よ！　目覚めたまえ！」

三　神々、決闘す

夜は過ぎゆき、剣は抜き放たれ
鞘は投げ捨てられた！

――ジョン・G・ナイハルト

　おもむろに、玉座の後ろの壁が動きはじめた。壁は〈不死鳥〉とともにせりあがり、その奥に、銀色の光にぼうっと霞む深い闇があらわれた。イスローンがそちらへ向き直った。

「三人とも――ついてくるがよい」

　彼は自信に満ちた足取りで進んでいった。エラークはためらったが、エサーラにぐいと腕を引かれた。つい先ほどまで壁があった間隙に向かって、彼はおそるおそる歩みを進めた。ライコンがそのあとを追う。腰の剣がティラーラの玉座の傍らにある台座をかすめ、杯が揺れた。それをちらりと見やり、小男は身震いをした。

「イシュタルにかけて！　さすがの俺も、その葡萄酒だけは味見するつもりにゃならねえな――」

　一行はまばゆく輝く霞の中に立っていた。壁は背後に消え失せていた。銀色にきらめく霧だけが存在していた。奈落の底まで続く深淵の縁に立たされているような、なんとも奇妙な心地がした。

足もとには蓋の開いた棺があった。棺にはフリジョー王の亡骸が収められていた。安らかで穏やかな死に顔だった。白装束を身にまとい、胸の上には抜き身の剣が添えられていた。

エサーラは石棺の傍らに跪いた。彼女がなにごとか呟いたが、エラークには聞き取れなかった。カメオ細工に似たおもざしは、褐色の巻き毛に隠れて見えなかった。

イスローンが触れると棺は滑るように動きだし、やがて見えなくなった。銀色の靄が輝きを増した。遙か下方から、遠雷のごとき轟きが響きわたった。

すると背後から――武器のぶつかり合う音だ！　怒りをたぎらせ、命令をくだす女の声がする。

イスローンが素早く向き直り、エラークの腕を強く握った。「腕輪だ！　それを掲げるのだ――こうして――」と、エラークの手首を持ちあげる。「そなたはここにいよ！　ティラーラは狂っている。だがその狂気こそ、あの女の力の源なのだ。なんとしても喰い止めねばならぬ、アッスラーが目覚めるまでは――」

彼はすでに姿を消していた。喉の奥から絞り出すような唸りが、かすかにエラークの耳を震わせた。イスローンの声らしきものが聞こえた。

だが周囲に存在するのは靄と、傍らに控えたふたつの人影――エサーラとライコンのみであった……エラークは片腕をあげ、〈不死鳥〉の腕輪を掲げて立っていた……。

奇妙な疼《うず》きが手首に走り、肩を伝わって全身の神経を駆け巡った。ほとばしる力が身体じゅうに流れこみ、この世のものならぬ力が彼の心の砦を揺さぶった……。

霧は明滅を繰り返し、遠雷のごとき轟きがしだいに大きくなった。壁の向こう側にある玉座の間から、ティラーラのものとおぼしき勝ち誇った声が響いた。

「わたくしの勝ちですわね、わが君イスローン！　もはやアッスラーを目覚めさせることなど誰にもできないのです。さあ――わたくしの葡萄酒を存分に味わってもらいましてよ！」

雷鳴が禍々《まがまが》しく轟いた。そのとき、銀色の光があふれて霧が照らされ、なにかがエラークの眼前に聳え立った。その巨大な影は、形こそ明瞭ではなかったが、翼を羽ばたかせ、嘴のついた頭をもたげているように見えた……。

エサーラが声をあげ、ライコンが荒く息をつきながら膝からくずおれる気配がした。〈不死鳥〉の腕輪からあふれ出た原始の魔法が、エラークの全身を駆け巡った。巨大な影は靄の中でそのときを待っていた。

みずからの意志とは関わりなく、言葉が口をついて出た。彼は自分が叫ぶ声を聞いた。

「アッスラーよ！　バアル・ヤゴスは甦りし！　かの者はその鎖を引きちぎり――」

　そのあとの、度肝を抜くような瞬間にいったいなにが起こったのか、エラークにはまるで理解が追いつかなかった。先ほど腕輪によって与えられた力すらも、甦りし神が凄まじい力で叩きつけてきた、この途轍もない力に比べれば無に等しかった――怒濤のごとく押し寄せてくる不可思議な魔力に、彼の目は眩み、鼓膜は痺れ、脳髄は稲妻に灼かれたかのようであった。頭の中にかすかな声が響きわたった。

「〝汝《なんじ》にわが力を与えん。行け、斃《たお》すのだ！〟」

　同時に力の波がエラークの身体を持ちあげ、みるみる押し戻していった。断片的な夢でも見ているかのように、壁や部屋が次々とあらわれては過ぎていくのを、彼はただ漠然と見守った。エサーラとライコンも、肩が触れ合うほど近くについてきていることもなんとなくわかった。頭の中になにかがいた。エラークの指は剣の柄を――白き炎を宿す猛剣の柄を固く握りしめていた。想像を絶するほどの力がみなぎり、彼のまわりの空気という空気が震えた……。

　視界が晴れた。エラークは見覚えのある部屋に立っていた――夢の中で見た、ティラーラの姿を初めて目にした部屋だった。周囲の壁は果てしない蒼穹のごとく青く、その澄みきった深淵には、先ほども見かけた、花に似たきらめく物体がいくつも浮かんでいた。禍々しい期待をみなぎらせ、いまにも喰いつかんとばかりに待ち構えながら、それらはじっと、目の前で繰りひろげられるおぞましい光景を見つめていた。

　こもった太鼓の音が響きわたり、狂ったようなかん高い笛の音が不気味に鳴り響いていた。奇怪な姿をした異形のものが、鱗に覆われた尻をついてしゃがんでいた。蟇蛙《ひきがえる》に似たその魔物めいたものどもは、ぎらついた目で、祭壇の前で踊るふたつの人影を喰い入るように見つめていた。

　ティラーラと――イスローンではないか！　ふたりとも一糸まとわぬ姿だったイスローンの白い身体が、かの魔女の妖しい浅黒い肌と不思議な対照をなしている――イスローンはティラーラに操られ、まるで頼りない木の葉のごとく、くるくると踊り狂っていた。空《から》の杯が石畳の上に転がっていた。イスローンはあの恐ろしい葡萄酒を口にしてしまったのか！

　ふたりは禍々しい太鼓と笛の調べに合わせ、目にも留まらぬ速さで、奇怪なサラバンドのリズムを舞っていた。壁からさがった花のようなものどもはじっと待ち構えていた。ティラーラとともに踊れば踊るほど、男の身体からは力が——というよりも命そのものが——まるで邪悪な吸血鬼による所業のごとくに吸い上げられ、魔女の身体に注がれていくように見えた。

　イスローンの身体はしぼみ、紙のように蒼白で、もはや骨と皮ばかりだった。いっぽう命を飲み干したとおぼしきティラーラの瑞々しい肉体は——さらに精気をみなぎらせ、回転しながらゆらゆらと揺れていた。流れるような黒髪に妖しいきらめきが躍る。両の瞳の奥ではちらちらと炎が揺らめいていた。

「〝打ち据えよ！〟」エラークの頭の中にささやく声が響いた。

　身動きしたようには見えなかったが、その手に握られた燃え立つ剣が振りかざされた。刃から稲妻が滝のごとくほとばしり、バリバリと音をたてて室内を閃光で満たした。まばゆい光の奥から、ティラーラの鋭い、断末魔の叫びが響きわたった……。

　続いて、怖気立つようなか細い悲鳴が次々とあがった。光る花のごときものどもが滅びゆく悲鳴であった……。

光の帳がしだいに薄らいだ。いまや室内にあるものといえば、黒焦げになりねじくれた祭壇のみであった。周囲の壁は焼け落ちてなくなり、床には塵が山と積もっていた。

　力がエラークの身体をふたたび捕らえて持ちあげた。ほんの一瞬、遙か下方に広漠たる景色がちらりと見えた。緩やかに川が流れ、鬱蒼とした森が彼方まで続いている——景色は瞬く間に流れ去った。やがてふいに闇に包まれたかと思うと、まばゆく光る金属の壁が傍らを通り過ぎていった。彼は凄まじいスピードで縦坑をのぼっていた。エサーラとライコンも側にいるらしきことはわかった……。

　洞を過ぎ、背の高い門を過ぎた。川は暖かな日射しを浴び、岩だらけの険しい谷間を勢いよく流れていく。やがて渓谷が——さらにサルハドンの城と城壁が眼下にあらわれ、彼は空中を真っ逆さまに落ちていった……。

　門を、城壁を、防壁を駆け抜け、彼はついにサルハドンの王の間にたどりついた。彫刻が施され、数々の宝石と貴金属で飾り立てられた巨大な椅子には、神官ザンダーが、ねじ曲がった身体に王のローブをまとってすわっていた。黄金の飾り輪を禿げあがった頭に戴いている。傷を負ったほうの顔の半面には巧みな化粧がなされていたが、それでもその醜くおぞましい素顔は隠しきれていなかった。

　玉座の前には、娘が拷問台に縛りつけられて横たわっていた。刀傷だらけの身体は赤く染まっていた。四肢を縛りつけた紐がじりじりと手足を締めあげるたびに、娘は悲鳴をあげた。

　部屋の周囲には貴人たちや神官たちが立っていた。ほぼ全員が、かすかに恐怖と嫌悪をそれぞれのおもざしに浮かべているのをエラークは見て取った。顔を背けたその中のひとりをザンダーが見やった。

「ほほう、ケモシよ！」彼は轟くような声でいった。「おぬしはおのれの王よりも情け深いつもりかえ？　望むならばこの乙女と床をともにしてもよいのだぞ？」

　蒼白な顔で、男は拷問台の娘に視線を戻した。だが剣の柄を握るその手は震えていた。

　そのとき——ひそやかな声がエラークの頭の中にふたたび響いた。

「〝斃すのだ！〟」

　エラークが剣を振りかざした。凄まじい悲鳴が玉座の間を満たし、居合わせた者たちは、タペストリーのかかった壁ぎわに慌ててあとずさった。それまでエラークの姿が見えていなかったのだとしても——彼らの目には、いまはっきりとその姿が映っていたからだ！

　玉座の怪物は鉤爪のついた両手を突き出した。彼は咆哮をあげた。

「バアル・ヤゴス！　ヤゴスよ！」

　雲のごときヴェールが神官を覆い、経帷子でくるむかのように、影の中に包み隠した。鼻の曲がるような饐《す》えた臭いがエラークの鼻孔を鋭く突いた。彼はすかさず剣を振りおろした。

　稲妻が轟音とともに弾けた。凄まじい音をたてて雷《いかづち》が神官を貫き、その身体が炎に包まれた。だが炎は黒い霧の盾の表面を舐めただけだった——まるで効かぬ！

　死臭が立ちこめた。神官の身体から闇がしのび寄り、エラークに摑みかかった。彼はいま一度剣を振りあげた。

　稲妻がふたたびほとばしった。エラークは今度こそためらわず前に踏み出し、おのれをめがけて伸びてくる黒い蔓を、炎を宿す剣で薙ぎ払った。ザンダーとの距離が縮まるにつれ、エラークの肉体は冷たい憎悪に震えた。この世のものならぬ相手が近づくのを感じた。暗い地獄の淵にしか住処を見いだせぬ邪悪なものが。

　稲妻と影とが入り乱れ、激しくぶつかり合って城が揺れた。神官は狂ったように呪いの文句を叫びつづけていた。

闇が渦を巻き、暗雲と化した。中からぬっと頭があらわれた。蛇の目をした、邪気あふるる禍々しきいにしえの魔物の姿だった。鱗に覆われた胴体はとぐろを巻き、その頂で扁平な頭部がゆらゆらと揺れていた——

バアル・ヤゴスの頭か！

エラークめがけて頭が振りおろされた。すんでのところで刃で受け止めたものの——押し戻されていく。

突風が起こり、巨大な翼の影が玉座の間いっぱいにひろがった。目には見えないが実体のあるなにかが、奇怪な頭部めがけて振りおろされた。すべてを灼きつくすような、目も眩《くら》まんばかりのまばゆい炎が激しく燃え立ち、ほんの一瞬、月のごとく黄金に輝くふたつの瞳と、きらりと光る銀色の嘴がエラークの目に映った。

ザンダーを覆っていた影が薄れ、消えた。鎌首のごとき頭も消え失せていた。玉座の前には、魔力を奪われ、曲がった唇を絶望の叫びの形にひらいた神官の姿があるのみだった。その顔は黒く焼け焦げ、見るも無惨な消し炭と化しており、ゴルゴンの面を思わせるほどのおぞましさだった。

狂気に満ちた怒りをみなぎらせ、その目がエラークを睨《ね》めつけた。神官は鉤爪でエラークの喉笛を引き裂かんと、両手を突き出して飛びかかってきた。

いま一度、これが最後とばかりに、この世のものならぬ声がエラークの脳裏にかすかに響いた。

「〝打ち据えよ！〟」

炎の剣が風を切り、唸った。その一撃に骨を、脳髄を、肉を断たれたザンダーの身体は、ほんのいっとき立ったまま揺らいだかと思うと、脳天から臍までまっぷたつに裂け、赤い血が激流のごとく噴きあがった。神官はわずかの間立っていたが、やがてエラークの足もとにどさりと倒れ、みるみるひろがっていく深紅の血だまりの中で絶命した。

宮廷に歓声が湧きあがった——勝利の雄叫びと感謝を告げる声だった。手の中から剣が外されるのをエラークは感じた。剣は空中で一閃の光となり——消えた。彼はサルハドンの玉座の前にひとり立っていた。

魔法は去った。〈不死鳥〉の力も、バアル・ヤゴスの邪悪な呪縛も、跡形もなく消え失せていた。貴人たちが声をあげながら、われ先にと押し寄せてきた。

エラークが振り向くと、エサーラが、ザンダーに捕らえられ拷問台に縛りつけられていた娘の、縛《いまし》めの最後の一本を切っているところだった。泣きじゃくる娘を衛兵のひとりが抱きあげ、部屋の外へ連れていった。エラークが身振りで示すと、エサーラはそれに従った。

彼はエサーラを玉座へ誘《いざな》い、そこにすわらせると、自分の腕にあった〈不死鳥〉の腕輪を外し、彼女の細い手首にはめた。エラークは勢いよく振り向くと室内を見わたした。みずからの細身の剣を抜き放ち、掲げる。

彼が声をあげるとともに、百もの剣が鞘から抜かれ、一斉にきらめいた。

「サルハドンのエサーラ！」

「エサーラ！」貴人たちが呼ばわった。

みなが跪《ひざまず》き、頭《こうべ》を垂れて娘に忠誠を示した。だが、跪いたエラークがそっと肩に手が置かれるのを感じて顔をあげると、エサーラがこちらを見つめていた。娘が小声でささやいた。

「エラーク――サルハドンにとどまってくださいますでしょう?」

彼がゆっくりと頷くと、エサーラは赤い唇に微笑みを浮かべ、ふたたび玉座に背を預けた。貴人たちが立ちあがり、ひとりまたひとりと前に出て、彼女に触れてもらおうと次々と剣の柄を差し伸べた。エラークは人々をかき分け、ライコンの姿を探した。ようやく見つけ出した相棒は、角杯の中身をひとつひとつ吟味している最中だった。

「サルハドンにとどまることにした――とりあえず、当面はな」彼は小男に向かって、いった。

「好きにすりゃいい」ライコンはわけ知り顔に笑みを浮かべ、いった。ちらりと玉座を見やる。「二、三か月はおまえも暇を持て余すことはないだろうよ。まあ、俺は」――彼は丸顔を角杯にうずめると、グビグビと音をたてて飲んだ――「まあ、俺は」彼は酒を飲み干すと、丸っこい手で口を拭った。「王宮の酒蔵はすこぶる評判なんでね。神々にかけて、日暮れ前になんとしても鍵を手に入れねえと罰《ばち》が当たるってもんさ！」

ウィアード・テールズの女王
——マーガレット・ブランデージの生涯

宮壁定雄

一九三三年から三六年にかけて、『ウィアード・テールズ』の表紙を担当したマーガレット・ブランデージの生涯を、いくつかのインタビュー記事を基に、ここに述べてみたい。

I

一九〇〇年一二月九日、シカゴの住人ジョナサン・Ｅ・ジョンソンとマーガレットの一人娘として、マーガレット・ヘッダ・ジョンソンが生まれた。父親は両親がスウェーデンからの移住者で、母親の祖父母はスコットランドのオークニー島出身だった。マーガレットは母親と同名だが、母ではなくやはり同名の祖母の名をもらったのだという。父親は彼女が生まれたすぐ後に亡くなったが、以後も彼女の人生は、男の家族に関する限り不運続きであった。母娘は実家のルーテット家で暮らすことになり、マーガレットは母と祖母に育てられた。同じ家に三代のマーガレットがいたことになる。

マーガレットは小さい頃から絵の才能をあらわしていて、将来はこの道で生きることを早くから決心していたらしい。高校では学校新聞の編集者をつとめたが、頻繁に挿絵を投稿してくる生徒がおり、その名をウォルト・ディズニーといった。高校卒業の年に祖母が亡くなったことが当初からの意志を後押ししたのか、彼女は職業画家として自立を目指した。シカゴの新聞社に白黒やカラーのファッション画を描くことが仕事の中心だったが、与えられたテーマだけでなく、自分から衣装デザインを考えることもあった。実際の衣服製作にも関わったが、依頼は少なかったようだ。

二〇歳でシカゴ美術学院に入学、ここでもディズニーと同期になり、二年間のあいだ働きながら学ぶ生活を続けた。彼女は一八〇センチと背が高く、はきはきと物を言う勝気な人柄であったようで、写真からもその印象がうかがえる。

そんな彼女にロマンスの花が咲いたのは二七歳の時。仕事を通じて知り合った人の中に、マイロン・リード・ブランデージ、愛称スリムという室内装飾家がいた。二歳年下で、人好きのする容貌でもないのに女性にはもてたようで、一九二七年一月に二人は結婚した。八月には男児カーリン・バードが生まれる。彼が二人の唯一の子供となった。だが、結婚生活は長く続かなかった。芸術家気質のマイロンには放浪癖があり、突然一カ月位もいなくなってはまたフイと帰ってくるという風で、その後も改まることはなかった。当然仕事が長続きするはずもなく、生活も子育ても彼女一人の肩にかかってきた。また、マイロンは女癖も悪かったと推察される。マーガレットは母親を頼り、しばらく実家で結婚前のように暮らしたが、母は信念あるクリスチャン・サイエンスの信者で、腰を痛めても医者にかからないような人だったので、その面倒までみなくてはならなくなった。そして母はますます身体が利かなくなると、すぐ行けるようにと教会の近くに引っ越すほどであったから、マーガレットはふたたび息子とともに二人暮らしを始めた。

Ⅱ

一九三二年、ファッション画とは別の分野で、なおかつ安定した収入が得られる仕事を探していたマーガレットは、パルプマガジンに目をつけた。シカゴに編集部を置く雑誌社は多くはなく、『ウィアード・テールズ』はほとんど唯一の選択肢だった。当時はパルプの全盛時代、その中身も、ファンタシイやホラーについても彼女はほとんど知らなかったが、その挿絵を一瞥してこれなら自分でも、と思ったのかもしれない。四一年頃に訪問したフォレスト・アッカーマンに彼女が語った話によると、最初はつかつかと編集部の部屋に入り、無言で編集長に見本の絵を差し出した由。世慣れない画家のふるまいが目に見えるようだが、編集長ライトはその絵が気に入った。それがたまたま東洋の踊り子の絵だったために、彼女に最初に与えられたのはWTの姉妹誌『オリエンタル・ストーリーズ』(後『マジック・カーペット』)の表紙の仕事だった(画像1)。なお、この時に持参した絵そのものは、サイズが合わなかったために使われなかったというが、白黒のデッサンではなく、カラーのパステル画だった可能性が高い。とすると、ライトが認めたのはデザイン力だけでなく、彼女の特徴である画材や色調でもあったことになる。

その後、WTの表紙も依頼されるようになり、一三年にわたり六六点のカラー表紙と、若干の白黒挿絵を描いた。この数はヴァージル・フィンレイら他の画家を大きく上回り、同時代のパルプ画家としても上位に位置する。売り物は編集部の意向によるヌードだったが、パステルという画材が柔らかい雰囲気を醸し出し、今日見るとロマンチックな感じだ。しかし当時はハダカというだけで賛否両論が巻き起こり、マーガレットも苦労したらしい。彼女の家族は、人間の肉体は神に創られた美しいものだという信仰からあまり問題にはしなかったようだが、まわりからは若い女性が裸体を描いたというだけで攻撃されることになった。倫理規定が厳しいカナダでは、WTカナダ版三五年三月号において、全裸女性の乳房を消すという珍妙なことまでやっている。彼女は友人たちにもこの話はあまりしたがらなかったという。

なお当時の噂の一つに、「裸体のモデルは彼女自身と娘だ」という悪意のあるものもあって、かなり信じられていたらしいが、マーガレットに娘はいない。はっきりモデルに使ったのは夫マイロンで、ハワード「鋼鉄の悪魔」を描いた三四年八月号の大蛇に巻き付かれながら剣を振るうコナンの顔や（画像2）、三五

1／オリエンタル・ストーリーズ1932年1月号
ブランデージ初の雑誌表紙絵

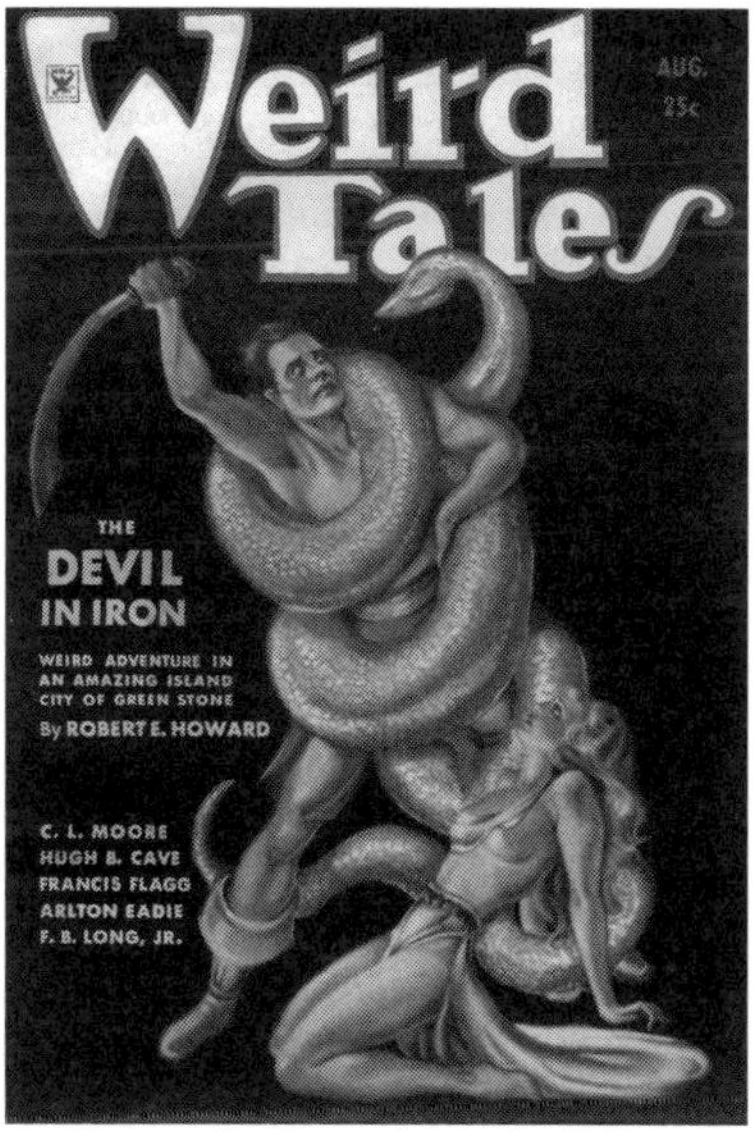

2／ウィアード・テールズ1934年8月号

年四月号の機械の中の男性のモデルになったということである（画像3）。それ以外はモデルを雇う余裕もなく、フィンレイ等と同じく各種の雑誌に載った写真を使った。四〇年一一月号の表紙に現れた男はロバート・テイラー、女はロレッタ・ヤングだとか（画像４）。

　彼女の描く人間は、ファッション画を手がけていたという割にはプロポーションのバランスが一見とれていないように見えるが、かなり意図的にデフォルメもしていたようだ。こうした作業は、彼女が毎週のようにＷＴ編集部に通い、ライト等の指示に従って行っていた。その回想によると、絵にする小説や場面を自分で選ぶことはなく、これだと渡された原稿を読んで大抵は三点ほどのスケッチを描き、ライトやスプレンジャーに見せて選ばれた一枚を色彩画に仕上げる。大きさは実際の表紙の二倍か時には三倍で、ざらざらした専用紙に描く。これをもう一度見せ、手直しがあれば再び作業を行う。たまに女性の胸を大きくとかいう注文はあったが、ほとんどはそのまま受け取られた。パステル画は油絵と違って簡単には塗り直しがきかず、修正は難しかったから、こうした前もっての打合せには大きな意味があったわけである。

　パステルは微妙な味わいと柔らかな雰囲気を出すのに優れていたが、これは印刷物になると消えてしまうこともあった。ある美術雑誌の、現代技術による原画と実際の表紙の比較を見ると、ＷＴでは中間色が消えて色の対比がきつく、また白っぽい色調になっている。はなはだしい時は緑が黒に近く、汚い仕上がりになってしまったこともあったそうで、結局どんなものが出来上がるかは、雑誌が発売されないと分からなかった。また彼女もカラー印刷についてあまり良く知らず、ライトが表紙の紙質を変えた時には色彩調整に失敗したと自ら語っている。後には油絵も描いているが、ずっとパステル画にこだわったのはそれが得意なためばかりではなく、芸術家としての意地もあったのではなかろうか。

　仕事は息子と母親の世話や家事をしながら、またファッション画の仕事も並行して行っていたから、実際に一枚のカラー画に何時間を要したかは不明だが、すくなくとも一週間より早く出来ることはなかった。つまり打合せの時間を考えると一月に一枚が良いところで、月刊誌だから月に一枚と決まっていたわけではなさそうだ。彼女が報酬として受け取るのは九〇ドル。画材に一〇ドル前後、包装と配達を人に頼むと五ドル位かかったから、手取りは七五ドル程度。それでもずっと画料の安い白黒挿絵の画家や一語半セントの作家よりは優遇されていたほうらしい。何十点もの雑誌がズラリと並ぶ中で真っ先に人目を引き付ける表紙絵の重要性を、出版者も良く分かっていたのだろう。最も売れたのは、三三年九月号のコナンもの「忍びよる影」に基づくサディスティックな鞭打ち場面の号で、完売であったそうな（画像5）。

Ⅲ

しかしこの仕事も三九年にWTの編集部がニューヨークへ移ったことに伴い、終わりの日を迎えた。これまで月数回通って行っていた打合せは不可能になり、郵便でスケッチをやり取りしていると時間がかかって月に一枚を完成させるのは無理と思われた。二月に一枚となるとすなわち収入の半減を意味し、しかもそれまでパステル画の表面を保護するためにガラスと木枠に挟んで持ち歩いていたが、ニューヨークへガラスを安全に送るには相当な経費がかかり、これが彼女の持ち出しになる可能性も高かった。彼女にシカゴを離れる気はなく、こうして大きな収入源が失われた。全く縁が切れたわけではなく、四〇年代にも十数点の表紙を描いてはいるが、画料は新しい経営者のもとで五〇ドルに下げられた。

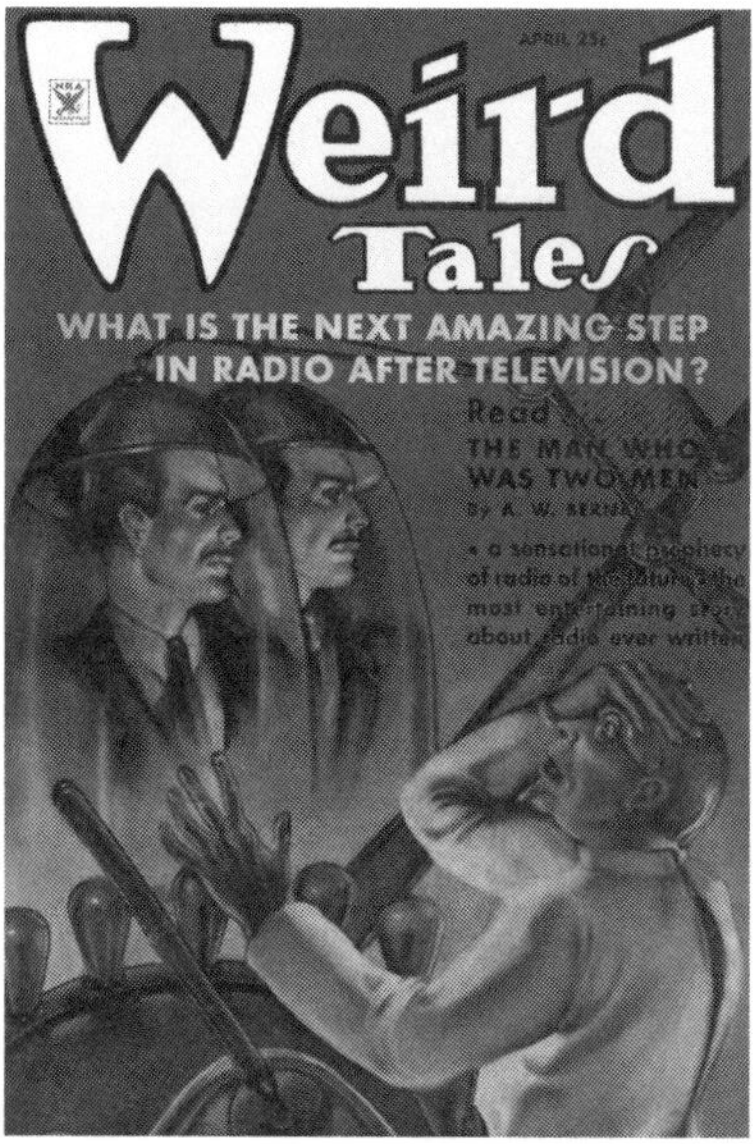

3／ウィアード・テールズ1935年4月号

4／ウィアード・テールズ1940年11月号

その間家庭的にも不幸が続いた。家に出たり入ったりを繰り返していた夫に対して離婚訴訟を起こし、これは三九年一一月に成立したが、子供の養育費は総額で二五ドルを受け取っただけであった。また母親も七一歳で亡くなり、息子は軍隊に取られ、一人きりの生活が長く続いたのである。戦争中は木のサラダボウルに色をつける仕事もしたが、報酬はごくわずかだった。今や成功した旧友ディズニーへ手紙とスケッチを送って就職を頼んだこともあり、彼は旅費持ちで彼女をハリウッドに呼んで面談したが、彼女自身が故郷を離れて新しい生活を始めるのに気が進まなかったこともあり、この話は流れた。マーガレットは一生を通じてシカゴに住み続け、この点プロヴィデンスに固執したラヴクラフトに通ずるものがある。もっとも社会生活に関しては彼女のほうがずっとリベラルで、四〇年代から黒人グループと交際し、少数者が多く利用していたシカゴの南部コミュニティ・センターへ出入りして、その所長を五年間、白人としては唯一務めている。

五〇年代になると手彩色で白黒写真をカラー写真に変える仕事を始めて、これは晩年まで続いた。またブロンという名でカレンダー画を、ジョンソン名義で宣伝広告の絵も描いている。このころから、ひっきりなしの喫煙により健康障害が出始め、また経済問題はいつも頭痛の種であった。本来の画業も継続し、画廊や美術展に出品したがそう簡単に売れるものではなく、旧作の再持込をしたり、大きな作品を小さく切って売ったりすることもあった。業者に運ばせる余裕がなかったためであろうか、自分で運べるように切ったこともあったらしい。ワインバーグは彼女が死ぬ数年前に画廊で小品を二点購入した際、名前部分が切り取られていたためもう一度サインを水彩で入れてもらったが、BrundageではなくBundageになってしまった、これは彼女にとって久しぶりの商いであったようだと、痛ましげに語っている。

息子バードは戦後自分も画家を志したが才能の欠如に気づき、引き続き軍隊に留まった。しかし医務班の麻酔係を務めるうちに麻薬を覚えたらしく、一九七二年に母の家を訪ねた時に四五歳で急死した。マーガレットは朝起きて、息子がテーブルに突っ伏して事切れているのを見つけたのである。こうして彼女は家族の最後の一人を失った。死因を麻薬と感じたためその死は公表せず、葬儀もほんの少数で済ませると、彼の生前の希望により火葬にして遺灰はニューヨーク湾に投じた。別れた夫もこの時ばかりは姿を現したが、すぐまたどこかへ去っていった。

七五年、彼女は経済的な問題で別のアパートに移った。健康はますます悪化して入退院の繰返しを余儀なくされ、一時は回復して新しい絵の企画を考えたほどだったが、一九七六年四月六日の朝、弱っていた心臓が持ちこたえられず、世を去った。遺言でその死は公表されず、火葬にして灰を息子と同じニューヨーク湾にまいて欲しいという希望は、二年後に実行された。

生活は楽ではなく家庭的にも恵まれない一生だったが、女性の自立が困難だった時代に、才能を生かした仕事を最後まで貫いた姿勢は、当時としてはかなり先進的であったと言える。

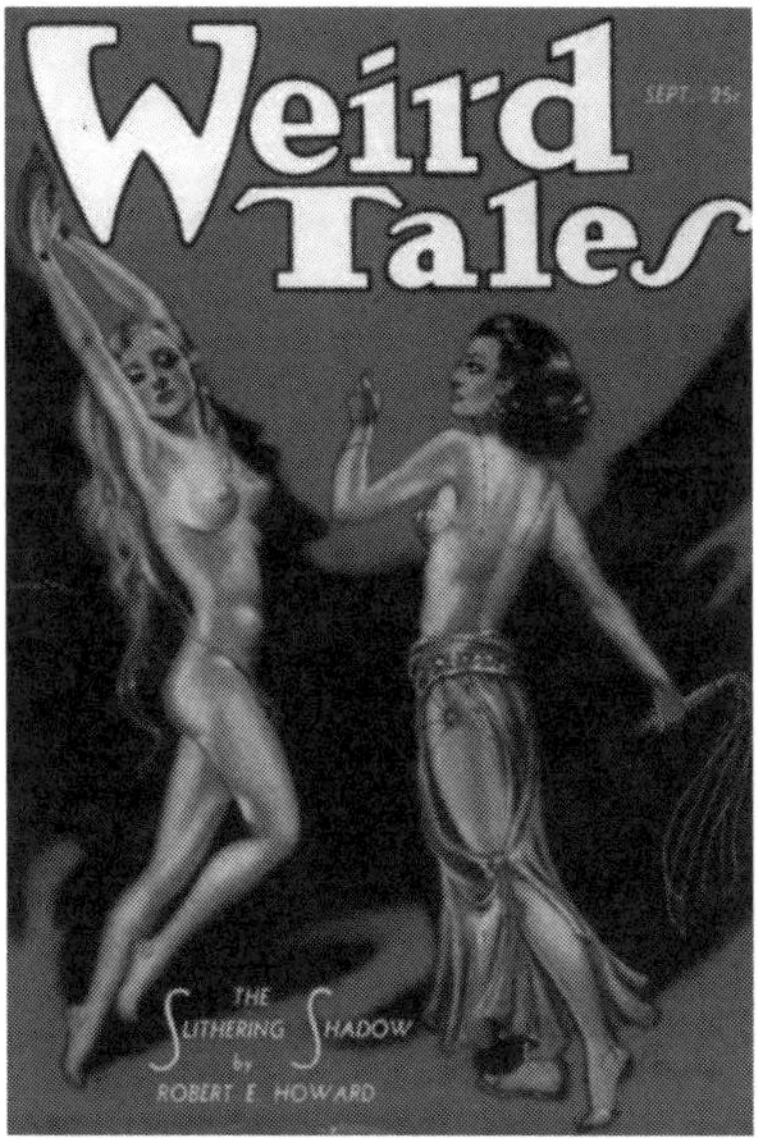

5／ウィアード・テールズ1933年9月号

Ⅳ

ブランデージの絵は、単に一雑誌の一時期の人気を支えたというだけではなく、そのスタイルが他の画家に与えた影響は計り知れない。それまでの悪人を懲らしめる探偵や、ベムと戦う宇宙探検家という男性主体の構図から、恐怖に怯える半裸の美女を中心に据えた形が定番になったのには、彼女が大きく関係している。もちろん、女性が中心とは言っても、男から見て好ましい絵柄ではあるのだが。ただその頃にSF・ファンタシィ系雑誌の表紙を手がけた女性は彼女がほとんど唯一の存在であり、後年にこの分野で活躍する女性画家のの先駆けでもあった。マーガレット・ブランデージ、彼女はまさにWTの女王の名にふさわしい人物であった。

（参考文献）
F.J. Ackerman "A Visit with Margaret Brundage"Weird Tales Collector3 (1978)
R.A. Everts "M B""Interview：Margaret Brundage"Etchings & Odysseys2 (1983)
F.B. Taraba "The Weird Tales of Margaret Brundage"Step By Step 11-5 (1995)
R.E. Weinberg"Margaret Brundage"Weird Tales Collector 2 (1977)

＊那智史郎氏発行の同人誌『黒魔団』第7号（一九九八）に掲載したものを改稿しました。

Demon and Detective　妖魔と探偵

黒い蘭

The Black Orchid

シーベリー・クイン　Seabury Quinn

熊井ひろ美訳

シーベリー・クイン（一八八九—一九六九）が一九二五年から五一年までのあいだ『ウィアード・テールズ』に発表した、オカルト探偵〈ジュール・ド・グランダン〉。この連作はハワードの〈コナン〉シリーズと人気を二分した時期もあった。『グランダンの怪奇事件簿』などの邦訳があるが、二〇一九年にアメリカで全九四作収録の全集が完結。時代と媒体を反映している作品もあるが、再評価の機がようやく熟した観もある。本作は一九三五年八月号に掲載された、当時の国際情勢や人種観がうかがえるのも興味深い一編だ。

素晴らしいディナーと一八四五年物のコニャック二オンスの相乗効果で、お客は打ち解けた気分になっていた。
「実はですね」彼はブランデーグラスを鼻の下で動かして、年代物の酒のフルーティーな芳香を吸い込みながら語った。「新しい病気に出くわしたようなのです」
「ほう？」ジュール・ド・グランダンは礼儀正しくつぶやき、わたしに素早く目くばせをした。「それは興味深いですな、ムッシュー。そのまだ知られていない疾患の症状は、どんなものでしょう？」

青年医師トラハーンは、わたしたちに愛想よく微笑みかけた。まだ三十歳そこそこで、インターンを終えてウィーンで半年間研究しただけの医者にとって、自分が揺りかごにいたころから開業している先輩から、きみの発見は興味深いと言われるのは励みになるものだ。「それがですね、あの——無血の出血なのですよ」と彼は打ち明けた。

　ド・グランダンの細い眉が、つややかに撫でつけられた金髪の生え際に向かって、半インチ近く吊り上がった。

「もう一度お願い《パルドネ＝モワ》します、ムッシュー」と彼は頼んだ。「英語をよどみなく理解できていないのではと思いましてね。きみはいま——ぼくの聞き間違いでしょうか？——無血の出血を発見した、とおっしゃったのですか？」

　トラハーンは自分の葉巻にマッチで火をつけて、くすくす笑った。

「そのとおりです」と彼は答えた。「半年前、わたしはミスター・ソレンセンというご老人の往診に呼ばれました。最初は貧血だろうと思ったのですが、血液検査の結果、質というより量の問題だと確信したのです。出血による消耗のあらゆる徴候が示されていて、外出血の形跡はないので、当然ながら癌による内出血を疑ったのですが、調べてみると影も形もありません。外傷も病変もなく——わずかな出血すらまったくありえないはずなのに——死の危険があるほどに失血していたのでしょう。造血食をとらせて、ワインと鉄分とレバーをかなり大きな倉庫一杯分ぐらい与えたのですが、毎朝、衰弱の新たな徴候が示されるので、やがてブドウ糖注射に頼らざるを得なくなり、結局は輸血頼みとなってしまいました」

　トラハーンの説明が終わると、ド・グランダンの興味は、単なる形だけの礼儀によるものではなくなっていた。

「それで、その方はいつ亡くなったのですか？」尋ねる声が、急に鋭い口調になった。

「亡くなってはおりません」トラハーンは笑顔で答えた。「幸運にも、クルーズという名案を思いついたのですよ——このままわたしが死亡証明書に署名することになるくらいなら、船医に付き添われてこの世を去ってもらうほうがましなんじゃないかと思いまして——そこで、カリブ海クルーズへ送り出したのです。九十日後に帰ってきたときには、いつものようにお達者で、あやうく命取りとなるところだった例の奇妙な疾患は、跡形もなく消えていたのです」

「いやはや《エ・ビヤン》、それはおめでとう」フランス人は笑みを浮かべながら言った。「われわれの商売は、その一割が科学で、残りの九割は運任せですからね、そうでしょう《ネスパ》？」

「ですが、ここからがおかしな話でしてね」トラハーンは答えた。「ソレンセンが帰宅してからわずか六週間後、再び発病したのです。それだけでなく、同居している姪も発病して、彼よりさらに重症なのですよ。訳がわからないにもほどがあります。この病状の原因がなんであれ、二つの症例の原因は間違いなく同じで——症状はまさに似通っているけれども、それについて通常の説明がどうにもつけようがないのです。お二方も考えてみてください。ここに二人の人間がいて、一人は八十近いものの際立って精力的で若々しく、いかなる種類の変性疾患の兆しも皆無、そしてもう一人の若い女性は二十代初めで、二人ともなんの明白な理由もなく広範な出血を明示する症状を見せ始めているが、出血の形跡はない。失血に対する従来の治療に効果を示すものの、ほぼ一晩で出血による衰弱に陥る。もしわたしが黒人かペンシルヴェニアの田舎者だったら、ヴードゥー教の呪いか魔法のせいだと言ったでしょうが、医者であり科学者でもある身としては、なんらかの奇妙な未分類の病気の患者であるという結論を下すしかありません。しかもおそらく、伝染病なのでしょう。姪はおじとの接触によってかかったようですから」

「ふうむ」ド・グランダンは考え込むようにつぶやいた。「ご同輩《モン・コレグ》、このお二人を襲っている災いが、実際にエジプトの巨大ピラミッドやバベルの塔と同じくらい古いものだとは思わなかったのですか?」

「おや、それはつまり、古代の人々に襲いかかったのちに医学の記憶から消え失せた、昔の病のことでしょうか? たとえば、中世ヨーロッパの黒死病のように」

「そのとおり《プレシゼマン》、最も黒い黒死病ですよ、きみ」

「ご存じなのですね——そういう症例をご覧になったことがあるのですね?」そう尋ねるトラハーン青年の声は、少しばかりがっかりしたように聞こえた。

「そうは申しませんよ」ド・グランダンは答えた。「そういう症状を目にしたことは、一度ならず何度もありますが、遠くから診断を下そうとするのは愚か者だけです。ぼくとしては、この大変に奇妙な病の患者にお会いする機会をぜひいただきたいものですね。診察できるよう手配してもらえますか?」

「ええ、もちろん」相手は微笑んだ。「今夜ソレンセンの家に立ち寄るつもりです。万事うまくいっているかどうか、確かめたいだけなのですが。ご一緒していただけませんか?」

オスカー・ソレンセンは、ニューヨーク周辺の大都市圏の小さな町の多くによくいる、一風変わった人物だった。現在の年齢は八十歳近く、雇われ軍人として過酷な訓練を積み、同類の大半とは異なり、その道で成功を収めた。晩年に兵役を退いたときには、十カ国もの国々から軍人勲章を授けられていて、その数は一部隊の全員に配れるほど多く、贅沢な暮らしで波瀾万丈の生涯を静かに終えるのにじゅうぶんすぎるほどの富を手にしていた。赴いた戦地はエジプト、中国、レヴァント（地中海東部沿岸諸国）、インド、騒乱のバルカン諸国、そして中米の隅から隅まで。キューバの独立戦争でガルシア将軍（一八三九―九八）の指揮下にあった彼は、反乱軍《インスレクトス》の准将としてキューバ島を離れるとき、戦乱に乗じてキューバのものを買いつけたアメリカ人から受け取った高額の手数料をポケットにぎっしり詰め込んでいた。南ア戦争でボーア軍騎兵隊の司令官を務めた際には、抜け目なくダイヤモンドの原石をじゅうぶん確保したので、敗北に終わったこの戦争が、彼個人にとっては最も大きな利益をもたらす企てとなった。カリブ海域では、彼の所属が政府軍であれ反乱軍であれ、半ダースものスペイン領の都市において、略奪品はなぜかそのポケットに流れ込んでいた。

　彼は、運命に割り当てられた役柄にふさわしい外見をしていた。身長は六フィート以上あり、肩幅もそれに釣り合うように広く、突き出た頬骨と細面の顔立ち、白い肌と淡い色の目は、ヴァイキングを祖先にもつことを示していた。顔は熱帯の太陽に長い間さらされたせいで無着色のオーク材の色にまで日焼けして、目尻に小じわがあり、右目からこめかみにかけて、ナイフか槍でつけられた古傷が白く三日月形に残っている。

　初対面のわたしですら、彼が以前の自分の生き霊も同然に成り下がっていることがわかった。目の下には半月形のすみれ色の隈があり、日焼けした肌の奥には蠟のような青白さが潜み、苦痛でやつれた表情が鼻のあたりに浮かび、そのどれもが、彼に襲いかかった突然の衰弱をありありと証明していた。

「噂は聞いているよ、ド・グランダン」彼は、トラハーン医師が紹介を終えるとそう言った。「そろそろ、あんたに診察してもらうべきころあいなんだと思う。具合が悪いのはマラリアが再発しただけだと、ずっと自分に言い聞かせてきたんだが、医者が治せる代物じゃないことは初めからわかっていた。あんたは幽霊退治人なんだろう？　結構。退治してもらいたい幽霊がいて、しかもそいつを打ち負かすには、あんたに最善を尽くしてもらう必要があるんだよ！」

　小柄なフランス人は、アーチ形の細い眉をほんの少しだけ吊り上げた。「幽霊ですと、ムッシュー？」彼は反論した。「ですが、トラハーン先生がおっしゃるには――」

「悪いんだが」ソレンセンが話をさえぎった。「これは科学的に考察すべき問題ではないと思うんだよ。もちろんトラハーンは、奇妙な種類の貧血だと言ってるんだろう。あんたも医者だが、あんたはあちこちに旅行している。解剖室や診療所や研究所の外の物事を見てきたわけだ。だから聞いてくれ。

　あんたは未開の国に行ったことがあるから、現地の魔女どものもつ力がたいしたものだと知ってるだろう。この文明国で、ガスの火で料理を作り、電気の明かりでベッドに案内してもらっているわれわれは、かつての魔女の力をすっかり忘れてしまっているので、そんなものは昔からなかったと言って、魔女信仰に迷信の烙印を押している。なんとまあ《バルガメ・ディオス》」彼はスペイン語で毒づいた。「世界の僻地に旅したことのある者なら、そういうものと迷信の区別がつけられるんだ。ポリネシアでわたしは、現地の祈禱師が誰かの死を祈っただけで、その相手が――原住民だけでなく白人も――少しずつしなびて死んでいくのを見た。アフリカの西海岸ではふくろうをよく見たんだが、鷲みたいに大きなふくろうが村のそばの森で枝に止まっていると、その翌日に村のある住人がひどく苦しみながら死ぬんだよ。パプアの魔法使いが焚き火のまわりで踊っているうちに、死人が霊になって帰ってくるのを見たこともある――そうとも、この目で見たんだが、わたしの母親が、セント・スティーヴン教会の墓地に二十年以上前から眠っていたはずなのに、ダヤク族の焚き火の向こう側に立っていて、その炎のまわりで現地の魔術師が、トムトムのリズムに合わせて踊ってたんだ！」

「なんとまあ《パルブルー》、でも、おっしゃるとおりですよ、あなた」ド・グランダンは同意してうなずいた。「静かなところに住む人々は、そういうことを知っているのです。忘れることなく、思い出し、わかっている。わたしも――」

「失礼します」トラハーンが冷淡に話をさえぎった。「思い出話に花が咲いているところをお邪魔するのは申し訳ないのですが、ミスター・ソレンセン、ご病気がどのように発症したかについて、ド・グランダン先生に説明していただけませんか?」

　ご老人は、生意気な子供に口を挟まれてむっとしている大人のような目つきで彼を眺めた。「マダガスカルに行ったことはあるんだろう?」そして、ド・グランダンにこう尋ねた。

「それはもちろん」小柄なフランス人はそう答えた。

「あなたもおありですよね、ムッシュー?」

「一八九五年にガリエニ（一八四九―一九一六　フランスの軍人。マダガスカルの総督を務めた）と一緒に行って、少尉として猟兵を率いていたが、その後は現地案内人の選抜部隊の隊長になった。その選抜部隊にいる間に、マンバと出会ったんだ。マンバはアンドリアナ、つまり貴族の娘で、フランスに退位させられたばかりの原住民の女王ラナヴァルナの遠縁に当たった。肌の色はミノルカ種の鶏の翼のように黒くて、虹色に近い青の光沢があった。目鼻立ちは小さく繊細で、体つきはペリクレス時代の大理石の彫刻と比べても劣らぬほど美しかった。そしてホヴァ、つまり中流階級の原住民だけでなくアンドリアナに対しても、ものすごい影響力をもっていた。それというのも、彼女が〃かぐわしきもの〃の魔女で巫女だと言われていたからで、その一声で原住民は、貴族だろうが平民だろうが、遠くからやってきて、腹這いになって彼女の小さくて真っ黒な足を舐めたり、フランス軍の歩兵隊に突撃したりするんだ。わが軍のシャスポー銃やガトリング銃の餌食となって死ぬのは確実だとわかっているのに。

彼女との友情を深めるのはうまい策略だったし、ちっとも不愉快でなかったのは確かだ。わたしたちは正式に結婚し、わたしは最も階級の高いアンドリアナのもつ権利と位をすべて公式に授けられた。その後は万事うまくいっていたんだが、あるとき――」彼はそこで言葉を切り、少しの間、疲れたかのように目を閉じた。

「ええ、ムッシュー、それからどうなったんです？」沈黙が長引いたので、ド・グランダンが先を促した。

ソレンセンは、ぎくっとして目を覚ましたようだった。

「そのときカリブ海の状況が耳に入ってきたので、わたしはフランス軍での任務を辞めて、キューバの自由《クーバ・リブレ》で運試しといこうと心に決めたんだ」彼は答えた。

「マンバはまったく騒がなかった。それどころか、文明国のたいていの女よりも穏やかに受け入れた。二人のささやかな所帯が永遠に続かないなどとは、思いもしていなかったんだ。だから、わたしがここを去るよう命じられたと告げたとき、彼女はただ単に、わたしが戻るまで代わりにこの地を治め、〃わたしたちの民衆〃がフランス軍に面倒をかけないようしっかり気をつける、と言っただけだった。そこで、愚かにもわたしは、もう終わりにしようと言ってしまった。

一瞬、彼女はなにを言われたかわからないかのような顔をしたんだが、言葉の意味をじゅうぶん理解したとき、その怒りはすさまじいものだった。涙はなく、泣き叫ぶこともなく、ただじっと長いこと恐ろしい目つきでわたしを見つめていて、その目つきはわたしを突き刺し、見るものすべてをしわしわにしなびさせてしまいそうだった。最後に彼女は両手を頭の上にあげると、メデイア（ギリシア神話に登場する魔女。イアソンの妻）がイアソンに対する神々の復讐を呼び起こしたとき以来、誰も浴びせられたことがないほどの呪いがわたしに下るようにと祈ったんだ。その締めくくりは、こんな予言だった。

『最後にあんたはマンバのキスを感じ、あんたの血は夏の小川のようにだんだん減って干上がるけど、血の流れ出るところは誰にも見えない。あんたの命は引き潮のようにゆっくり衰えていき、それを救うことは誰にもできない。まだ生きているあんたの体から花が生え、あんたの最愛の女があんたの目の前で衰えしなびていき、それなのにあんたはどうすることもできず、運命がその女を押しつぶし、女が死んだあと、あんたも押しつぶす。さあ、これが呪いだよ』」


若きトラハーン医師は咳払いをした。礼儀正しくはあるものの、あまり寛容ではない態度で、彼はこう尋ねた。

「では、いまのご病状はその黒人女の呪いのせいだと思っていらっしゃるのですね?」

「さあ、どうだろうな」ソレンセンはゆっくりと答えた。「中国のことわざによれば、年を重ねても柔らかくならないものが三つあって、それは剣と石と失恋女の憎しみだそうだ。マンバは――」

「おそらく二十年前に死んでいるでしょうね」トラハーンが続けた。「それに、地球半周分も離れているわけですし――」

「なあ、若いの」ソレンセンがさえぎった。「わたしはずっと思い違いをして、自分は悪夢に苦しんでいるだけで――ひょっとすると罪悪感の痛みかもしれないが――その後の病気は偶然の一致にすぎないと考えていたんだが、いまではまったく確信がもてないんだよ。あんたを呼ぶ直前に、こんなことが起こったんだ。

その日わたしは〈ガン・アンド・ロッド・クラブ〉でトラップ射撃をやって、帰宅したときにはすっかり疲れ果てていた。ジョイスと二人で早い夕食をとり、食事が終わるとほぼ同時に寝室に引っ込み、たちまち眠りに落ちた。どれくらい眠っていたかはさっぱりわからないんだが、覚えているのは息苦しさを感じて目が覚めたことで――痛みはないが、とにかく体に力が入らず、疲れ切っていて――見ると、喉の上にはなにかが浮かび、何年も嗅いだことのない匂いがして、それは半ばかぐわしく、半ば死を思わせる熱い匂い、マダガスカルのジャングルの匂いだった。上に浮かんでいたものについては、部屋が暗かったのと近すぎて視界がぼやけていたせいで詳しく説明できないが、小さくて、黒くて、裸の人間の姿をしていたという、訳のわからない強烈な印象があった。

身長わずか四インチの裸の黒人女の姿をしたものが、蜂鳥が花の蜜を吸うときのように、わたしの上の空中に浮かんでいたんだ。そうやって、なにもできないほどの倦怠感の中でどれだけ横たわっていたのか、さっぱりわからないんだが、急に喉を引っ張られるような感覚に気づき、マンバの予言が長い年月を飛び越えて記憶によみがえってきた。『あんたの血は夏の小川のようにだんだん減って干上がるだろうよ！』

　諸君、わたしはほんとうに身動きできなくなっていたんだよ。恐怖が、鎖よりもしっかりとわたしを押さえつけていた。動けないし、助けを求めて叫ぶこともできない。その後、どうやら気を失ったに違いない。次に気がついてみると、朝になっていたからだ。

　起き上がろうとしたとき、体に力が入らずくじけそうになったが、とうとうどうにかベッドから這い出して、よろよろと鏡に向かった。パジャマに血の染みはなく、肌にもついていなかったが、喉には小さな傷ができていて、注射針の痕や剃刀《かみそり》傷ほどの大きさで――」

「教えてほしいのですが、ムッシュー」ド・グランダンが口を挟んだ。「あなたのおっしゃるその傷は、一つでしたか、それとも複数でしたか？」

「えっ？　ああ、意味がわかったよ。それは一つの小さな穴で、ほとんど目立たないほど小さくて、周囲に炎症も痛みもなかった。ほかのときなら見落としていたはずだと思うが、悪夢があまりにも生々しかったから、見るときにとくに注意深くなっていたんだ」

「でも、これは実に珍しい」小柄なフランス人がつぶやいた。「そういう穴は、複数あるはずなのに」

「なんだって？」

「いえいえ、取るに足らないことです。馬鹿げた癖にふけってしまい、頭よりも唇で考え事をしていただけですよ、ムッシュー。すみませんが、話をお続けください」

「その夢を再び見た記憶はないんだが、それから一週間は毎朝、深い眠りから目を覚ましたときに疲れが取れていないだけでなく、継続的にだんだんと体が弱っていった。それでとうとう、トラハーン先生を呼んだわけだ。治療内容は、たぶん説明があっただろう」

「適切な処置だったと思っていただけますよね？」トラハーンが尋ねた。「この病状の進行を完全に食い止めたのですが、その後――」

「そのとおり《プレシゼマン》」ド・グランダンはうなずいた。「それがこの症例の、実に珍しい特徴なのですよ、きみ。それから、ムッシュー・ソレンセンの傷の性質も」

「おやおや！」トラハーン青年はあざ笑った。「あのたまたまできた引っかき傷と、この不可解な病状に関係があるとお思いなのですか？　そんなまさか――」

「でも、その傷は変わらないのでしょう？」ド・グランダンは言い張った。「まだそこにあるのですよね？　でなければ、新たにつけられた傷が残っている、そうでし《ネス》よう《パ》？」

「ええ、まあ」トラハーンはしぶしぶ認めた。「ですが、治そうとしたこともないわけですし。たとえ意味ありげであろうと、ただの症状にすぎないのだから、症状をわざわざ治療しようとはしないものです」

　ド・グランダンはソレンセンと向き合った。「姪御さんのマドモワゼル・ジョイスですが、あの方も、あなたが最初に示したのと似たような症状を見せていらっしゃるのですね？」彼は尋ねた。

「ああ」相手が答えた。「お望みなら、呼びに行かせよう」そしてボタンを押し、小柄で非常に身ぎれいで驚くほど黒い肌をした使用人が呼び出しに応じて現れると、こう命じた。「ミス・ジョイスに書斎へ来るよう頼んでくれないか、マーシャル」

「姪御さんをお待ちしている間に、喉を見せていただいてもよろしいでしょうか？」ド・グランダンが尋ねた。

「かまわないとも」相手はそう答えると、柔らかな絹のシャツの襟をゆるめて、たくましく鍛え上げた筋肉隆々の首をあらわにした。

　小柄なフランス人は身を乗り出して、患者の日焼けした皮膚を鋭いまなざしでじっと見つめたのち、ポケットから小さなレンズを取り出すと、目の前にかざして診察を続けた。

「ここですね、ムッシュー？」彼は尋ねながら、きちんと手入れを施した小さな人差し指の先端を、ソレンセンの喉仏の上の少し右寄りの位置に当てた。「ここが、最初に傷を目にした場所ですか？」

「ああ、そして、再び病気になったときに、また傷が現れた場所だ」ソレンセンが答えた。

「ふうむ」フランス人はつぶやいた。「先ほどおっしゃったように、これは皮膚に直接刺さった一つの傷で、皮膚を貫通した傷ではありませんね。剃刀で切ったのかもしれないし、ほかにもさまざまな理由で――」

「ああ、そして、最初に病気になる前はなかったんだ。回復したときに消えて、二度目の発病と同時に再び現れた」ソレンセンが口を挟んだ。

「まさに、まさしく、まったくそのとおり」ド・グランダンは素早くうなずきながら同意した。「この刺し傷とあなたのご病気には、なんらかの関係があるのですよ、ムッシュー。わたしはそれを確信しておりますが、その説明はすぐ目につくものではありません。これから考えねばならないでしょう。もしも――」

戸口から衣擦れの音がしたので彼が話を中断すると、若い娘が部屋に入ってきた。背が高く非常にほっそりとして、きわめて色白で、豊かな黄色い髪はうなじのところで簡単に8の字に巻いてまとめてある。鼻と口は小さく、とても美しく形作られていて、茶色い目は顔のほかの造作に比べてまったく不釣り合いな大きさに見える。濃いすみれ色の半円形の隈が下にできているせいで、目が驚くほど大きくなってしまっているのだ。彼女はゆっくりと、足を引きずりながら歩き、まるで最後の力をほとんど振り絞っているかのようで、話す声は低く、もともと静かな声質だからという理由もあったが、それよりも極度の疲労のせいのようにわたしには思えた。

「ド・グランダン先生に、おまえの病気について説明してあげてくれないか？」ソレンセンが尋ねた。姪を愛しげに眺める青い目は、先ほどの厳しさが和らいでいた。「トラハーン先生は、ひょっとするとド・グランダン先生とトロウブリッジ先生が、このような患者に出くわしたことがあるんじゃないかと考えているんだよ」

ジョイス・ソレンセンは、まるでひんやりした風が急に肩を吹き抜けたかのように身震いをし、やつれた手を膝の上で組み合わせて、運命の慈悲を乞うような仕草をした。「なにもかもですか、オスカーおじさま？」彼女は静かな声で尋ねた。

「もちろん」

「おじさまが最初に発病なさったときのことは、完璧に覚えています」彼女は話を始めたが、わたしたちのほうは見ずに、遠くの壁に飾られたミニチュアの聖母マリア像を、半ばうつろな、半ば嘆願するようなまなざしで見つめていた。「あの日の午後、おじさまは射撃に出かけていて、夕食後ほとんど間を置かずにベッドに入られました。わたしはお芝居を観に行く約束があって、その後〈パントゥフル・ドレ〉へダンスに行きました。帰宅したのは、一時ごろだったはずです。執事のマーシャルはもちろんもう寝ていたので、わたしは自分で家の中に入り、部屋に戻る前に、オスカーおじさまにおやすみのキスをしに行くことにしました。おじさまの部屋の扉を開けようとしたちょうどそのとき、おじさまの叫び声が聞こえたのです。大きな声ではなかったけれど、恐ろしい声でした。なんだか、メロドラマ風の映画に出てくる狂人のけたたましい笑い声のようで――狂った恐怖のおぞましい間欠泉から噴き出してくるような声がして、その後だんだん静まっていき、ゴボゴボとむせるようなつぶやきになって、それはまるで排水管を水が流れているときか、人が必死であえいでいるときのようでした。

　扉を確かめると、鍵がかかっていました――それは間違いありません。そこで、怖くなったわたしは階段を駆け上がってマーシャルの部屋へ行き、扉をドンドンと叩いて、オスカーおじさまが死にそうだと叫んだのですが、返事がなかったので、急いでこの書斎に下りてきて、壁から剣をつかみ取ったのです――」彼女は、ソレンセンの激戦の思い出の品々が飾られている棚のほうを顎で指し示した。「刃先で鍵をこじ開けてやるつもりでした」彼女は話を続けた。「ところが、おじさまの部屋に再びたどり着いてみると、扉が半開きになっていたのです！

　オスカーおじさまはベッドの上に横たわっていて、上掛けは床に落とされて、両手は曲がり、マットレスに指が食い込んでいました。パジャマの上着は喉のあたりがはだけていて、首の白い肌の、日焼け痕のすぐ下に、小さな点のような血がついていました。ピンの頭ほどの大きさです。

　急いでマーシャルの部屋へ戻ってみると、今度はすぐに返事がありました。わたしたちは一緒におじさまを元どおりに上掛けで覆い、寝心地がいいようにしてあげました。わたしが話しかけたら、おじさまは眠そうに答えて、大丈夫だと言ってくれたので、おじさまは悪い夢を見たに違いないと思い込み、それ以上は気に留めませんでした。おじさまがだんだんと衰弱して、起き上がることもできなくなったとき、ようやく心配になってトラハーン先生をお呼びしたのです」

　話が終わると、ド・グランダンが立ち上がり、彼女の上にかがみ込んだ。「失礼ですが《パルドネ＝モワ》、マドモワゼル」彼は頼みを切り出した。「ひょっとしてあなたも、なかなか消えないとても小さな傷があって、痛くはないけど治りもしないということはありませんか？　なにかそのようなものを、喉に見つけているのでは？」

　彼女の顔と額がさっと薄赤く染まり、驚いたようなまなざしがド・グランダンに向けられた。「喉ではないのです、先生」彼女は静かに答えた。「ここです」

　そして、片手を胸の心臓の上に当てた。

「えっ、なんとまさか、そうなのですか？」彼は叫んだが、すぐに、とても優しく問いかけた。「拝見してよろしいですか、マドモワゼル？」

　なにか嘆願するような、おびえているような、おずおずと懇願するような表情を浮かべたままの彼の目の前で、娘はローブのボタンを外し、シェイクスピアのジュリエットと同じくらいほっそりした胸をあらわにして、小さな尖った乳房のなだらかな膨らみの一インチほど下で、乳白色の肌がごく小さくくぼんでいる箇所を指差した。

「うーむ？」ド・グランダンは観察を終えると、そうつぶやいた。「トロウブリッジ、すまないが、ここに来てなにが見えるか聞かせてくれ」

　彼は自分のレンズを手渡してきたので、わたしは素直に彼の指差すほうに目を向けて、娘の青白い肌をじっと見つめた。真下に向かって突き刺さっているのはごく小さな刺し傷で、形は半月状、長さは八分の一インチにも満たない。周囲に炎症は見られず、それどころか、小さな傷口にはまったく血の気がなさそうで、まるで死体に作った刺し傷のようだった。

「痛みはありますね？」フランス人は、傷口の上の皮膚にそっと触れながら尋ねた。

「いいえ、全然」娘は答えた。

「では、出血は？」

「ときどき、少しだけ。朝に目が覚めたとき、寝て疲れが取れたとほんとうに感じることがあります。そんな朝は、傷もほとんど治っているように見えます。そうでないときは、力が入らなくてベッドを出るのもやっとで、そういうときには小さな血の染みが——いえ、ほんの一滴で、とても小さいものなのですが——肌についていることに気づくのです」

「ありがとうございました、マドモワゼル」ド・グランダンは上の空でうなずいた。きちんと蝋で固めた口髭の下の唇をかすかにすぼめて、まるで口笛を吹こうとしているかのようだ。「すみません、教えていただきたいのですが、あなたは不愉快な夢に悩まされたことはありますか？　おじさまを苦しめた夢のような」

「あら、いいえ。少なくとも、覚えている限りではありません」彼女は答えた。「それどころか、わたしはまったく大丈夫で、こんなふうにひどく衰弱しているだけなんです。先生、なんの病気なのか、おわかりですか？　トラハーン先生のお考えでは、なにか奇妙な黴菌《ばいきん》のせいかもしれないと——」

「先生のお考えは正しいと、わたしは確信しております」小柄なフランス人はそう答えた。「非常に奇妙な黴菌ですよ、マドモワゼル。まったくもって、実に奇妙な黴菌です」

「さて」ソレンセンと姪におやすみなさいと挨拶して屋敷を後にしてから、トラハーンがわたしたちにこう尋ねた。「お二方、どう思われますか？　どちらかお一人でも、あの病状に似たものを目にしたことはありますか、それとも――」

「あります」ド・グランダンが手短かにさえぎった。「ああいうものは何度か目にしたことがありますよ、きみ、ですが、付随する状況が今回と同じだったことは、一度もありません。もしあの傷が貫通していたなら、納得できるでしょう。ところが実際は、迷っているわけなのですが――」

「ですが、なんですか？」フランス人の発言が途切れてしまったので、トラハーンが尋ねた。

　ド・グランダンは、単調でまったく抑揚のない口調で答えた。「ムッシュー、このあまりにも奇妙なインチキ行為の背後にあるものについて、ぼくの考えをお話ししたら、きみはあざ笑うでしょう。信じてはくれますまい。きみの頭は、まったくもって《パルデュー》、あまりにも論理的すぎるのですよ。きみは自分にこう言うのでしょう。『畜生《コルデュー》、こんなものは見たこともないのだから、存在するはずがない』とね。それでもぼくは、ムッシュー・ソレンセンの病気の原因と、実に魅力的な姪御さんのそれは、マダガスカルで彼が現地の妻に離婚を告げたあの夜にまっすぐ通じているという気がするのですよ。それは結局、論理の領域よりも下に位置しているので、まったく非論理的な対抗策で闘うべき事柄なのです」

「ふうむ」トラハーンはうなるように言った。

「まずは、看護婦部隊を確保すべきだと思います。きみが絶対的に信頼できる看護婦ですよ。一人をムッシュー・ソレンセンに、もう一人を姪御さんに、昼も夜も絶えず付き添わせてください」

「わかりました」トラハーンは承諾した。「わたしもそのことは考えていたんです。二人とも、自分で動き回るには衰弱しすぎていますからね。安静にすれば、きっと助けになるはずです。次はなんでしょう？」

「アイユ――英語でなんと言うのでしたっけ？　にんにく？――薬局方の名称はアリウム・サティウムですが――をたっぷり確保して、お二人の部屋のすべての出入口に惜しげもなく配置したほうがいいですよ。また、窓は完全に閉めておいて、あらゆる動物をお二人のいるところから厳重に締め出すようにしてください」

　トラハーンが怒っているのがわたしにはわかったが、彼は平静を保ちながら次のように尋ねた。「次はおそらく、お二人の部屋に香を焚いてほしいとか、もしかすると、インディアンの呪医を招き入れて、歌を歌わせたいとかですか？　いやまったく、先生、あなたは愉快なお方だ」

陽気さのかけらもない笑みが、ド・グランダンのよく動く唇に一瞬だけ浮かんだ。「ムッシュー」彼は辛辣にやり返した。「お世辞を返すことができないのは残念ですが、きみが愉快なお方だとは思えませんね。ええ、ちっとも、とんでもない。まぎれもなく迷惑なお方ですよ。さらに問題なのは、想像力に欠けているところです。原因を知っているものの存在しか信じず、やり方を知っている治療法しか信用しない。天然痘、ジフテリア、猩紅熱？　ええ、もちろん知ってますよね。早発性痴呆（統合失調症の旧称）、ええ、これも知ってるでしょう。だけど、心の微妙な問題――憎しみ、つまり悪意ある思考が集結して水晶のように固くなったもの――は、畜生《モルブルー》、きみはまるで受け入れない！　『見たことがないのだから、そんなものは存在しない』と言うばかり。

　よく聞きなさい、坊や《モン・プティ・ボノム》。きみの着るものの留め具がまだ安全ピンだったころ、ぼくはオカルトを学んでいたのです。『ああ』と言うきみの声が聞こえますよ。『オカルト――魔法――たわごとだ！』とね。そう、箒《ほうき》に乗った魔女の話だときみは思っているけれど、そうではないのです。

　ぼくは一度ならず、ムッシュー・ソレンセンやマドモワゼル・ジョイスと妙に似た症状の人々が具合を悪くして死ぬのを目にしてきました。そう、むろん彼らは、死んで埋葬されたのちによみがえり、恐ろしい生ける死体となったのです。笑わないで、ムッシュー、ぼくは自分の目で見たことを話しているのですよ。

　でも、よく考えてください。いま同じ症状とは言わず、似た症状と言いましたよね。患者に現れたあのちっぽけな、実に小さな傷、きみは取るに足らないと思っている、あのちっぽけな傷が、このすべての謎を解く鍵になるかもしれない。傷について考えるとき、一つ気がかりなことがあるのですよ。あれは刺し傷で、貫通していない、つまり、肌に突き刺さっているけれど、完全に突き通してはいない。入口はあっても、出口がないのです。さらにその形状から、ナイフや針など、なにか小さな刃物でつけられたのだとぼくは確信しています。最初は、歯で嚙まれたのではないかと思ったのですが――」

「歯ですって！」トラハーンはびっくりして叫んだ。「つまり、誰かに嚙まれたのではないかと思ったってことですか？」

「誰か――または、なにかにね」フランス人は大真面目で答えた。「いまはそうでないと考えているので、大いに困惑しているというわけです。

さあさあ、きみ、医者が喧嘩したら患者は死んでしまうのだから、強情を張るのはやめましょう。ぼくも病室のにんにくは取りやめますよ。少なくとも、当面は。窓を閉め切りにして寝かせるべきだと言い張るのもやめます。だからきみのほうも、信頼できる看護婦を探して昼も夜も世話をさせることにして、われわれも注意深く見守りましょう。よろしいですか？」

　二人は、相互理解のしるしに握手を交わした。

　だが、患者たちに改善は見られなかった。ソレンセンの衰弱は進行していないようだが、体力は戻らず、一方で姪のほうは一週間もしないうちにすっかり消耗してしまったので、生体機能を実行するだけでも、衰えつつある体力にはあまりにも過度の負担となっているようだった。生理的食塩水の点滴と、最終的には惜しみない輸血が頼りだったが、一時的な助けにはなるものの、すぐにまた半昏睡状態に陥ってしまうのだった。

　ド・グランダンとトラハーンは必死だった。「トロウブリッジ、なあ、きみ《モン・ヴュー》」フランス人はわたしに告げた。「ここには邪悪ななにかがある。科学的な治療法はすべて試した。いまはもう、別のパターンの治療を進めねばならないとぼくは確信している。今夜、一緒に寝ずの番をしてくれないか？」

　わたしたちは、二階の居間を拠点として選んだ。ソレンセンの部屋はその右側の十歩ほど離れたところで、姪の部屋は左側の十歩先よりわずかに遠くにあり、その片方でも両方でも、二十秒で駆けつけられる。患者の観察は一時間おきにおこなったが、様子を見に行くたびにわたしたちの士気は高まった。二人ともゆったりと眠っているようで、看護婦たちも毎回、眠れずにいる気配はまったく見られないと報告してきたからだ。

「畜生《モルデュー》、この件の背後にいるのが何者であれ、われわれがここにいるのを知って、おびえて手を控えているようだな」ド・グランダンがこう言ったとき、階下のホールにある背の高い時計が二時を打った。「いまは活力が最も低下する時間で、それゆえに――」

　窒息しそうな、苦しげな叫び声が暗い屋敷内に響き渡り、彼の言葉はさえぎられた。「ムッシュー・ソレンセン！」彼は大声で言うと同時に居間を飛び出し、後を追うトラハーンとわたしとともに、すぐ近くのソレンセンの部屋へと急いだ。

　その部屋にはナイトランプの薄暗い明かりがついていたはずなのに、いまは真っ暗で、スイッチを見つけて押しても、カチッという金属音はするものの照明はつかなかった。

「なんと、なんと、なんと、なんと、なんと！《デュー・ド・デュー・ド・デュー・ド・デュー・ド・デュー》」ド・グランダンが毒づいた。「えいくそ、こん畜生！　この忌々しい部屋の明かりに、なにがあったんだ？」

耳障りなゴボゴボという音、排水管を水が勢いよく流れているときか、人が必死であえいでいるときのような音が、暗闇越しにソレンセンのベッドから聞こえてきたので、ド・グランダンは港湾労働者でさえ赤面しそうな悪態を次から次へと口走りながら、部屋の中を手探りで進み、懐中電灯をポケットからさっと取り出して、その光で病人を照らした。

ソレンセンはベッドの上に横たわっていて、寝具は床に蹴り落とされ、両手は握り締められて死人のように硬直し、マットレスに指が深く食い込んでいた。パジャマの上着は喉のあたりがはだけていて、首の白い肌の、日焼け痕のすぐ下には、温かい血が小さな傷口から湧き出ていて、ルビー色の円盤のようだった。両目は大きく見開かれ、日焼けした顔に浮かぶ極度の恐怖の表情は、悪夢の幻想世界の外ではめったに見られないほどのものだった。

「マドモワゼル！」ド・グランダンは厳しい口調で詰め寄った。「一体全体、あの忌々しい看護婦《サクレ・ガルドマラド》はどこにいる？」懐中電灯が弧を描くように動き、病室内にある物を次々と照らし、最後にソレンセンの夜勤看護婦が座っている揺り椅子を照らし出した。

懐中電灯の光が彼女を浮かび上がらせると、凍えるほどの風が吹いたかのようにぞくっと寒気がして、わたしは息をのんだ。彼女は身じろぎもしなかった。まるで木の彫刻のように、そこにじっと座っている。頭は窮屈そうに下向きで固定されて、はるか遠くのなにかに耳を澄ませているかのようだ。催眠状態に陥っていたかのように、首はまったく動かない。彼女は事実上、石に変わってしまっていた。顔に特別な表情は浮かんでおらず、不安も恐怖もなく、同じ状況下にある女性に予想されうる表情は皆無で、じっと座ったまま動かず、周囲の世界をまったく意識していない。

「マドモワゼル！」ド・グランダンが再び叫んだ。

彼が肩に手を置くと、看護婦はたちまち意識を取り戻し、すぐに立ち上がって、懐中電灯の強烈な光の中で目を瞬かせた。

「あ、あの、なにがあったんです？」彼女は尋ねた。

「なにがあったかだって？」トラハーン医師は、ほとんど怒鳴るような声で言った。「なにがあったか？　きみが椅子でうとうとしている間に、患者があやうく死にそうになっただけだ！」

「眠ってなんかおりません」その娘は激しく否定した。「マーシャルが数分前にコーヒーを持ってきてくれたので、少し飲みましたが、カップを置いたちょうどそのとき、先生たちが大声をあげながらここに入ってきて――」

「きみたち《メザミ》、お静かに」ド・グランダンはそう言って、黙るようにと片手を上げた。「叱ってはいけませんよ、トラハーン君、彼女は悪くないのですから。それからきみ、マドモワゼル、あの小柄な黒人が持ってきたコーヒーはどうしましたか？　すみませんが、いまはどこに？」

「ここです」彼女はそう答えて、椅子のそばのテーブルに置かれた、中身の半分残っているカップを指差した。

彼はその小さな器を手に取ると、注意深く匂いを嗅いでから、人差し指の先端を褐色の液体に浸し、それを舌に当てた。「まさか《メ・ノン》」彼はがっかりしたように首を振り、それから娘に向かってこう言った。

「黒人の執事がこれを持ってきたのですね？」

「はい、そうです。とても親切な方ですね。毎晩このくらいの時間にコーヒーを持ってきてくれるのですよ」

「いや、それはどうかな。本人と話をしてみましょう」

彼は暗い部屋の中を大股で歩き、呼び鈴のボタンを強く押した。

使用人が来るのを待っている間、わたしたちは照明を急いで調べた。すべて正常に使える状態だったが、電球がちょうど接触不良を起こす程度にソケットからゆるめてあったので、スイッチがまったく役に立たなかったのだ。「なんとまあ《パルブルー》、どうやらここでインチキ行為があったようだ」ド・グランダンはそう話しながら、電球をきちんとねじ込んだ。「さて、もしわれわれが――」

「お呼びでしたか？」と尋ねた黒人執事は、地獄の辺土《リンボ》の霧の奥からやってくる霊魂のように、音もなく寝室の戸口に現れた。

「まさにそうだ」フランス人が言った。「きみは少し前、看護婦にコーヒーを持ってきましたね？」

「はい、そうです」と黒人は答えたが、その目に冷笑的なユーモアのきらめきが見えたようにわたしには思えた。「ミス・タットヒルとミス・アンジュヴァインのどちらにも、毎晩このくらいの時間にコーヒーをお持ちしています」

「で、薬も混ぜてあるんじゃないかな？」ド・グランダンがぴしゃりと言った。

その使用人は看護婦のほうを向き、尊敬と横柄の入り混じったおかしな態度で尋ねた。「ミス・タットヒル、コーヒーはどれくらい飲みましたか？」

「せいぜいカップ半分です」彼女は答えた。

「で、これがそのカップですか？」

「はい」

「ふむ」彼はたいそう厚かましくも、手を伸ばして中身の半分残ったカップを取ると、一気に飲み干した。

そして小柄なフランス人をまっすぐ見て、面白がっているのを隠しきれずに薄笑いを浮かべた。「お疑いのようにコーヒーに薬が混ぜてあるのなら、きっとわたくしにも効いてくるはずですよ——先生」そう告げながら、敬称の前に少し間を置いたので、横柄な強がりを感じさせる口調になった。

「座りたまえ、おチビさん」ド・グランダンは、驚くほど冷静にやり返した。「やがて、なるようになるだろうよ」彼はソレンセンの上に身をかがめて、傷を負った喉に包帯を当てた。「ところで」さりげなく振り返った。

「きみはアメリカ人ではないね？」

「はい、違います」執事は答えた。

「ほう？　では、どこで生まれたのかな？」

「バルバドスです」

「ほほう？　結構。不当な非難だったとしたら申し訳ない。いまのところ、話は以上だ」

ジョイス・ソレンセンの部屋を調べると、本人はすやすやと眠り、看護婦は油断なく寝ずの番を務めていた。

「コーヒーはもう飲みましたか、マドモワゼル？」ド・グランダンが尋ねた。

「いいえ」ミス・アンジュヴァインが答えた。「マーシャルがまだ持ってきていないのです。急いでくれるといいのだけど。すごく助かるんですもの」

小柄なフランス人は少しの間、考え込みながら彼女を見つめた。それから「マドモワゼル」と呼びかけて、こう命じた。「ミス・タットヒルと一緒にムッシュー・ソレンセンの部屋にいてもらいたいのです。ご容態が一向に改善しないので、二人して付き添うのが一番です。あなたの患者のお世話は、わたしが引き受けましょう」

「なにを——」わたしが言いかけたが、彼は片手を上げてそれをさえぎった。

「きみ、急いで」彼は命じた。「長椅子の裏だ！」

「えっ？　裏とは——」

「アーティチョーク並みに鈍いな、すぐ身を隠すんだよ。そして、ひどく苦しみながら死にたくなければ、決して音を立てたり動いたりせず、いるのがばれないようにすること。ぼくがおとりになり、きみは無言の傍観者になるんだ」彼は部屋を横切って呼び鈴を鳴らし、それから病人のベッドの脇の椅子に再び座ると、「忘れるなよ」と念を押した。「合図をするまで、決して動かないように。たとえどんなに腹が立ったとしても」

「お呼びでしたか?」マーシャルが尋ねて、いつもの静かな、幽霊のような足取りで戸口に現れた。

「ああ、すまないが、コーヒーを一杯もらいたい。看護婦は気分がすぐれないので、わたしがこの役目を引き受けることにしたんだ」

小柄な黒人の目に勝ち誇ったような輝きが浮かんだが、それは現れたときと同じくらい素早く消え失せて、彼は「かしこまりました」とつぶやき、廊下の暗闇に消えていった。

五分後、彼は銀のトレイにコーヒーポットとカップを載せて戻ってきた。

ド・グランダンは立ち上がって大股で部屋を横切り、ベッドの横で足を止めると、眠っている娘をいたわるようなまなざしでじっと眺めた。使用人は背を向けられているので、コーヒーに薬を混ぜるのに絶好の機会で、まさにおあつらえ向きだとわたしには思えた。

だが、好ましくないことはなにも起こらなかった。執事はトレイをテーブルの上に置き、取り澄ました顔でさらなる命令を待ったが、ド・グランダンが振り向かなかったので、やがていつものように足音もなく立ち去った。

フランス人はわたしの存在を完全に無視して椅子に戻り、コーヒーをぐいっと飲むと、雑誌を手に取った。

八分が過ぎ、十分が過ぎ、十二分が過ぎた。なにも起こらない。すると突然、室内の墓場のような静寂が破られ、低いしわがれ声に似た音が聞こえてきた。わたしはぞっとしながらも興味をそそられて、待ち伏せ場所からのぞいてみた。ド・グランダンの頭が前に垂れて、雑誌は床に滑り落ちていた。眠っていて――いびきをかいているのだ。

持ち場を離れて彼の肩をつかもうとしたまさにそのとき、執事が足早に近づいてくるのが聞こえたというよりも感じられたので、わたしはあわてて隠れ場所に引っ込んだ。

猫のように静かな足取りで、その使用人は部屋に入ってきて、手に持ったトレイの上のポットとカップは、ド・グランダンの脇のテーブルに載っている品とまったく同じものだった。彼は新しいものと古いものを素早く交換し、新たなコーヒーをカップに半分だけ注ぎ、きわめて注意深く並べたので、置き換えるところをわたしがもし見ていなければ、テーブルの上のカップはド・グランダンが飲んで元気を回復したときのものだと断言させられていたはずだ。

　これらの準備が終わると、その男は身をかがめてド・グランダンの顔をのぞき込み、フランス人が眠っていることを確信してから、向きを変えて、ジョイス・ソレンセンが横たわっているベッドに忍び足で近づいた。少しの間、彼は立ったまま娘を眺め、邪悪な敵意のこもった笑みを一瞬浮かべた。

「傷心には傷心を、無駄な一生には無駄な一生を、涙には涙を、血には血を」彼はつぶやいた。「かくして、マンバの恨みを晴らす」

　そして刃幅の広い短いナイフを上着の下から出すと、娘の絹のローブを襟から裾まで、一気に切り裂いた。

　その手際の良さには、なにやら悪魔じみたところがあった。彼は身をかがめて近づき、切り裂いたローブを左右に開いて、娘の真っ白な肌にそっと息を吹きかけた。深い完全な眠りに支配されたままの娘は、肌に息を感じてたじろぎ、わずかに向きを変えて逃れようとしたが、彼は絹のローブをそっと引っ張り、娘の体の下から一インチほど引き出した。その作戦を何度も繰り返して、ゆっくりと辛抱強く娘をベッドの上で移動させて、ほんの少しずつローブを引っ張っていくうちに、とうとうローブは完全に脱がされてしまい、いまや彼女は美しい象牙の彫像のように横たわっていた。

　その左の乳房の下の皮膚に彼はナイフの鋭い先端を刺し、色鮮やかな血がぷっくりと盛り上がるのが見えたので、わたしは飛び出そうと構えたが、彼の次の動きが目に入ったとき、びっくり仰天して体が固まってしまった。

　彼は上着の下から、きめの荒い苔を束ねたようなものを取り出し、それを絹の紐で自分の目の前にぶら下げて、ぐるぐる振り回し始めた。どんどん速度を上げて、その風変わりな代物が頭のまわりを囲む光の輪のようになるまで振り回したあと、スピードを落とし、娘のあらわな乳房の血の斑点の上にそれをぶら下げると、きっちりと束ねられていた巻きひげ状のものはすでに広がり、二つの大文字のYを上下につないだ形になっていた。彼は急いで身をかがめて、娘のむき出しの乳房の白によく映える赤い傷口の上にその物体を落とし、ちっぽけなそれがおぞましい変化を示し始めるのを見たわたしは、恐怖のあまり目が飛び出しそうになった。

　下のYの字の分岐した片方が、ジョイス・ソレンセンのちっぽけな傷口から盛り上がったルビー色の血に触れていて、吸取り紙――あるいは蛭――のように赤い液体を吸い上げて、ゆっくりと膨れ、大きくなり、生命体の様相を呈したのだ。ちっぽけな風船がそっと息を吹き込まれて膨らむように、しなびたYの字の横棒が徐々にふっくらとして、人間の腕と脚の形になり、上のYの字の分岐した中央から頭が現れ、片足で爪先立ちをしているバレエダンサーのように、小さな黒い人間の形をしたものが、ジョイス・ソレンセンの心臓の上でくるくる回り出した。

奇妙なほど生き物らしく、妙に人間じみた形なのに、植物的なところもあったので、わたしはうっとりと見つめながら、それが醜悪な種類の花に似たちっぽけな黒い小人なのか、または人間の下品なパロディーに見えるおぞましい花なのか、見極めることができなかった。

眠っている娘がつらそうに身動きをして、まるで苦悩しているかのようにうめき、手が断続的にぴくぴく動いた。どうやら、体の上に片足で立っているあの恐ろしい踊り子が、自分の存在を無意識状態の彼女に無理やり気づかせようとしているらしい。

「トロウブリッジ、おい、きみ《モン・ヴュー》、あいつをとらえろ、つかまえろ、逃がすんじゃない！」ド・グランダンは一飛びで椅子から立ち上がり、眠気の名残は消え失せていた。彼は部屋の反対側へジャンプしながら、両手を伸ばして黒人をつかまえようとした。

その小男は獣じみた怒りでうなると身をかわし、扉へ突進した。わたしは隠れ場所から抜け出て、男の行く手に立ちはだかった。彼はわたしにまっすぐ襲いかかってきたので、わたしは拳を繰り出して顎の先をまともにとらえ、倒れた男の後ろにはド・グランダンが待ち構えていた。

「このけだもの《ベット》、犬畜生《シャン》、ラクダ野郎《シャモー》め！」フランス人は荒々しい口調でささやきながら、小男の肘をがっちりと握り締めて、無理やり両脇に下ろさせた。それから前腕へ手を滑り下ろして、手首をつかむと、両方の腕を背中へねじ上げてダブル・ハンマーロックを決めた。「この蜘蛛野郎、九十九回地獄に落ちた腐った魚野郎、あの地獄の花をマドモワゼルから取り去って、根っこが一本でも残って傷口が膿むことがないよう気をつけろ！」彼は命令した。

黒人の小男は、罠にかかった猫のようにうなった。

「おれに無理強いできると思ってるんだな？」男は迫った。「おれを殺してみろよ、迫害者のフランス野郎、ばらばらに切り刻んで、腕を折って、胸から心臓をえぐり出しても、あの女は救えない。明日、あのまま裸で見つ

下の注文書にご記入の上、最寄りの書店にお申し込みください。

書　店　印

新紀元社
愛蔵版 英雄コナン全集2 征服篇
予価2200円（税別）
ISBN978-4-7753-1885-0

ご注文　　　　冊

ご住所　〒

お名前　　　　　　　　　　TEL

※書店様へ　9月15日までに弊社にご注文ください。初回配本いたします。
以降のご注文は発売後の出荷とさせていただきます。

新紀元社 http://www.shinkigensha.co.jp/
〒101-0054 東京都千代田区神田錦町 1-7 錦町一丁目ビル 2F
TEL03-3219-0921 FAX03-3219-0922

かって、みんなの見世物になるころには、一滴の血もなく息絶えているだろう――」

ド・グランダンは男の両腕をさらにねじ上げて、半インチほど肩に近づけた。「そう思ってるんだな?」彼は迫った。「雄鶏の羽にかけて《パル・レ・プリュム・ダン・コック》、おまえが正しいか確かめようじゃないか!」

ド・グランダンがねじ上げた腕にゆっくり力を込めるにつれて、黒人の小男の額は細かい汗の粒できらきら光り、口元は苦痛のせいで引きつり、目は蛙のように眼窩から突き出した。彼はとらえた男を一歩ずつベッドのほうへ押しやりながら、フランス語と英語が混ぜこぜの悪口雑言を耳元でささやいた。

ジョイス・ソレンセンの横たわるベッドにたどり着くと、とらえられた男はがっくりと膝をつき、苦悶のあまり短くあえいだ。

「放してくれ」男は懇願した。「放せよ、フランスのけだものめ。花は取り外してやる」

ド・グランダンは、片方の腕をつかんでいる手をゆるめた。「片手でやるんだ」彼は命じた。

「両手が要る」

曲げた腕をフランス人が再びねじると、執事は気を失って床に崩れるように倒れた。

「すまないが、水を頼む、トロウブリッジ君」彼は命じた。「手がふさがっていて取れないんだ」

わたしはテーブルの上の水差しをひっつかむと、とらわれた男の顔にグラス一杯の冷水をぶっかけた。

「さてさて、地獄から抜け出してきたチビ助君」ド・グランダンは、冷水の衝撃に顔をしかめて瞼《まぶた》をぴくぴくさせながら目を開けた男に、そっとささやいた。「あの三万回呪われた代物をマドモワゼルから取り外してくれないか。さもないと、おまえの腕をもぎ取って、こま切れにして喉に突っ込んでやるぞ!」彼はとらわれた男の両腕を再び曲げて、確実に骨折するだろうと思われるほどねじ上げた。

片方の手首を自由にしてもらった黒人は、その手を伸ばして、くるくる回っている黒い代物をつかみ、ジョイス・ソレンセンの胸の傷口から慎重に持ち上げた。空気で膨らませた袋にピンが刺さったときのように、忌々しいその代物はたちまちしぼみ始めた。三十秒で元の大きさの半分まで縮んで、一分も経たないうちにしなびてしまい、ただの苔のような繊維を丸めたものとなり、そのほつれた先端から赤い水滴がぽたぽた落ちていた。

「結構《ビヤン》」ド・グランダンはそう告げながら、獲物をつかまえていた手をゆるめた。「トロウブリッジ君、すまないんだが、看護婦に戻ってくるよう言ってくれないか。ぼくのほうは、こいつに訊きたい重要な質問がいくつかあって——そして、車庫でこっそり訊くほうがうまく答えを引き出せると思うんでね。すぐに戻るよ」

「やあ《オラ》、諸君《メザンファン》！」ジュール・ド・グランダンは自画自賛の笑みを浮かべながら、ソレンセン家の二階の居間で待っていたわたしたちの前に現れた。「われらが同輩トラハーン君の見つけた新しい病気の原因である〝黴菌〟が、分離されましたよ。畜生《モルブルー》、交番《ポスト・ド・ポリス》に完璧に隔離されたという意味ですがね——病院に監禁されることになれば話は別ですが。相手の言い分を語らせるため、少々手荒くなってしまったかなと思っているところです」

「じゃあ、黴菌による病気だったわけですね——」トラハーンが話し始めたが、ド・グランダンが笑いながらさえぎった。

「もちろんですよ《メ・ウイ》、きみ《モン・ブラーヴ》」彼はくすくす笑った。「まったくたちの悪いちっぽけな黴菌で、二本脚で歩き、植物学者なら誰でも夢に見る最高に奇妙な蘭を持っていた。差し支えなければ、話を聞いてもらいましょう。

ムッシュー・ソレンセンがマダガスカルでの出来事について話してくれたとき、これはどうも臭いぞとぼくは思いました。マダガスカル、ああ《モン・デュー》、なんたる場所か！　この謎の国はアフリカよりも恐ろしく、中国よりも狡猾で、インドよりも執念深い！　わが軍は一八九六年に現地政府を倒した際にアンドリアナ、つまりマダガスカルの貴族から決して消えない憎しみを買うこととなり、その憎しみはいまもなお、フランス当局者の奇妙かつ不可解な殺人事件の中に現れているのです。

ムッシュー・ソレンセンが現地の妻のことをマンバと呼び、〝かぐわしきもの〟の巫女だと言ったのは覚えていますね？　結構。マンバとは、諸君、原住民の言葉で恐ろしい奇妙な黒い蘭を指し、マダガスカル奥地のジャングルにはびこると言われます。これは吸血植物、つまり植物蛭の一種とされ、傷口に置くと人の形に似た花が咲き、不運な宿主の血を養分として育ち、死に至らしめるのです。マダガスカルで聞いた話によれば、この奇妙な植物の生育地は〝かぐわしきもの〟に仕える聖職者によって厳重に守られているそうで、〝かぐわしきもの〟とは事実上架空の人食い木に対する原住民の呼び名で、それについては実におぞましい話が語られています。

結構。われわれの前にいたのは何者か？　原住民の貴族で謎めいた有害な宗教の巫女でもある女性の憎しみを買った男性で、その女性は魔術師としても名高く、彼女の名前そのものが、奇妙でおぞましい種類の寄生植物とまったく同じ。この男性はこの女性から宣告された呪いのもとで生きていて、その呪いでは、血が夏の小川のようにだんだん減っていく病に襲われるだろうと予言されています。さらに、自分が死ぬ前に最愛の者が徐々に弱って死んでいくのを見るだろうとも言われたのです。

そして、われわれが目にした状況は？　この男性はどんどん衰えていき、目に入れても痛くないほど可愛い姪も、急速に衰弱しつつあった。彼が呪いにつかまってしまったのは、明らかでは？　まったくありうることのように思えました。

でも、もしこれが魔法によってもたらされた呪いならば、なぜきみがクルーズへ送り出したときには快方に向かったのか？　それに、なぜ帰宅したら病気がぶり返したのか？　どうやら、彼の自宅と病気の間にはなんらかの関係があるらしい。このつながりはなんなのか？　ああ、それを突き止めようと考えたのです。

吸血鬼に襲われて死んだ人を見たことがありますが――笑わないように、ムッシュー・トラハーン、ほんとうなのですよ！――吸血鬼は被害者の喉に嚙みつきます。ムッシュー・ソレンセンの傷はナイフかピンでつけられたもので、歯ではなく、似たような傷が姪御さんの胸にもありました。

ぼくはあたりを見回して、いくつかのことに気づきました。これはいつもの習慣でしてね。

黒人執事のマーシャルがいました。このマーシャルは黒人ですが、アフリカ系ではありません。マダガスカル人も、アフリカ系ではありません。純血のマダガスカル人でマレー系や中国系やヒンドゥー系との混血がない場合、肌は黒いのですが、目鼻立ちは小さく、鼻筋が通っていて整っており、アフリカ系黒人の名残は見られず、髪は直毛で縮れておらず、体つきはしっかりしているけれど小柄なのです。

また、このマーシャルと称する男は、イングランド訛りで喋りました。この国育ちでないことはわかりましたが、バルバドスの出身だと言われたとき、それが嘘なのもわかりました。ジャマイカ出身の黒人は、イングランド人のような喋り方をします。バルバドスの出身者は、なにやら奇妙な理由によって、強いアイルランド訛りで喋るのです。『これはどうもうさん臭いぞ、ジュール・ド・グランダン』とぼくは自分に告げます。

今夜、ミス・タットヒルが薬を盛られていました。そのことは明らかなのに、執事は立派なアリバイを提示します。『さらに試してやろう』とぼくは決心し、そこでもう一人の看護婦を追い払って、彼にコーヒーを頼み、薬のせいで眠り込んでいるふりをします。彼はおとりにひっかかります。おお《モン・デュー》、見事にひっかかった！　そして——」

「どうやってあんなに早く、薬の作用から回復することができたんだ？」わたしが口を挟んだ。「看護婦はすっかり動けなくなっていたのに、きみは——」

「おやおや《ティヤン》！」彼は笑いながら、わたしの話をさえぎった。「ジュール・ド・グランダンをかつごうとする者は早起きする必要があるんだよ、きみ。あのコーヒーを飲んだと思ってるのかい？　なんてうぶなんだ《ケル・ナイヴテ》！　ふん《パー》。見たまえ《ルガルデ》！」

彼はポケットの中から褐色に濡れそぼったハンカチを引っ張り出した。

「やり方さえわかれば、簡単なトリックですよ」彼は請け合った。「ハンカチ《ル・ムショワール》を、マーシャルに背を向けている間に顎の真下の襟の中に押し込んで、パッ！　コーヒーをその中に流し込み、飲んでいるふりをするのです。いや、なに《アー・バー》、熱いし、べたつくし、この上なくべらぼうに不快ではありますが、おかげで心身の機能を保てるわけですよ。ええ、もちろんですとも。当然です。

さて、彼はぼくが眠っていると思っている間に、いままで何度もやってきたことをするのですが、今夜はマドモワゼル・ジョイスが一巻の終わりとなるはずでした。姫御さんを殺すことでムッシュー・ソレンセンの心をずたずたにしたあとで、とどめの一撃《クー・ド・グラース》を与える用意ができていたのです。

ハハッ、だけどこのぼくは、猫の眠り方をしていたのですよ！　ちっぽけな黒鼠が巣穴に引き返せないくらい遠くまで出てきたところで、親友トロウブリッジ君の助けを借りて飛びかかり、その後散々な目に遭わせてやりました。

言い分を語らせるのに説得する必要はありましたが、最後には話してくれましたよ。腕の骨を一本折ってやる羽目になりましたがね。彼は、あのマンバの甥だったのですよ。あの魔術師であり、〝かぐわしきもの〟の巫女であり、ムッシュー・ソレンセンに呪いをかけた蘭の女の甥っ子です。長年ずっと機会をうかがい、とうとうこの国へやってきて、ソレンセンに雇われ、全幅の信頼を得て、あの奇妙な黒い蘭を喉に植えつけるチャンスを待っていたのです。

『あんたはマンバのキスを感じるだろう』とマダガスカルの女は言いましたが、実はそのマンバのキスが——黒人女のマンバならぬ、黒い蘭のマンバのキスが——彼の血を失わせ、あやうく死をもたらしそうになったというわけで、ムッシュー・トラハーン、そのときみが、われわれをこの事件に招き入れてくれたのですよ」

「あの黒い蘭は、いまどこにあるんですか?」トラハーンが尋ねた。

「手近に置いておくのは危険でした。かまどの中に投げ込んでやったのです――畜生《モルブルー》、まるで拷問にかけられた生き物のように、のたうち身をよじりながら炎に飲み込まれていきましたよ!」ジュール・ド・グランダンは顔をしかめながら答えた。「思い出すと吐き気がしますな。ここで待っててください、諸君、薬を取りに行ってきます」

「鞄に錠剤がいくつかありますよ――」トラハーンが言いかけたが、ド・グランダンは同意できないことを身振りで示した。

「そうじゃないんですよ、きみ《モン・ブラーヴ》」彼は話をさえぎった。「ぼくの求めている薬は、階下《した》のサイドボードの上で酒瓶に入っているやつです。ヘイグ&ヘイグという名前のね」

Demon and Detective　妖魔と探偵

半分だけ憑かれた家

The half-Haunted

マンリー・ウェイド・ウェルマン　Manly Wade Wellman

髙橋まり子訳

「月のさやけき夜」（『幻想と怪奇5』所収）の作者、マンリー・ウェイド・ウェルマン（一九〇三―八六）は、オカルト探偵のシリーズをいくつも手がけている。ここではパーシヴァント判事に御登場いただこう。「ヤンドロの小屋」のシルヴァー・ジョンや「リル・ウォレンの二つの墓」のジョン・サンストーンの影に隠れがちだが、一九三八年に『ウィアード・テールズ』に登場、二度の連載で人狼や吸血鬼と闘った。本作の初出は四一年九月号。『ミステリマガジン』二〇〇三年八月号に「半分呪われた家」（尾之上浩司訳）として掲載されている。

おうちに入ったはずなのに、
そこはおうちじゃなかったんだ。

――A・A・ミルン

半年前から、判事のパーシヴァントはいわくつきの古い建物を訪れようとしていたが、行きたくてたまらないのに、なかなか時間が取れなかった。秋が過ぎ、冬になった。クリスマスは旧友の未亡人が財産を取り戻したいというので、わざわざセイラムまで行き、手伝っていたので、たいして楽しくもなかった。大みそかに訪れたのは、ハリソンヴィル。翻訳しないほうがいいと言われていたオランダ語の古い文献について訳すべきかどうか、当地在住のジュール・ド・グランダンとトロウブリッジから意見を求められたのだ。その後、ようやく南西に進んで自宅へ向かい、スコッツメドウズを通った。辺りはだいぶ暗くなって、雪が降り出したが、クライレーの製粉工場に行くのを、これ以上先延ばしにする気にはなれなかった。

小さな表通りにある薬屋の主人に道を訊いた。舗装されていない急な坂道を車で上り、すっかり葉が落ちた木立の丘の間を走り抜けた。次第に古い石切り場に続く道が見えてきた。この道を進めば、目的地にたどり着く。流れの速い茶色の小川を越え、きしむ橋を渡った。

今にも夕日が沈みそうだ。どこかで道を間違えたのだろうか。この分だと、到着がかなり遅くなってしまう。

噂によると、製粉工場は高さはあるが、間口の狭い建物で、廃墟と化しているらしい――築二百年だが、見た目は築二千年だとか。行ってみると、実際はまるっきり違っていた――建物はまだ新しかった。茶色い屋根で、天井が低く、だだっ広くて、スクリーンポーチと大きな窓が備わっている。ただ、もっと明るい雰囲気が漂っていてもよさそうだが、そうではなかった。

パーシヴァントは車を建物に近づけて降りると、家のドアをノックした。暗闇で、雪が白く輝きながら降っていた。表側の部屋の明かりがつき、ドアが開いて、男が顔を出した。小柄で痩せていて、前髪は白髪交じり、顔にはしわが刻まれ、油断のなさそうな顔つきをしている。今は亡きウィル・ロジャース（一八七九―一九三五　アメリカのコメディアン、俳優、コラムニスト）に似ている。上着をはおり、室内履きで現れた。

「何か？」男はいささか警戒した口調で言った。

「すみません」パーシヴァントは広い肩を丸めて答えた。「クライレーの製粉工場はこちらでしょうか？　幽霊が出るという噂の？」

「幽霊？」男は玄関で言い返した。「ああ、いや――なんのことだか」

こんなときに言うことは、ひとつしかない。パーシヴァントは褐色の口ひげについた雪を払い落とした。「お邪魔してすみません。わたしが間違えたようですね」

とたんに、男は態度を変えた。「待ってくれ。間違ってない。ここがその場所だ。クライレーの製粉工場があった場所に家を建てたんだよ―まだ建てたばかりで、感謝祭の日に越してきて――さあ、よかったら中に入ってくれ。ぶっきらぼうな態度を取って、すまなかった。ちょっといらついていたもので。誰が訪ねてきたのかわからなかったから――こんな誰も来ないようなところに」

男は痩せた小さな手で、パーシヴァントの大きな手をつかんだ。「さあ、どうぞ。おや――ちょっと待って。雪が降ってるな。裏に車が二台入る駐車場がある。おれの車の隣に停めてくれ。そのあと、一緒に飲もう。なんなら、軽く食事でも」

　男はパーシヴァントと一緒にいたいらしい。パーシヴァントは何食わぬ顔で、大きな青い瞳を男に向けた。それからうなずき、こう言った。「ありがとうございます。お邪魔させていただけて、とてもうれしいです」

　車を駐車場に入れ、雪が降るなか、家に戻った。小柄な男は玄関で待っていて、パーシヴァントを家に入れた。

「そういや、まだ名前を聞いていなかったな」

　パーシヴァントはうっかり名乗りそびれていた。「パーシヴァントと申します。判事をしておりますキース・パーシヴァントです。幽霊屋敷に興味がありまして」

「なるほど、おれはアルヴィン・スクロープ——地元紙の編集者をしていたんだが、退職して、今は男のひとり暮らしだ」ふたりは玄関近くの応接間に入った。快適さを求めた男の願いに応えた部屋だ。椅子やソファにはクッションが置いてあり、床には厚いラグマットが敷いてある。鮮やかな色遣いの絵が飾られ、光がたくさん取りこまれる造りで、本棚もある。それでも、外観と同様、明るい雰囲気は感じられなかった。「先に言っておくが」スクロープが声をかけた。「使用人が大みそかに辞めてしまって、ここ数日は身の回りのことを自分でやっているんだ」

　スクロープはサイドテーブルからスコッチのボトルとサイフォンを持ってきた。ハイボールを二杯作り、片方のグラスをパーシヴァントに渡した。「雪が激しくなってきたな。今夜は泊まっていったほうがよさそうだ」

　パーシヴァントはコートと黒い帽子を脇に置いた。

「ご親切にどうも」と返事をしたものの、スクロープが最初は迷惑そうにしていたのに、今は調子のいいことを言って、すんなり家に入れたことが気になった。スクロープは前髪をいじった。

「どういたしまして」スクロープは努めて明るく言った。「もともと、古い製粉工場があった場所に、この家を建てたんだ。どうだね、居心地は？」

　パーシヴァントは肘掛椅子に大きな体を深く沈め、グラスに口をつけた。「まだわからないですね。来たばかりですし。あなたはどうです、ミスター・スクロープ？」

　スクロープはまたしても前髪をいじった。「正直に言うと、おれもまだよくわからなくてね」スクロープもグラスに口をつけ、それから話を続けた。「今まで自分の家を持ったことがないからじゃないかな。何しろ、ずっと仕事尽くめで、新聞記事を書くためにあちらこちら飛び回っていたんだ——それが今じゃ暇を持てあまして、どうしていいか、わからなくて。察してもらえるだろうか。でも、初めてここにきて、廃墟となった製粉工場を見ているうちに、離れがたくなってしまって。家を建てるには、うってつけの場所だと思ったんだ」

「製粉工場とその言い伝えについては、わたしも小耳にはさんでおりまして」パーシヴァントはそう切り出すと、ポケットに手を入れてパイプを探した。すると、とっさにスクロープが話し始めた。まさしく、パーシヴァントが予想していたとおりの話だった。

「ここには独立戦争前から工場が建てられていたんだ。クライレーという男が工場を所有して、経営していた。男には女房がいて、息子と娘もひとりずついたらしい」

「メモを取っても構いませんか？」パーシヴァントはノートとペンを出した。「話を続けてください。ミスター・スクロープ」

「で、戦争が始まった。製粉工場の経営者とその息子はジョージ・ワシントンの軍に入隊した。イギリス軍がニューヨークを占拠して、長く激しい戦いとなった。敵の軍はそこに留まるか、それとも、よその地域に攻めこむか、見極めていたんだ」

　パーシヴァントはうなずいた。アメリカの歴史の中で、暗い絶望の淵に立たされた時代。最初にアメリカ軍が惨敗したあと、戦局は次第に深刻化し、爆撃や奇襲が繰り返され、裏切りも横行した。両軍とも残虐極まりなかった。ネイサン・ヘイル（一七五五―七六　独立戦争で活動した米史上最初のスパイ）やジョン・アンドレ（一七五〇―八〇　独立戦争で諜報活動をした英軍将校）――ふたりとも立派な紳士だった――は重罪犯と同様に絞首刑に処せられた。他にも数多くの悲劇が起きていた。ニューヨーク一帯は――ニュージャージーのこの辺りも含め――おぞましい事態となり、身の毛もよだつような恐ろしい話が起こっていた。スクロープは話を続けた。

「ニューヨークには、ヘッセン出身の兵士が大勢駐留していた――アメリカ人と戦うための傭兵だ」

　パーシヴァントは再びうなずいた。ヴァージニアの祖先がワシントンの軍に入り、トレントンの戦いに送りこまれたからだ。「ヘッセン出身の兵士はさほど気性は荒くなかったのでは」

「だが例外と言える者がいたんだ」スクロープはきっぱりと言った。「メモを取っているか、判事？――このヘッセンの兵士について、名前は知らないが、見てくれはあんたぐらいでかくて、かなり屈強だったらしい。母国のドイツでは、有名な狩猟家だったとか。おそらく犯罪者で、逃亡するために傭兵に加わったんだろう――とにかく、そいつは得意の狩猟と射撃の腕を発揮して、アメリカ人に襲いかかっていった」

「信じられないような話ですな」パーシヴァントは口をはさんだ。「ワシントンの軍には、老練な先住民の兵士が多くいたのでは」

「このヘッセン出身の兵士ひとりで、先住民の力をはるかに上回っていたんだ。いつも裸で――冬場でも――モホーク族のような模様を肌に描いて、敵を次々と殺していった。射撃の名人で、しかも刀や手斧、ナイフも操る悪魔でね」スクロープは一息おいてから、葉巻の端をかみ切った。「狙った相手はどこまでも追いかけた。一度にふたりの兵士と戦っていたとか。ひょっとすると、それ以上の人数を相手にしていたかもしれない。農場も襲って、一般市民まで殺していた。女や子どもも。一気に大量得点を稼いだってわけだ」

　パーシヴァントはメモを取りながら、この兵士の奇抜な姿をありありと思い浮かべた――いつも裸で、大柄な体に描かれた赤と黒の縞模様。骨ばった顔、がっしりとした体つき、淡い色をした眉毛は太く、目は切れ長。ベルトに取りつけたいくつもの武器。ヘッセンの兵士はそんな風貌だったのだろうか？　パーシヴァントはパイプに葉を詰め、口ひげの下に吸い口を当てた。「続きを聞かせてください」とスクロープに話を促した。

「製粉工場に残っていた母親と娘は、このヘッセンの兵士を憎み、恐れていた。ふたりは兵士をはめようとした。イギリス軍を支持するふりをしながら近づいて」

「なんて大胆な」パーシヴァントはまた別の映像が頭に浮かんだ。おそらく計画したのは娘のほうか――凍えるほど寒い日の午後、ぽっちゃりした娘が頬を赤らめ、田舎道で残虐な兵士を待ち伏せした。さすがのヘッセンの兵士も、女の扱いには不器用だったのだろう。大きくて、いかつい顔にだらしない笑みを浮かべていたのではないか。美しい田舎娘は震えをこらえ、微笑みを返しながら、お辞儀をしたに違いない。

「母親と娘は兵士を夕食に招待した」スクロープは話を続けた。「兵士はここぞとばかりに正装して――」

　ヘッセンの殺人鬼が正装で現れるとは妙なものだ――小さなサイズの白い服に、筋骨隆々の足にゲートルを巻き、大樽のようないかつい体に赤い上着をまとい、白く輝くボタンをぴっちり留めている。白い髪粉《かみこ》（十七世紀から十八世紀にかけて欧州では髪に小麦粉をふりかけて白髪に見せるのが流行した）をつけ、イギリス軍近衛兵の背の高い帽子をかぶった姿は、不似合いもいいところだ！　もっとも、スクロープの話はここからが山場だった。

「そいつがテーブルにつくと、女の一方が――母親なのか娘なのかは、話を聞くたびにころころ変わるんだが

——サービングナイフで兵士の背中を刺したんだ。それから、どうにか死体を処分した——地下室の壁に入れて上から塗りかためたか、床下に埋めたんだろう。ところが、兵士は霊になって戻ってきた」

「霊を見た人はいるんですか？」パーシヴァントが訊ねた。

「何人もいる。年が明ける前に、母親は恐怖のあまり亡くなり、娘は屋根裏部屋の窓から飛び降りた。息子は戦争からなかなか戻ってこないと思ったら、自殺していた。父親については話が残されていないが、戦死したんだろう。そう、霊は一家を皆殺しにしたんだ。製粉工場は使われなくなった。噂話は他にもいろいろある。十年ほど前、スコッツメドウズからわざわざ女がやってきて、工場に一晩泊まったらしい。翌朝、その女は気がおかしくなり、まともに口が利けなくなったまま外をさまよっていたそうだ」

「それなのに、あなたはこの場所を買った？」

「ああ。古い製粉工場を取り壊して、基礎から建て直したんだ。このぐらいしておけば、さすがに幽霊は出ないよな、パーシヴァント判事？」

「建て直すなら、大抵は幽霊が出た場所を完全に焼き払うでしょう」とパーシヴァント。「もちろん、幽霊の存在をどれほど信じているかにもよりますが。お見受けしたところ、あなたはこうした話を笑い飛ばせないのでは」

スクロープはくわえていた葉巻をかみ切りそうになった。「笑い飛ばす？　ふたりいた使用人がこのひと月あまり、どちらも逃げだしたんだ。もし、家の地下室の周辺で、得体の知れないものに追いかけられたら？　ひんやりした、こそこそ動いている何かに後をつけられたら？　辺りを見回しても、姿がないんだぞ。ずっとそのことが頭から離れなくなったら？　まるでイプセンの芝居やポーの小説にありそうじゃないか？　絶対に笑えないって、判事」

パーシヴァントは前のめりになった。「何か怖ろしいものを見たり聞いたりしたんですか？」

「ああ。はっきり見たわけでも聞いたわけでもないが——この家にひとりでいると、薄暗い部屋で、ささやき声が聞こえ、影が見えるような気がして。だから」スクロープは顔を曇らせた。「伝統のある古い教会に入りたいと思ったんだ。神父も鐘も聖書も蠟燭も、とてつもなく安心できそうだし」

「だったら」パーシヴァントはうなずいた。「古くから伝わる悪霊退治の正しい方法を知っていますよ。わたしは聖職者ではありませんが、必要に応じて悪霊退治をしています。呪文を唱え、心理的な不安を消すために」

スクロープは顔をしかめたが、ふいに笑い出した。そういう提案は初耳だったのだろう。すぐにパーシヴァントは誤解のないよう、筋道を立てて説明することにした。

「何もあなたをオカルトの信奉者にするつもりはありません、ミスター・スクロープ。ただ、儀式を行う意味というのは、物事を論理的に考えていくことではないかと――あなたの不安を持ち出して、永遠に忘れるために、心理的な面でいいきっかけにもなって――」

「細かいことはいい！」スクロープは急に大声を出した。「頼む、判事。そいつをやってくれないか」

パーシヴァントはグラスとパイプを置いて、立ち上がった。スクロープも椅子から立ち上がった。それから後ろに下がると、家の奥に通じる黒いドアのそばに立った。パーシヴァントは真剣な顔で呪文を唱えた。

「すべての悪霊に告ぐ。この男のベッドやソファに近づくことを禁ずる。神の名にかけて、この男に近づくことを禁ずる。神の名のもとに、この男の血や肉、身体や魂に近づくことを禁ずる。すべての悪霊よ、この男と屋敷から離れ、己《おの》が居場所に戻りたまえ。父と子と聖霊の名のもとに」

パーシヴァントが呪文を言い終わると、すぐにスクロープは感謝の眼差しになり、ほっとしていた――その表情は、光の速さで消えた。ふいに、細い体を揺らして後ずさった。そして口を開き、叫んだ。

「放せ！　放せ！」

スクロープはよろめきながら、後ろのドアに近づき、体の向きを変えて脇柱に寄りかかった。ドアの向こうにいる何かと戦っているようだ。パーシヴァントが急いで駆け寄ると、とたんにスクロープは体を震わせながら、部屋の中ほどに歩いていった。目には生気がなく、口元がたるみ、顔は青ざめている。

「霊に憑りつかれたみたいだ」スクロープは荒い息をしながら言った。

「まさか」パーシヴァントはすぐにウイスキーを注いだ。

「見えなかったのか？　腕をむき出しにした、大きな何かがいたんだ――目はなくて――」

「これを飲んで。わたしには何も見えなかったんですが」

パーシヴァントに渡されたウイスキーをスクロープはおとなしく飲んだ。顔には少し血の気が戻っていた。そして、急に話し出した。希望どおりの結果になったかどうか確かめたくて。「おれの想像の産物も一緒に出ていったんだよな？」

「出ていった？」

パーシヴァントはスクロープのグラスに再びウイスキーを注いだ。スクロープは話すことで気をしっかり保とうとしているらしい。「そうか、わかったぞ、判事。おれの想像力がたくましくなりすぎて、現実だと思いこんでしまったんだ。子どもが信じている子取り鬼のような――でも、あんたには見えなかったんだとしたら――」

「わたしに見えなかったんだとしても」パーシヴァントはスクロープの言葉を受けて言った。「霊が存在しないという証拠にはなりませんね」

呆然としているスクロープをよそに、パーシヴァントは話を続けた。「思いこみはやめましょう。ここからが本当の勝負です」

「おい、ちょっと待ってくれよ！」スクロープは話の途中で声を荒げた。「さっき、あんたは呪文を唱えたんだよな。なのになぜだ――霊が――襲ってきたのは――」

「相手も必死なんです。負けるわけにはいかないので。ここで待っていてください」

パーシヴァントはドアに近づき、そっとのぞいた。台所に続く廊下は薄暗かった。左手には浴室があり、ドアが開けっぱなしになっていて、右手にはドアがふたつあり、どちらも閉まっていた。パーシヴァントはスクロープに閉まっているドアのことを訊ねた。

「どちらも寝室だ」スクロープはの声はだいぶ落ちついていた。「明かりがいるか？」

「いえ、結構です」パーシヴァントは廊下に出た。

まるで霧の中に足を踏み入れた気分だ――湿気でじめっとしている。閉めきったクローゼットの中に、じっとりしている汚れたコートがたくさんかけられているとでも言ったらいいだろうか。パーシヴァントは鼻息を荒くして、そそくさと台所に入り、明かりをつけた。ようやくまともに呼吸ができて、ほっとした。眉や褐色の口ひげの汗が乾いていく。

「異常はないか？」スクロープが訊いてきた。

「今のところは」パーシヴァントは冷蔵庫や電気コンロが備わった、きれいな白い台所を見回した。ここが一番安心できそうだ。廊下に戻り、今度は建物の奥側の寝室に入った。

「そっちはおれの部屋だ」スクロープは応接間のドアから声をかけた。

パーシヴァントはスクロープの部屋に入り、ふと立ち止まった。ここは台所の向かい側にあり、建物の奥を四分の一ほど占めている。それから、廊下にまた出て、浴室をのぞきこんだ。薄暗いなか、窒息しそうなほど重い霊の気配を必死で払いのけた。ようやく家の玄関側にある寝室の閉めきったドアにたどり着いた。「この寝室は誰が使っているんですか?」パーシヴァントはノブに手をかけながら訊いた。

「今夜泊まるなら、あんたに使ってもらおうかと」スクロープの答えを聞き、パーシヴァントは中に入った。

入った瞬間、何かに殴られたような気がした——膝ががくがくして、頭が揺れ、目の前が真っ暗になった。壁が——壊れて、壁紙が剝がれているのか?——暗闇でぐるぐる回っている。それでも、どうにかふんばり、頭を上げて、手探りで明かりのスイッチを探してつけた。

部屋は想像とは違っていた。いたって現代的な造りで、壁紙はクリーム色。本当ならもっと華やいだ雰囲気が出ていてもよさそうなものだ。しかし、明かりは薄暗く、まるで煙を通して光が差しているように見える。きれいに整えられたシングルベッドや整理ダンス、肘掛椅子が置いてある——この家具の配置で、なぜ部屋の片隅に暗い影ができるのか? そもそも、あれは影なのか?

廊下で感じた重みは、ここでは倍になっていた。何かに押しつぶされそうで、海底で水圧に耐えているダイバーになった気分だ。パーシヴァントが触っていないのにスイッチが切れる音がして、いきなり明かりが消えた。

暗闇で何かがパーシヴァントに触れている。手だ——おぼろげに見える。しかし、腕はない。腕はどこだ?

パーシヴァントは避けたが、その場から逃げなかった。深い闇の中で顔が浮かんでいる——頭も。とにかく、輪郭だけはわかったが、姿は見えない。口はあるようだ。パーシヴァントの顔に生ぬるい息がかかった。ぶつくさ言っている声がする。こんなふうに。

「ラウス……」

ドイツ語だ。**「出ていけ!」**と言っている。

パーシヴァントは宙に浮かんだ楕円形を見つめ、目を合わせようとした。またもや、何かに触られた。肩だ。今度は軽く。ふんわりと。先ほどとは違う声が聞こえてきた。聞いているよりもずっと柔らかく感じられる。

「だめ……ここにいて……助けにきて……」

姿の見えない頭が、だんだんと形になってきた。下のほうを見ると、体らしきものが、ぼんやりと浮かび上がっていた——がっしりしていて、パーシヴァントに負けず劣らず体が大きかった。太い柱が見えるが、ひょっとすると霧で覆われた足かもしれない。また声が聞こえてきた。**「ラウス!」**

パーシヴァントはドアを開けたまま部屋を出た。応接間に戻り、顔を拭いた。だいぶ気分がましになった。

スクロープは酒を作りながら、怪訝そうにパーシヴァントに目を向けた。「あんたも気配を感じたんだな?」

「感じました。一瞬だけですが、見えたんです」パーシヴァントは気を取り直して、わかったことを整理した。

「玄関側の寝室は誰も使っていなかったんですか?」

「ああ。使用人は——もう出ていったが——台所の外に作った小屋を使っていたんだ。だから、今夜はあんたにあの部屋を使ってもらおうと思っていたんだが、判事。まあ、酒でも飲もう」

ふたりでグラスを交わし、酒を飲んだ。それから、重苦しい空気が漂う廊下を通って、台所に入った。スクロープは手早く食事を作り、凝ったものではないが心のこもった料理——ハム、卵、揚げたジャガイモ、それに濃い目のコーヒーを用意してくれた。白い天板のテーブルで食事をした。その晩、パーシヴァントはちっとも怖さを感じていないふりをして過ごした。

「ヘッセン人は兵士としては優秀ではなかったようですね」パーシヴァントはカップを手にした。「もっとも、ドイツ人ですから——ドイツといえば魔女と悪魔の地。『ファウスト』や、『ファンタスマゴリアーナ』(一八一二年にフランスで出版されたドイツの怪談集)、それと、グリム兄弟の話も読んでみてください。あるいは『オールド・ニューヨーク』——この本は入手困難ですが、ヘッセン出身のふたりの兵士が、マンハッタンの農民にどうやって魔法をかけたかという話が書かれています」

「実話なのか?」

「ジョルジュ・ラパリエ(一六〇四—六三 ニューヨーク最初の入植者の一人)の回顧談です。ニューヨークの歴史上の偉人ですよ。ラパリエは霊を見たことがあると言っていました。そういえば、他のヘッセンの兵士も——ペンシルバニアやニュージャージーにいたはずですが——魔法を使っていたとか」

「それなら、アーヴィングが書いていた首なし騎士のほら話(「スリーピー・ホロウの伝説」)だってそうだ」スクロープが言った。「判事、打つ手はあるんだよな。さっきの呪文——やらないほうがよかったんじゃないのか。効果がなかったじゃないか」

パーシヴァントは真剣なまなざしをスクロープに向けた。「悪霊退治はまだ終わっていません。呪文は一時間おきに、三回唱えないといけないんです」そう言うと、大ぶりの金の懐中時計を見た。「そろそろ一時間だ」

パーシヴァントは多少ぎこちなかったものの、落ちついた足取りで廊下を歩いた。スクロープは後からついてきた。またもや、パーシヴァントは悪意に満ちた重みと息苦しさを感じていた。ひるむことなく、二度目の呪文を唱えた。

「すべての悪霊に告ぐ。この男のベッドやソファに近づくことを禁ずる。神の名にかけて、この男に近づくことを禁ずる――」

霊は玄関側の寝室から重々しく、音を立てずに出てきた。肩を丸めていた巨体が、背すじを伸ばした。パーシヴァントと同じぐらい背が高くて、屈強な感じがした。

パーシヴァントは心底驚いたが、冷静だった。薄暗くても、霊がなんとなく人らしき輪郭を見せていることだけはわかった。端のほうはぼやけている――服を着ているのか、裸なのかはわからない。前のときと同じように、顔のない頭が、大きな肩の上に載っているのはわかった。手の指先がはっきり見える。指をしっかり広げ、前に伸ばしている。パーシヴァントは自分の目で状況をおおかた把握すると、悪霊退治の呪文を言い続け、最後にこう付け加えた。

「――すべての悪霊よ、この男とこの屋敷から離れ、己が居場所に戻りたまえ。父と子と聖霊の名のもとに」

霊はまごつきながら前に進み、パーシヴァントをつかもうとした。

ドア付近は戦えるスペースはなかった。もっとも、相手は普通ではない。パーシヴァントは熊のような重みをまともに受けないよう、さっと避けた。すぐ後ろで、スクロープがべそをかきながら、一目散に裏口に向かい、鍵を外し忘れたままドアを開けようとしていた。

「来い！」スクロープは叫んだ。「逃げよう！」

「待ってください！」パーシヴァントが答えた。「よく見て！」すると、スクロープは手を止めて、パーシヴァントのそばに戻ってきた。

「霊はいなくなりました」パーシヴァントは言った。「わたしが下がったすきに、目の前から消えたんです」

パーシヴァントは大きな両手を後ろで組み、顔をしかめた。この家は何か変だ。いつもと勝手が違う――こちらの想像を超えているのだ。悪霊も、その動き方も。

古書には何度となく、こう記述されていたはずではなかったか？　幽霊をおとなしくさせる最善の策は、ひるまずに対峙することだ、と。しかし、今回は全く違う。幽霊が消えたのは、パーシヴァントとスクロープが逃げたときだけだ。パーシヴァントは誰もいない廊下を見た。謎の答えがそこに書いてあるとでも言いたげに。

もっとも、廊下に誰もいないわけではなかった。また別の気配をかすかに感じた。今度は形がほっそりしている。そして、寝室で感じた柔らかな声も聞こえてきた。

「もう一度――もう一度――」

この気配も消えた。

スクロープはパーシヴァントをそばに引き寄せて、顔をのぞきこんだ。「判事、あんたもおれも見たよな？　ふたりとも見たんだよな？」

パーシヴァントは思いきりにやりとして、褐色の頭を横に振った。「それはどうでしょう、ミスター・スクロープ。物事を見るとき、同時に同じものを見ているとは限りませんから」

「集団催眠だったのか」スクロープは慰めの言葉のようにぼそりと言った。しかし、パーシヴァントはそれも違うと言いたげな仕草をした。

「わたしは数多くの不思議な現象を信じてきました、ミスター・スクロープ。でも、今回は勝手が違います。廊下に出ないでください。ここで、台所で、じっと座っていて。少しずつですが、わかりかけてきた気がします――察しがついたというか」

ふたりとも椅子にかけて、パーシヴァントはドアに顔を向けた。

「昔からよくある状況なんです。幻想文学の作家もさんざん書いてきたことですが」パーシヴァントは言った。「殺された人の霊は人生を断たれた場所に現れるんです」

パーシヴァントは廊下をじっと見つめていた。少しでも何か動き出しはしないか、気が気ではなかった。「とにかく、霊はここにいます――邪悪で危険極まりなく、いつでも攻撃できる状態を――」

「そのとおり」スクロープはうなずき、ため息をついた。「だから、まずはおれの目の前に現れた。そのあと、あんたの目の前にも現れ、さらに、おれたち両方の目の前に現れたんだ」

「それと、呪文はちゃんと効果を発揮しています」

スクロープは心から祈るような表情を浮かべて、顔を上げた。「本当か？」

「やるかやられるかの状況で、まだ断言はできません。ただ、向こうも必死なんです。わたしたちと戦うつもりでしょうし。ただ、あなたの話から考えると、今までは、こんなに強く現れたことはなかったのでは――」

スクロープは大きくうなずいた。「確かに。前はこの辺に出たんだ。いらついた気配を漂わせながら、使用人を追い払った――でも、ここまでひどくなかった。あんたの言うとおり、今回は相手も本気でかかってきているってことだな」

「敵は危険な状態なんです」パーシヴァントは答えた。青い目は廊下をとらえたままだ。「わたしたちも。でも、相手はひとりで戦っていますが、こちらには仲間がいます」

「仲間？」スクロープが言い返した。

「別の霊の姿を見ました。といっても、輪郭だけですが。二度見たんです。そっちは脅してはきませんでした。頼まれたんです。わたしたちに勝ってほしい、と」

　スクロープはパーシヴァントをじっと見た。「おれも見た気がする。でも、あれが幽霊なら――」

「幽霊が助けを求めていることに気づきませんでしたか？　ヘッセンの兵士のそばにいた霊は、ここで悲劇的な死を迎えてしまった。あなたが言っていた、ふたりの女の霊です――最後の呪文を唱えてほしい、わたしにはそう言っているように聞こえました。もう一度、と」

「ってことは――」スクロープはためらいがちに口を開いた。

「ふたりの女の霊もここにいるんです」パーシヴァントは自信を持って言った。「この家の悪霊があまりにも強力で、女たちの霊が逃げ出せずにいる。死んでいるのに」

「判事！」スクロープは恐怖であえぎ、顔は真っ青だ。二度唾を飲みこんでから話し出した。

「わかったぞ。ひょっとして、おれたちも――」

「そのとおり」パーシヴァントは落ちついてうなずいた。「わたしたちも捕らえられている。へたをすれば永遠に。やっと合点がいきました。だからこそ、最後まで悪霊退治をやり遂げなくてはならないんです――勝つために」

　パーシヴァントはまたもや立ち上がり、ドアに近づいた。敷居に足をかけると、ぎりぎりまで身を乗り出そうとした。ふいに、すばやく後ろに下がった。怒って興奮している動物の檻の前を通りかかった見物人のように。

「まだここにいますね」パーシヴァントは言った。「わたしたちを待っているんです。戦いがもうじき山場を迎えることに気づいているのでは」

　スクロープは入り口を見た。目も唇も強張っていた。

「おれも思ったことがある。幽霊が出る場所はあのあたり、建物の真ん中だろ。だったら、霊は地下室に棲みついているんじゃないか？」

「なぜそう思ったんです？」パーシヴァントが訊ねた。

「地下室は――ここには古くから地下があるんだが――ちょうど浴室と廊下と玄関側の寝室の真下にあるんだ。ひょっとすると、台所の下まで、多少はみ出ているかもしれない。ということは――」

「なるほど、そうか！」パーシヴァントが興奮気味に答えた。

　スクロープが見つめるなか、パーシヴァントはベストのポケットからペンを出し、テーブルの上で何やら描き始めた。

「見てください」パーシヴァントは描きながら話した。「あなたの家はだだっ広いですよね――かなり広い部屋がいくつもあるということは、大きな基礎が作られているわけです。こんな具合に」パーシヴァントは正方形を描いた。「そして、地下室は建物の中ほどにある。つまり」パーシヴァントは正方形の真ん中あたりを細く切り取るようにして、長方形を重ねて描いた。

「そうそう。こんな感じだ」スクロープはうなずいた。「で、何が言いたい？」

「気づきませんか？」パーシヴァントは語気を強めた。「この家の地下は、古い建物があった範囲を示しています――高くて間口が狭い建物でしたよね。それに対して、新しく建てた家は、広々としていて、高さは低い。幽霊は古い建物で出ていました。あなたの家は、もともと工場があった場所と、何もなかった土地の両方を使って建てられている」

パーシヴァントはペンを置いた。「あなたは半分だけ憑かれた家に住んでいるんです、ミスター・スクロープ」

小柄なスクロープの顔つきを見ると、納得したらしい。弾かれたように立ち上がり、うれしさのあまり喋り出した。「だったら話は別だ。安全ってことなんだろ。向こうに行かなければいいって――」

「いえ、今から向こうに行きます」

スクロープはぎょっとして、目を大きく見開いた。パーシヴァントはさらに説明した。

「最後の呪文は、向こうの部屋で行います――淀んでいる場所でやるんです。逃げ場を見つけられないところで霊を永遠に滅ぼさないといけないので」

再び一時間がたった。ふたりとも台所の椅子から立ち上がった。

「時間だな」スクロープは腕時計を見ながら言った。「判事、やっぱりおれも行かないとだめか？」

「来てください」パーシヴァントはうなずいた。「玄関側の寝室です。幽霊には最後の悪霊退治を受けてもらわないと」

パーヴァントが廊下を歩くと、スクロープはそのすぐ後ろからついてきた。小柄な割に、足音は驚くほど大きかった。ふたりとも薄暗い場所で立ち止まった。

ここは廊下ではなかった。廊下なら新しく造られていて、狭いところに、明るい色のペンキがきれいに塗られているはずだ。今立っているのは、どこか奥まった別の場所なのだろうか。

暗かったが、パーシヴァントには壁がだいぶ剝がれ落ちているのがはっきりわかった。だだっ広くて、破壊された部屋に立った。天井まで高さのある窓は、ガラスが粉々に割れている。床板はかなり腐りかけていて、ごみだらけ。古い木摺《きずり》（漆喰の下地に使う幅の小さい板）から剝がれ落ちた漆喰のようだ。風だ――確かに風が吹いている。ここはスクロープの心地よい家の、ちょうど中心だ。そうだ、激しく破壊されたこの広い部屋の裂け目から風が吹いている。そして、どういうわけか、パーシヴァントとスクロープは、この場所に迷いこんでしまったようだ。

「判事」スクロープは小声で言った。「わかった。ここは古い製粉工場だ――取り壊す前に見たら、こんな感じだった――」

「静かに」パーシヴァントは言った。確か、こちらに行けば玄関側の寝室のドアがあるはずだ。ようやくドアの前にたどり着いた――見えないが、手元にノブがあるのがわかった。蝶番《ちょうつがい》がぎしぎしと音を立てている。ふたりとも、取り壊された製粉工場の敷地に建てられた部屋に足を踏み入れた。

　またもや、ふたりの目に新たな景色が映し出された。青緑色の光に覆われていて、深い海の底をフィルター越しに眺めているような気分だ。広々とした床、高い天井、立派な窓――もっとも、この部屋はどこも壊れていなかった。急に、建てたばかりの頑丈で生活しやすそうな部屋になっていた。塗りたての漆喰、幅の広い敷居や脇柱、ラグ代わりに敷いている毛皮――そして家具。あたりは不気味なほど、ぼんやりしていたが、パーシヴァントは価値のある骨董品が並んでいることに一目で気づいた。向こうにテーブルがある――黒く丈夫そうで、艶がある。椅子も置いてある。テーブルには白いリネンの布がかけられ、銀器や食器がセットされている。誰かが――何かが――そこに座っている。食事をしているようだ。

　ヘッセンの兵士だ――やっぱりそうだ。または、ヘッセンの兵士だった何かだ。

　霊はテーブルをはさんで、ふたりと向き合った。ようやく、パーシヴァントは水のような光がどこから出ているのか、わかった。

　おぼろげな形が、じわりじわりとにじみ出てきた。まるで腐った木のようだ。薄暗かったが輪郭がわかり、細かいところもうっすらと見えてきた。かなり昔のイギリス風の正装だろうか、頭に髪粉をつけ、上品ぶってはいるものの、獣のような体はその場の雰囲気から浮いていて、奇妙にしか見えなかった。頭の周囲から光が出ているが、依然として顔はなかった。

　パーシヴァントは再び呪文を唱えた。「すべての悪霊に告ぐ。この男のベッドやソファに近づくことを禁ずる

――」

青い光が弱くなった。霊が立ち上がり、ふたりのほうへ向かってきた。

「ミスター・スクロープ」パーシヴァントは呪文の途中で、小声で言った。「明かりを――つけて――」

パーシヴァントは迫ってくる霊に、わざと自分の姿を見せようとして動いた。「神の名のもとに――」

力強い手がパーシヴァントをつかんだ。沼地に張った氷のように冷たい手だ。パーシヴァントは卑劣で凶暴な霊が襲いかかってきたのがわかり、応戦した。

パーシヴァントは大柄で、たくましく、抜け目がなかったが、敵も負けていなかった。相手は冷たい手でパーシヴァントの首を締め、窒息させて、これ以上何も喋らせないようにした。敵が荒々しく息をしているのも、うなり声も聞こえる。夢に出てくる、得体の知れない獣のようだ。パーシヴァントの拳が姿のない顔をとらえ、ぼやけた肩を突き倒す。しかし、向こうはさらに近づいて襲いかかり、パーシヴァントの首を締めようとした。

「明かりが――つかない！」スクロープはそう叫ぶと、とっさにポケットから紙きれを出して、マッチで火をつけた。そして、小さな炎がついた紙を高く上げた。

薔薇色の光が青い世界に広がり、スクロープにもパーシヴァントがつかんでいる敵の姿がはっきりと見えた。思わず大声を張り上げ、火のついた紙を落としてしまった。敵は浮いたまま横にずれ、壁かけのようにぶら下がっていた。火は燃え移り、勢いを増した。パーシヴァントは相手の固く冷たい手首をつかみ、自分の首から離した。

「――己が居場所に戻りたまえ、父と子と聖霊の名のもとに！」パーシヴァントは最後まで呪文を言い切った。

それから、とっさに振り返ると、スクロープを抱え、急いで部屋を出た。気がつくと、ふたりとも、ついさっきまでいた応接間に戻っていた。背後で勢いを増した炎が、轟音を立てている。まるで竈《かまど》の火が燃えあがっているような音だ。

スクロープは再び立ち上がったが、気絶寸前だ。パーシヴァントはスクロープの意識を取り戻そうとして声をかけた。

「しっかりして」パーシヴァントは言った。「ここを出て、外に行かないと。この家は籐編み細工のかごのように燃えてしまいます」

ふたりとも外に出た。パーシヴァントはスクロープを木に寄りかからせた。それから車が二台入っている駐車場へ急いだ。車を一台ずつ駐車場から出すと、火の粉が飛び散らない安全な場所に両方とも移動させた。

パーシヴァントはスクロープのところに戻った。炎は応接間の開け放たれた窓からはみ出して、外のよろい張りの下見板や屋根板をなめつくすように燃えている。雪が降っているが、火が消えるには足りなかった。せいぜい、雪が火の中に落ちて、シュッと音がするぐらいだ。

スクロープは水から上がった犬のように震えていた。あまりの恐怖でどうにかなりそうだったが、なんとか正気を取り戻した。

「どこかで電話をかけたがほうがいいんじゃないか?」スクロープが言った。「町には消防団が――」

「だめです」パーシヴァントは言った。「消防団には連絡しないでください。家は全部燃やさないと」

「全部?」赤々とした明かりを受けて、スクロープの顔は力を取り戻したように見えた。「そうだな。あんたの言うとおりだ。燃えてしまえば、幽霊は現れない。家はまた建てればいいんだし」

「新しく建て直して、安心して暮らしましょう。そのために今はすべて燃やしてしまうんです。今夜はスコッツメドウズまで車で行って、こじんまりした宿に泊まりましょう。明日はわたしの家で、過ごしてください。あなたに何が起きていたのか、もう一度理解するまで」

「ありがとう。そうさせてもらうよ」

ふたりとも黙りこくっていた。暗闇の中、もう寒さは感じなかった。何かが擦れて動く音が聞こえる。おぼろげな姿がひとつ――いや、ふたつ――なめらかに動いている。家から立ち上る煙のようだ。

「**ありがとう**」パーシヴァントは穏やかな喜びの声に気づいた。聞こえたというよりも、心に響いた感じがした。

「**ありがとう――**」

ふたつのおぼろげな姿が消えていった。

スクロープも何かが動いていたことに気づいたようだ。「きっと」思いきって口を開いた。「気の毒な女たちの霊は、これで自由になったんだろうな」

家をすべて覆いつくしている、真っ赤な怒りの炎の中心から、突然音が聞こえてきた――叫び声か、うなり声か、むしろ悲鳴のようにも聞こえる――人間の、そして男の声だということははっきりわかった。

スクロープはたじろいだが、きっぱりとした口調で言った。「今の――ヘッセンの兵士か?」

「ヘッセンの兵士です」パーシヴァントは炎を見ながら、うなずいた。

またもや轟きが聞こえてきた。恐怖に満ちた――苦悩に満ちた声だ。

「なぜ、あの霊はここに留まっているんだ?」スクロープは体を震わせた。「女たちの霊はおれたちに礼を言って自由になったのに——なぜ、しがみついている。全部燃え尽きるまで、ああやって——」いったん言葉を切った。「そうか、わかったぞ」ようやく元気を取り戻した。

パーシヴァントはスクロープを見た。「わかった?」

「奴を殺したのは女たちだ——そうだった。しかし、それは事態をよくするために殺した。ふたりとも、ここでは得られなかった幸せを見つけ出した。でも」スコープも火のほうを向いた。「ヘッセンの兵士の霊は何も期待が持てないんだ。だから、燃え盛る部屋にしがみついた。ここを出ても、ええっと、つまり——」

「さらに苦しい思いをするだけだから」パーシヴァントはスクロープの代わりに言った。

再び、苦痛に満ちた声が大きくなり、闇を揺らした。やがて声は消え入り、がたがたと音がしたかと思うと、何も聞こえなくなった。辺りは静まり返った。

炎が勝利の旗のように揺れていた。美しく、喜びに満ちあふれているようにも見える。

パーシヴァントとスクロープは思わず握手をした。

Demon and Detective　妖魔と探偵

緑の絹手袋

Ein gruner Seidenhandschuh

朝松健

『幻想と怪奇8』に収録した「赫い影」に続く、一九三〇年のベルリンで黒魔術と闘う二人、州警察上級刑事ヨハン・ヴィントと、聖ゲオルク教会の若き神父ステファン・マスカードの冒険を、ここにお届けする。前作は州警察本部が主な舞台だったが、本作はフンボルト大学の小会議室で、二人が何かを待っているところから始まる。何が起きるのか。そして、神父は何を隠し持っているのか？　新境地を拓く連作、第二話！。

1

ヨハン・ヴィントは唐突に胸騒ぎを覚えた。

胸騒ぎはすぐに不安へと変わる。ヨハンはそっと胸を押さえた。鼓動が次第に大きくなってきた。

（違う。……これは不安ではない）

とヨハンは思った。今、ヨハンの脈を早めているのは、予感であり、確信である。

もうすぐ起こる。何かが起こる。必ず起こる。今まで味わったことがないほどおぞましくて、言葉にならないほど恐ろしい出来事が……間もなく起こる。ヨハンの心の中でそんな言葉が繰り返し響きはじめた。――何かが起こる――何かが起こる――何かが起こる。さらに鼓動が高まり、脇腹を冷たい汗が流れるのを感じた。――もうすぐ起こる。あと数分で何かがはじまる。見たことも聞いたこともない恐ろしいことが起こる。

そこでヨハン・フォン・ヴィントは大きくかぶりを振り、唇を歪《ゆが》めて呟《つぶや》いた。

「くそっ、こんな気持ち、反政府派のアジトに踏み込む直前に感じて以来だ」

それは今から九年も前——ヨハンが刑事になりたての頃だった。きわめて暴力的な反政府主義者が武装蜂起を企んでいるとの情報を得て、ヨハンは、古参の先輩、ヨアヒム・ベルガー刑事と共に、「路地《パサージェ》」と呼ばれる一帯を見張っていた。そこはウンター・デン・リンデンとフリードリヒ街の交叉する抜け道である。当時の路地《パサージェ》は現在より遥かに狭くて暗く、鼻をつままれても分からぬほど闇に鎖されていた。また、そこにたむろするのは追《おい》剝《はぎ》か強盗かやくざ、あるいはポン引きか、何も知らずに迷い込んだ田舎者だけであった。

ヨハンはベルリンに出てきてまだ間もない田舎者で、新米だった。だから、路地《パサージェ》の噂と、眼前に伸びる暗渠のような闇に、ことさら臆病になってしまったのだろう。その時のヨハンの役目は単に身を隠し、手配された人間が路地《パサージェ》を通らないか見張る——それだけだったのに、突如として両足が激しく震えだした。音を立てて歯の根が合わなくなってきた。

じっと凝視した闇の向こうで何かが動いたような気がした。——人影か。そう思って激しく瞬きすると人影が動いたように見えた。——人影はこちらに振り返り、懐に手をやった。

（撃たれる！）

ヨハンは生まれて初めて総毛立つような恐怖を覚えた。恐怖に鞭打たれるままにヨハンはショルダーホルスターから拳銃を引き抜いた。反射的に近くに潜んだヨアヒムが小さく洩らした。

「バカ、あれは銃じゃない」

路地の奥の人影が身ごと振り返った。ヨアヒムの声に反応したのだ。

人影は手にした煙草を捨ててこちらに叫んだ。

「誰だ《ヴェル・ダー》。誰かいるのか《イエーマン・ダー》？」

そう叫びながら人影は腰に手を回した。

そこで、マスカード神父の声がヨハンを九年前の記憶から今この時の現実へと引き戻した。ヨハンは思わず大きく息を吸った。

「どうしました？」

ここは路地《パサージェ》ではない。フンボルト大学の小会議室だ。

ヨハンの前で屈んでいるのは謎の人影に撃たれた先輩刑事ではない。捜査協力者のシュテファン・マスカード神父である。ヨハンの周囲は闇に鎖されてはいない。窓から夏の日差しが燦々《さんさん》と注ぎ込んでいる。

「何か異常でも？　おかしな気配を感じましたか？」

　ヨハンは首を横に振って答えた。

「いや、何も。……ちょっと嫌なことを思い出しまして」

「なんだか顔色が悪いようですが」

「ずいぶん前にあった嫌なことを思い出しただけです。妙だな。どうして……いや、大丈夫。どうぞ魔術の作業を続けてください」

　ヨハンはぎごちない笑みで答えた。

「先程も言いましたが、魔術的攻撃はまず感受性の強い人間を攻撃してきます。恐ろしいものが見えたり、鼻を衝《つ》くような悪臭がしたり、目に痛いほど眩《まぶ》しい光や耳をつんざくような不協和音が聞こえたら、知らせてください」

「まだそういうものは感じませんが。……留意しましょう」

「魔術的攻撃で良くないことが起きる前には必ず感じるものですからね」

　ヨハンにうなずいて、マスカードは再び手を動かしはじめた。神父の描く床の象徴《シンボル》――印形《シジル》とやらを眺めながらヨハンは自問した。

（何を不安がっているんだ、俺は？　駆け出しの時みたいに胸が騒ぐ。良くない何かが起こるだと？　何が起こる？――真昼の大学構内で一体どんな恐ろしい出来事が起こるというのだ？）

　神父はチョークで床に何かを描いている。

（印形《シジル》……二十世紀になって三十年にもなる科学の都ベルリンで、俺は、若い神父が防御魔術の象徴を描くのを見つめている。あの時の記憶より遙かに非現実的な光景だな）

　ヨハンは鼻を鳴らしかけたが、

（いや。マスカード神父は真剣だ）

と、かぶりを振った。

（他ならぬ一九三〇年の今の世に、黒魔術だの怪物だのが存在するのを俺はつい数か月前、この身で体験し、危うく殺されるところだった。あの時は同僚が殺されたんだぞ。その体験で神経衰弱になり、わずか数日でも入院させられたのを忘れたか？）

　そう自問するとヨハンは額の汗を拭う振りをしてごまかした。

　と、ヨハンが額にやった手の甲を見て眉をひそめて、マスカード神父が尋ねた。

「珍しい所を怪我されたんですね」

「え？　ああ、これですか」

ヨハンは額から手を離した。思わず手を返して、左手に目をやった。

左手の甲には円形の傷痕が白く残っている。

「まだ新米の頃、先輩と張り込んでいる最中に撃たれましてね。反射的に手を挙げかけたら、弾丸が貫通しました。その時の傷の痕ですよ。向こうが小口径の玩具《おもちゃ》みたいな拳銃だったから、この程度で助かりました。大口径弾とかダムダム弾だったら手首から先が吹き飛んでいた……」

「まるで左手だけ聖痕《スティグマタ》が刻まれたみたいです」

「聖痕《スティグマタ》……」

ヨハンはそう呟きながら思った。

（確かに聖痕かもしれない。臆病から先輩に重傷を負わせた……死ぬまで消せない負の聖痕だ）

ヨハンの目が一瞬翳《かげ》ったのを察したようだ。マスカード神父は話題を変えるかのように大きな音を立ててチョークの粉の付いた手を払いながら立ち上がった。

「さて。小会議室の二つの戸口にも、床の中央にも印形《シジル》を描いた。これで、ここは魔術的に防御されました。結界になったので、外部からどんな魔術攻撃を受けても我々は安全です」

「頼もしい……と言いたいが。私にはまだ信じられません。あのマインツ夫人が魔術師……」

ヨハンの言葉が一瞬、宙に呑まれる。脳裏にマインツ夫人の端正な容貌とプラチナブロンドの長い髪、そしてしなやかな手を包んだ緑の絹手袋が浮かんだのだ。それは初めてヨハンが目にした時の夫人である。数日前、聖ゲオルク教会の礼拝堂から出てきたマインツ夫人は、まるでフェルメールの肖像画から抜け出たかと思われるほどの美しさで、ヨハンは眩しささえ覚えたほどだった。

「……あんな貴婦人が魔術師だなんて」

「夫人は何人もの魔術師や霊媒や、この世にあってはならない知識を探求する人間のパトロネスと申したはずです。同時に夫人は自身が、幾つかの魔術結社に属しており、強力な魔術師だとも」

「ええ、それは聞きました。でも、マインツ夫人が穏健な右派政治グループの支持者であり、出資者《シュポンゾア》だとも耳にしたものでしてね」

「夫人が政治グループのシュポンゾア？　それは初耳です。本当ですか」

「最近ミュンヘンから赴任してきた者から聞きました。

奴の叔父も刑事で、私はその方に手ほどきされて一人前になりました。奴はミュンヘンでは治安維持担当でしたら、夫人が穏健右派グループのシュポンゾアというのは信じられる情報でしょう」

　ましてその叔父上――ヨアヒム・ベルガー刑事は俺のせいで重傷を受けて退職した……。ヨハンの脳裏をそんな言葉が流れていった。言葉は路地《パサージェ》の闇を思い出せる。さらに、闇に閃《ひらめ》く眩《まばゆ》い銃火《ゲシュッツフォイアー》と耳をつんざく銃声《シュセ》を。言葉は冷笑と皮肉を帯びている。その刺々しさにヨハンは痛みを感じた。火傷《やけど》のような痛みだった。火の火傷ではない。酸の痛みだ。その痛みは心の最も深くて最も柔らかい箇所に突き刺さる。

　突然、乾いた音がした。ガラス窓に小石をぶつけるパシッという音そっくりだった。ヨハンとマスカードは同時に中庭に向いた窓のほうを見た。次いで廊下側の窓に目を転じた。どちらの窓にもガラスにも異常はない。庭側の窓からは午後の陽光が注ぎ、廊下側の窓の向こうは薄暗い廊下と白壁だけである。

　同時に大きな溜息をついて二人は見合った。

　ヨハンと神父の視線が合うと同時に、バチッ、という炸裂音が床から発せられる。さらに床で光が閃いた。二人は下からフラッシュを浴びたように照らされた。白昼でも眩しいほどのオレンジ色の閃光だった。

　反射的にヨハンは拳銃を抜いた。マスカード神父は十字を切った。沈黙。身構えたまま二人は周囲を眺めた。

　それ以上の何かが起こる気配はない。

「こけ脅しです」

　マスカード神父はヨハンを安心させるように言ったが、その声は底のほうで震えていた。

「ああ、そのようだ。こないだの戦争でも敵がそっくりの手で仕掛けてきたよ。……塹壕《ざんごう》から俺たちを叩き出すために派手な音や眩しい光で囃《はや》し立てる……」

　ヨハンはいつしか同僚か戦友に対するような言葉遣いになっていた。

「だが、塹壕の中でも銃はいつでも撃てるようにしていた。……神父、身を護るものはあるか？」

　ヨハンは安全装置を外しながら尋ねた。

「私の身を護ってくれるのは主のご加護と信仰だけですが。あるいは、これが身を護ってくれるかもしれません」

　マスカード神父は懐から薄い冊子を取り出した。

「それは？」

「これが欲しくてマインツ夫人は私たちを狙うのです」

「すると、それが……ディー断章《フラグメンテ》？」

「そう。正確にはＪＤ草稿《ヨット・デー・エントヴーフ》……ＪＤ草稿《ジェイ・ディー・ドラフト》です。

英国エリザベス朝時代の哲学者ジョン・ディー博士が、禁断の書物をラテン語から英訳した時に記した下書きです。フンボルト大学図書館の民族学資料庫に死蔵されていたのを私が発見し、書き写しました」

2

ヨハン・ヴィント上級刑事が聖ゲオルク教会を訪れた時、シュテファン・マスカード神父は説教壇に立つ用意をしていた。

ヨハンの顔を見るなりマスカードは驚いた表情で言った。

「入院されたと聞きましたが」

「ええ。たった二日で退院しましたよ」

「何処がお悪かったのですか?」

「三月《みつき》前の貴方と同じです。神経衰弱で検査入院していました。最近の医師は過労と言わずに神経衰弱と診断し、職場に休ませろと命じる前に入院させたがる。神経衰弱か。便利な言葉だ」

「それで今日は……」

「例のカルト――〈光る闇《ルチエンス・テネブリス》〉に新しい動きがあったので、またお知恵を拝借したいと思いまして」

「分かりました。説教が終わるまでお待ちください」

「そうさせてもらいます」

とヨハンはうなずいた。

「二十分くらいで終わります。それまで、ここでお坐りになってお待ちください」

「そうさせてもらいますよ」

だが、そんなことを言いながらヨハンは近くの椅子に腰かけることなく、一旦廊下に出ると、他の信者と共に礼拝堂に移った。魔術や錬金術や秘密の知識に通じたマスカード神父が、どんな言葉で信者に神の教えを述べるのか興味があったのだ。

ヨハンが席についてすぐのことである。

「失礼。お隣、よろしいかしら」

ヨハンに女の声が呼びかけた。振り返れば二十六、七の女がこちらに微笑んでいる。その笑顔が瞳に映ると同時にヨハンは目を細くした。まぶしい。美しい女だった。だが、ヨハンは美しさを感じる前に眩しさを覚えていた。フランドル派の絵画から抜け出してきたような端正な面立ちであった。礼拝用の質素な服をまとっているが、裕福な家の婦人であるのは、その仕立ての良さで理解できた。

「どうぞ」

とヨハンは身を引いた。女は短く「失礼」と断って、ヨハンの前を通る、わざわざ自分の隣に坐らなくても周りは空席だらけだろう、——とは後で思ったことで、その時は相手の求めるままに通らせていた。女の気品や身ごなし、そして微笑などにそうさせてしまう力があったようだ。女は隣に坐ると手を挙げて、前の席の背凭《せもた》れを軽く摑んだ。その時、女の腕の白さと嫋《たお》やかさに気がついた。

（あの腕だけで悩殺されそうだな。そう思わねえか？）

数か月前に殺された同僚刑事クレープスの野卑な声と生唾を飲む音が聞こえてきそうだった。

（な、相棒。お前もそう思うだろ）

ヨハンは軽くかぶりを振って死んだ相棒の声を消した。その時初めて、女の手袋に気がついた。淡い緑色をした手袋である。緑の真珠で拵えたような光沢だ。手袋は女の手の一部のようにフィットしていた。

（まるで皮膚のようだ）

ヨハンがそんなことを感じた時、マスカード神父が説教壇に上った。

「本日はイザヤ書についてお話しします」

柔らかくて良く通る声でそう宣言すると、マスカード神父は話しはじめた。神父の説教は、聞き取りやすい声で区切りよく、かつ分かりやすく語られていく。

（たいしたものだ）

とヨハンは敬服した。

（これならいずれマスカードの説教を聞くためにベルリン中の娘が集まるだろう）

そう考えて足を組んだヨハンは不意に違和感を覚えた。

（何か聞こえる）

刑事という職業でいつしか研ぎ澄まされた聴覚が微かな声を捉えていた。声は左のほうから聞こえてくる。

（声？　しかし、これは人の声なのか？　泥が撥ねた音にも聞こえたが）

ヨハンは左から聞こえる〝声〟あるいは〝音〟に集中した。泥の撥ねるような音はさらに三回繰り返されて止まった。だが、数秒後に、別な音が聞こえてくる。今度はゴボゴボという音だ。詰まった排水口から響くあの汚らしい音。だが排水口の音より低く、微《かす》かで、ずっと小さい。音は二度繰り返すと、消える。しかし数秒後には、また別の音が聞こえた。ブクブクと泡立つような音である。ただし音は濁って汚らしい。ヨハンは子供の頃、祖父に連れていってもらった「古　沼《アルター・ズンプフ》」と呼ばれる沼を思い出した。森の奥にあった沼はどろりとした緑色の水を湛えて、時折、底から腐敗ガスが湧き出て、大きな泡を立てていた。「沼に魚はいない。鳥も近づかない。水面を覗き込むなよ。沼の瘴気に中《あ》てられるぞ」祖父がそう言うと、それに応えたかのように沼で大きな泡が立った。その水が腐っているのは粘ったような、泡の弾け方で分かった。

あの「古沼《アルター・ズンプフ》」の泡が弾けるのとそっくりの音が二度聞こえた。

（リズムを取っている？　これは雑音ではないのか？　規則正しいリズムに則った音？）

そこでヨハンは気がついた。

（これは言語だ。聞いたこともない言語だ）

同時に激痛が起こった。痛みは左手の甲から起こっている。ヨハンは膝に置いた左手に目を落とした。手の甲に残された円形の傷痕が薄緑のぼんやりした光を帯びていた。光は目を凝らさなければ判別できないほど淡い光を帯びて、点滅していた。

「……野のけものと豺狼《おほかみ》とこゝにあひ、牡山羊《おやぎ》その友をよび……」

痛みと驚きの向こうからマスカード神父がイザヤ書第三十四章を読み上げる声が切れ切れに聞こえた。そして神父の声が、

「……蛇こゝに穴をつくり卵をうみてこれを孚《かへ》しおのれの影の下に子をあつむ……」

という一節に差し掛かった時、ヨハンは胃の腑の底から湧き起こったような吐き気に襲われて、席を立った。鼻と口をハンカチで押さえると、そっと立ち上がって礼拝堂の外に出ようとした。扉を押して外に出たヨハンの背に女の含み笑いが投げられた。明らかに彼に向けられた冷笑である。笑ったのが誰かは察しがついた。

（あの女だ）

礼拝堂の外の廊下からトイレに急ぎながらヨハンは思った。

（俺の左に坐ったあの女。――緑の絹手袋をした女だ）

トイレに着いた時には吐き気は嘘のように消えていた。それでも洗面台まで進むと、思い切り顔を洗った。そうすることで腹の何処かに残った吐き気も、左側から聞こえた汚らしい音も流せるような気がしたのだ。

大きな水音を立てて周囲に水を撥ね散らかし、ようやく頭を上げた。鏡に映った顔は青ざめている。

（クレープスなら『二日酔いのツラだ』とでも言うところだな）

そんなことを考えたが苦笑は滲まなかった。

ハンカチで顔を拭いて、さらにネクタイを直していると、マスカード神父が入ってきた。

「大丈夫ですか？」

「もう、治りました。きっと昨夜の牡蠣《かき》か、恒常的な過労のせいでしょう」

ヨハンはことさらに明るく答えた。

「そんなことより、よく私がここにいると分かりましたね」

「マインツ夫人が教えてくださったのです。具合が悪そうだったから、多分、こちらだろうと」

「マインツ夫人？」

「お隣に坐ってらっしゃったご婦人です。貴方のことを心配されてましたよ」

神父の言葉でヨハンはあの女を思い出した。

「美しい方ですから覚えてらっしゃるでしょう」

「確かに覚えています」

ただし記憶に刻まれたのは美しさだけではない。夫人の手の皮膚のように見えた緑の手袋と汚らしいゴボゴボいう音のほうがより鮮明に——火傷の痕のように刻まれていた。

「マインツ夫人はリトアニアの貴族のご出身で、鉄鋼王と呼ばれるグンター・マインツ氏と結婚されました。一年前、新聞でも大きく報じられましたし、ニュース映画でもやっていたと聞きますが、ご存じなかったですか」

「一年前はベルリン市内と周辺都市で同一犯人の仕業と見られる殺人事件が立て続けに起こりましてね」

「あれは……あれも確か〈光る闇《ルチェンス・テネブリス》〉の仕業だったのでは……」

「そう判明したのは最近です。当時——一九二九年の春頃は、ちょうどデュッセルドルフで起こった連続殺人事件の犯人がベルリンに移動したのかと大騒ぎになってしまい、我々は新聞や映画を目にするどころか、寝る暇もなかったですよ」

ヨハンの言うデュッセルドルフの事件とは、二九年二月から十一月まで続いた連続殺人事件のことである。事件の被害者が女性、多くは強姦されたのちに殺害（このうちには五歳と八歳の少女も含まれる）されたことよりデュッセルドルフをパニックに陥れた事件だ。

犯行が絞殺・撲殺・刺殺と異なる方法であったため複数の人間の犯行とも疑われたが、犯人ペーター・キュルテンの自首により、この五月に「デュッセルドルフの吸血鬼」と煽情的に書き立てられ、当局から莫大な懸賞金が懸けられた連続殺人は解決した。

「そうでしたか。これは失礼を」

マスカード神父が詫びるとヨハンは軽くうなずいて、

「マインツ夫人を紹介してくれませんか。心配してくれたお礼を申し上げたいのです」

「喜んで」

洗面所を出ると、神父は執務室にヨハンを導いた。

「説教が終わった後は必ず夫人は執務室に立ち寄られます。そしてお茶をご一緒します。多分、今日も夫人はおられるでしょう」

執務室に行ってみるとマインツ夫人はたった一人でお茶を飲んでいた。

「お一人でお待ちとは……とんだ失礼を」

詫びる神父に夫人は微笑んで応えた。

「私が、一人で待たせて、とお願いしたのです。神父様とお話がいたしたかったので」

そこで夫人は意味ありげな調子で続けた。

「ディー断章《フラグメンテ》の件で」

それを聞くとマスカード神父は一瞬、顔をこわばらせたが、すぐに硬い笑顔を拡げて取り繕うように答えた。

「あれはお見せできないと申し上げたでしょう。教会の所有物なので、私の一存では何もできないのです」

「そうかしら。フンボルト大学に眠っていた文書の中から貴方が見つけ、密かに書写されたと伺いましたが」

マインツ夫人は紅茶を一口啜った。カップの上から透き通った青い瞳がじっと神父を見つめる。神父は一瞬、金縛りに遭ったように身を固くした。夫人と神父の間の空気が張り詰めた。緊張が不可視な金属線となって神父を縛りはじめたのが傍目にも分かる。

（あの目……まるで催眠術師みたいな目だ）

と感じてヨハンは素早く二人の間に割り込んだ。

「神父、マインツ夫人を紹介して頂く約束ですよ」

その声に神父の金縛りは解け、マスカードは大きな溜息を洩らした。

「そうでした。マインツ夫人、こちらはベルリン州警察のヴィント上級刑事です。刑事、こちらがリラ・マインツ夫人……」

紹介が終わらぬうちに夫人はヨハンに尋ねた。

「刑事さんとお会いするのは初めてです。所属はどちらで？」

「殺人課です」

そう答えるとヨハンは、

「さっきはお隣でしたね」

「そうでしたかしら」

「ええ。その緑の絹手袋を鮮明に覚えています」

ヨハンは夫人の手を示した。

ほっそりした手を包んだ絹の手袋。まるでマインツ夫人の手の一部のように見える。緑色の。

そこでヨハンの回想は唐突に中断した。

不意に午後の日差しが消えて小会議室が薄闇に沈んだ。息を呑んで窓に振り返ると、足元で光が閃いた。光は白銀で、写真機のフラッシュを思わせる。

次いで音がした。ガラスの砕ける音。陶器が割れる音。金属類が大量に床に落ちる音。床を踏み抜くほどの足音。何十もの人間が駆け抜ける音。笑い声。明らかに精神に異常をきたしたと分かる壊れた哄笑。悪意ある笑い声。嘲笑。何を言ってるのか分からないのにヨハンとマスカード神父の名だけが明確に聞こえる何人もの囁《ささや》き声。ドアを激しくノックする音。電話のベル。男女が半狂乱で言い争う声。ゲラゲラという野卑な哄笑。子供の泣き叫ぶ声。不協和音。

光。また光がはじまった。今度は床からではない。空中である。オレンジや赤、あるいは青。紫。緑。目に痛いほど眩い原色の小さな閃光が空中で閃いては消え、消えてはまた閃く。

「結界で護られているんじゃないのか!?」

思わずヨハンは咎《とが》める調子でマスカード神父に叫んだ。

「護られています。結界がなければ我々はとうに生きたまま解体されている」

「つまりあの女の魔術のほうが強力だというのか」

ヨハンはいつしか詰問する調子に変わっていた。その声も怒鳴っているように大きい。部屋の中はすでにくるったような哄笑とペチャクチャという囁き声と間断なく続く騒音で揺るがんばかりだった。

「くそっ。構内でこんな騒ぎが起きてるのに、どうして誰も来ないんだ」

「マインツ夫人の魔術は我々に照準を定めたものです。外部にはほとんど聞こえません。霊的能力がなければ無理です。ごく稀に感受性の豊かな人間が感じてくれるかもしれませんが……」

神父の説明を遮るかのようにヨハンの右手で、バチッ、という電気配線がショートしたような音がして、拳銃の銃把《グリフエ》で火花が散った。鋭く刺された痛みに拳銃を取り落とす。素早く拾い上げながらヨハンは言った。

「このまま、ここにいたら目と耳と頭が使い物にならなくなる。……いっそ草稿《エントヴーフ》をあの女にくれてやったらどうなんだ」

「それは断じてできません」

「なぜだ。原本はフンボルト大学にあるんだろう。だったら写本くらい今すぐくれてやっても構わんだろう」

マスカード神父は厳として首を横に振った。

「駄目だ。絶対に渡せない。なぜなら、これは——」

神父の顔が真紅の閃光に照らされた。女の甲高い悲鳴が長い尾を引いて神父の周囲を渦巻く。それらの魔術による光や音に圧されまいと神父は力を込めて言った。

「このＪＤ草稿《ドラフト》は……本物……だからだ……」

神父の説明を邪魔するかのように金属類を床に叩きつける音がする。ヨハンの顔の周りで何十もの原色の閃光が明滅する。

「私がフンボルト大学民族学研究室の閲覧禁止コレクションより……」

小会議室の天井から何人とも知れない足音が響き、

「密かに持ち出したＪＤ草稿《ドラフト》そのもの……」

複数の音は廊下側の壁へと移り、窓ガラスを奮わせて廊下の彼方へと遠ざかる。

「なんだって？　それじゃ、あんたは大学から古文書を盗んだというのか！」

不意に静寂の戻った真昼の小会議室でヨハンの声が反響した。

「盗んだのではありません。黒魔術師どもから最も安全な場所に隠したのです。……神の懐へ……聖ゲオルク教会の秘密の場所へ……」

「あんた、それは犯罪だぞ。分かっているのか」

「犯罪？　これは邪悪な存在の目から〈鍵〉を隠すという神の御業《みわざ》です。刑事、お忘れですか？　貴方はすでにＪＤ草稿《ドラフト》に知恵で一度、命を救われているのですよ。あの血の女の攻撃から……」

「ああ、そうだろうよ。中世の魔術知識のお陰で俺たちは助かった。だが、それと、大学の文化的所有物を盗むのは別問題だ。忘れるな、今はエリザベス朝の英国じゃない。世界一理性的かつ民主的なヴァイマル憲法で護られた、二十世紀の民主国家なんだぞ。それを忘れるな」

「……その理性的な世界を奴らは魔術と超古代の邪悪な神々の力を借りて破壊しようとしている。キュルテンの犯罪は黒魔術の儀式祭場《フェスツアール》を血で清める儀式にすぎなかったのだ。キュルテンを真似たと見せかけた黒魔術カルトの連続殺人は奴らの儀式開始の鈴音とノックにすぎない。間もなく真の黒魔術がはじまろうとしている。奴らはこの草稿《ドラフト》に記された知識と儀式で、理性と秩序に護られた二十世紀を、混沌と無秩序、破壊と虐殺で変容させ、地球を異次元へと転移させようとしているのだ」

そこで神父は息を止め、少し沈黙してから一息にまくしたてた。

「貴方は知るまいが、このＪＤ草稿《ドラフト》は単なるラテン語文献を英訳するための下書きではない。ジョン・ディー博士が持てる魔術と神秘学、世界の秘密宗派に伝わる人類以前の生命体の歴史に関する注釈を書き込んだ、世界にただ一つしかない草稿なのだ。だから、命に代えても奴らの手に渡してはならない」

　ヨハンはマスカード神父の顔を見つめた。

（大丈夫か、こいつは？）

　というクレープスの声が心で響いてきた。

（魔術の本を研究しすぎて頭がいかれたんじゃないのか？）

　神父はヨハンが何かを言うのを待っている。繊細かつ理知的な神父の顔の中で唯一、明るい茶色の瞳だけが、ぬめるような狂熱の光を帯びていた。青ざめたその顔が不意に光に照らされる。ヨハンは眉をひそめて光の差し込めるほうに振り返った。差し入る光は真っ赤な夕照《ゆうしょう》だった。

（もう夕方か）

　ヨハンは思い、血のように赤くて目に沁みるほど眩しい夕陽に目を細くした。

（ベルリンでこんなに綺麗な夕陽を見るのは初めてだ。まるで世界の終わりを照らしているような美しさじゃないか）

　そう感じてヨハンは左手を挙げた。すぐに指先が冷たい感触に阻まれる。ガラスの手触りだった。窓ガラスだ。

そう思うのと、そのガラスの向こうにマスカード神父が見えるのとは、同時だった。ヨハンは息を呑んだ。どういうことだ。神父は跪《ひざまず》き、狼狽した様子で何かを見つめ、震える手を懐にやろうとしていた。

（何がいるんだ？）

　ヨハンがガラスの向こうに目を凝らせば、神父の前に漆黒のドレスに緑の絹手袋をした美しい女が立っていた。

（マインツ夫人!?　結界を破って部屋に侵入したのか！）

　夫人は人差し指で神父を指さし、何か言っているが、ガラスのせいで声は聞こえない。神父はやっとＪＢ草稿を取り出して開いた。草稿に目を落とす。草稿の文字を目で追いながら唇を動かしはじめる。しかし神父の声も聞こえない。

　二人の周囲の空気が揺らいだ。中庭を向いた窓際に寄せた何客もの椅子、正面の黒板、前方と後方の壁、さらに窓までもが陽炎のようにゆらめきだす。

　ここまで目撃して、ヨハンはガラスを隔てた向こうの部屋で、何が起こっているかを理解した。

（マインツ夫人とマスカード神父が魔術で戦いはじめたのだ）

　夫人の手袋の表面にオレンジ色に輝く印形《シジル》が浮かんだ。

ギラギラとした光が目に痛い。蛍光性オレンジの印形。夫人はそれを見せつけるように神父に向けた。夫人の口が大きく開いた。呪文を唱える声をさらにあげたのだ。しかし夫人の声は聞こえない。

ヨハンは目と耳に全神経を集中した。

一方の神父の声は聞こえてくるようだ。ただし何を言っているのかは、断片的にしか分からない。壜底ほどもある厚いガラスか、水を通して聞こえてくるように感じる。

それでも時折、明確に聞こえる言葉もあった。あるいは遠く、あるいは近く、ひずんだ声音《こわね》だったが、ヨハンの耳にその言葉はこう聞こえた。

"ATZOUS"

それはあの赤い影の女の事件の時、ヨハンの心に刻まれた言葉に他ならなかった。その言葉を浴びせられた瞬間、マインツ夫人の全身がゆらめいた。いや、「ゆらめく」という表現は正確ではない。正しくは夫人の全身は、はためいたのだ。強い風に吹かれて音を立ててはためく旗か布のように、大きくはためいたのである。

ヨハンはその言葉をおずおずと口に出して呟いた。

「アッツォウス……」

その瞬間、マインツ夫人の手袋の甲の印形の輝きが吹き消すように消えた。ガラスの向こうで夫人の体は元に戻り、夫人は驚いたようにガラスのこちら側のヨハンに振り返った。

その顔は目も鼻も口もない。皺《しわ》だらけの肉塊だった。皺の中からは純白の触手が伸びて絶えず蠢《うごめ》いている。

「化け物！」

一声叫ぶなりヨハンは右手の拳銃を撃ち放った。音を立ててガラスが砕け散った。空中に散ったガラス片の一つ一つが午後の陽光を反射した。それらが廊下の床に落ちた時、ヨハンは我に返って叫んだ。

「違う《ファルシュ》！」

それから心でこう続けた。

――まだ午後二時過ぎだったはずだ。俺は廊下側の窓に目を向けたはずだ。窓ガラスの外には薄暗い廊下と白壁しか見えなかったはずだ。俺は小会議室から一歩も出ていないはずだ。俺はマスカードと部屋にいたはずだ。俺はまだ部屋にいるはずだ。

そう悟った瞬間、破れたガラスの向こうから詰まった排水管から漏れるような声がした。

"Buvo vėlu"

それはヨハンの理解できない言語だったが、何を言ってるのかは心に浮かんできた。

「手遅れだね《エス・ヴァー・ツー・シュペート》」

　そして緑に輝く風が廊下からガラスの割れた窓を抜けて小会議室に吹き込んだ。風は渦巻きながらマスカード神父を取り巻いていく。たちまち神父が輝く緑の円筒に囲まれた。

「シュテファン、気をつけろ」

　円筒からマインツ夫人の声が響いてきた。

「このまま溶かしてやる。肉も骨も何もかも溶かして吸収してやる。お前の魔術知識と一緒に吸収してやるぞ。この似非《えせ》聖職者め！」

　円筒が少しずつ震えだした。夫人の魔術が神父を体ごと吸収しようとしているのだ。

　ヨハンは神父に呼びかけて銃口を緑の円筒に向けかけたが、すぐに銃口を床に流した。魔術に銃弾など効果がないと察したのであった。

（下手をすれば円筒を貫通して中にいる神父に当たってしまう）

　歯嚙みしかけたヨハンの耳に、マスカード神父の声が聞こえてきた。何か言っている。祈禱のようだがドイツ語ではない。それはヨハンが未だかつて耳にしたことのない言語だった。唸るように、歯軋《はぎし》りするように、呻《うめ》くように神父の声は続いた。続くうちに緑の円筒全体が細かく震えて、その表面から緑の火花が散りはじめた。

「やめろ。呪文をやめろ。貴様には何もできない。石膏の磔刑《たっけい》像の足に接吻《くちづけ》することしかできない貴様に何が……」

　そこで神父の呪文を唱える声が一層高く響いた。呪文は〝Yoth-Tlagon〟という単語を発している。その単語は四度繰り返された。

　円筒の表面を走っていた震えが唐突に止み、夫人の声も同時に消えた。

　沈黙。

　ヨハンは視界の右端に緑の人影を感じ、振り返った。そこにはマインツ夫人が立っている。思わず横顔を見れば、皺だらけの肉塊ではない。ただし夫人は眩いほどの緑色のナイトドレスをまとい、漆黒の絹手袋をしていた。

　夫人はマスカード神父を取り巻く緑の円筒に呼びかけた。

「Hastur Shaggai Hah《ハストゥール・シャガイ・ハー》」

　緑の円筒がはためいた。それは先程、ヨハンが目にした幻影――マインツ夫人がはためく姿と瓜二つの有様である。大きくはためきながら緑の円筒は輪郭を失い、色を緑から黒色に変え、円筒から人影へと変わっていく。人影へ——女の形へ——喪服をまとい緑の絹手袋をしたマインツ夫人へ——。

　完全に人間へと戻った時、黒衣のマインツ夫人は緑衣のマインツ夫人に身ごと振り返って叫んだ。

「誰だ、お前《ヴェル・ダー》は」

　その問いには応えず緑衣の夫人は漆黒の絹手袋に包まれた手を伸ばした。その手を払いのけようとマインツ夫人は手を挙げた。緑の絹手袋をはめた手が宙を舞った。すでに緑衣の夫人はマインツ夫人の真ん前まで進んでいた。黒い絹手袋がマインツ夫人の左腕を掴み取った。黒衣から伸びた嫋やかな腕から紫の煙が立ち上った。黒衣の夫人は悲鳴をあげた。

　黒い絹手袋の手に掴まれた腕から茶褐色の汁が滴り落ちた。凄まじい悪臭にヨハンはむせこんだ。

（これは腐臭だ）

　とヨハンは思った。

（黒衣の女に掴まれた部分が瞬間的に腐ったのだ）

　マインツ夫人は張り裂けんばかりに眦《まなじり》を開いてマスカード神父を睨みつける。そして声の限りに叫んだ。

「貴様、緑の腐敗の悪魔《グリューナー・フェロッテン・デーモン》を——」

　素早くマスカード神父はＪＤ草稿から目を上げて言った。

「緑腐魔《グリーン・デイケイ》だ。ディー博士は『死霊秘法《ネクロノミコン》』英訳版の草稿で、そう訳している。……効果的だが不快極まりない魔力を使う使い魔《ファミリアー》だとね」

　驚愕と恐怖の表情を張り付かせたマインツ夫人に黒衣の女、いや緑腐魔《グリーン・デイケイ》は顔を寄せた。そして微笑みながら夫人の頬に軽く頬を付けた。緑腐魔の唇から笑い声が発せられた。それは正気の人間の声ではなかった。甲高く、けたたましく、精神の深い部分から壊れた者のみが発することのできる哄笑である。

（魔術攻撃を受けた時に聞こえた笑い声だ）

　そう思い至ったヨハンは凄まじい寒気を覚えた。だが、眼前の光景から目を離すことはできない。まるで魅入られたようだ。

　緑腐魔は哄笑しながら夫人を逃さず、頬刷りした。恐怖と苦痛に歪んだマインツ夫人の顔から紫の煙が上がり、茶褐色の腐汁が音を立てて床にこぼれた。夫人の絶叫が真昼の空気を震わせた。さらに緑腐魔が頬を押し付ければ、腐肉が夫人の顔面から零《こぼ》れ落ちる。厭らしい音を立てて腐った肉片が床に叩きつけられた。

　さらに魔物は夫人の腕を掴んだ。魔物の黒手袋に掴まれたところから夫人の腕は腐れ落ちていった。哄笑しながら緑腐魔は両手で夫人の顔を挟む。美しかったマインツ夫人の顔はすでに半分腐肉がこびりつき純白の骨が見えていた。夫人はもはや悲鳴をあげる力もない。ただ、まだ生きていることだけは時々聞こえるヒュウヒュウという、か細い音で知れた。

マインツ夫人の容貌で緑腐魔は真紅の唇をほころばせた。その唇が腐敗しかけた女の唇に重ねられた。唇から腐汁が血と共に流れ落ちる。それはヨハンの目に赤褐色の濁流のように映った。

本当の夫人は絶命したようだ。すでに悲鳴はおろか苦しげな息遣いも聞こえず、その体は緑腐魔に抑えられてぶら下がっているだけだった。

やがてマインツ夫人の右肘から先が湿った音を立てて床に叩きつけられた。

緑腐魔はもう笑ってはいない。マインツ夫人の容貌で、抱き留めた手の中の腐乱死体を見ていた。その瞳には何の表情もない。廃屋の窓のように空虚だった。

マスカード神父が声をあげた。〝Yoth-Tlaggon〟という単語をまず唱え、それから手にしたJD草稿の呪文を読み上げはじめる。それは野獣の唸り声とも、歯軋りとも、苦痛に呻く声とも聞こえる未知の言語だった。

そして、マスカード神父が口を閉じて、草稿から目を上げた時には、緑腐魔の姿は煙のように消えていた。

「終わった」

フンボルト大学の中庭から差し込む午後の陽光を浴びながら、ヨハンは、力なく立ち上がったマスカード神父に言った。

「なんとか。……辛くも黒魔術師に勝てました。しかし、次は勝てるかどうか?」

ヨハンは拳銃を仕舞うと、思い出åœしたようにうなずいた。

「ああ。しかし、次の魔術戦なんて願い下げだな」

「私も二度と味わいたくありません」

とJD草稿を懐に収めながらマスカード神父は言った。

「それより、腐乱死体の散らばったこの有様を、どうやって大学当局に説明したらいいのか……」

「それは心配ない。俺は刑事だ」

ヨハンが断じた時、床で何かが動いた。ハンカチで鼻と口を隠して、そちらに近づいた。床を見下ろせば、マインツ夫人の左手首がまだ蠢いている。まるで独立した生物のようなその動きに吐き気を催したヨハンは、

「大学内に潜伏した黒魔術カルトが鉄鋼王マインツ氏の夫人を誘拐したという情報を得て、俺はあんたと、ここ

に来た。そして殺されたマインツ夫人の腐乱死体を発見したんだ」

そう言い切って、半分腐りながらも未だ蠢くマインツ夫人の手首を思い切り靴底で踏みしめる。耳に残る不潔な音がして、左手首の潰れる感触がヨハンの足の裏に伝わった。足元に音を立てて唾を吐くとヨハンはこう言い捨てた。

「この腐肉の詰まった緑の絹手袋がなによりの証拠だ」

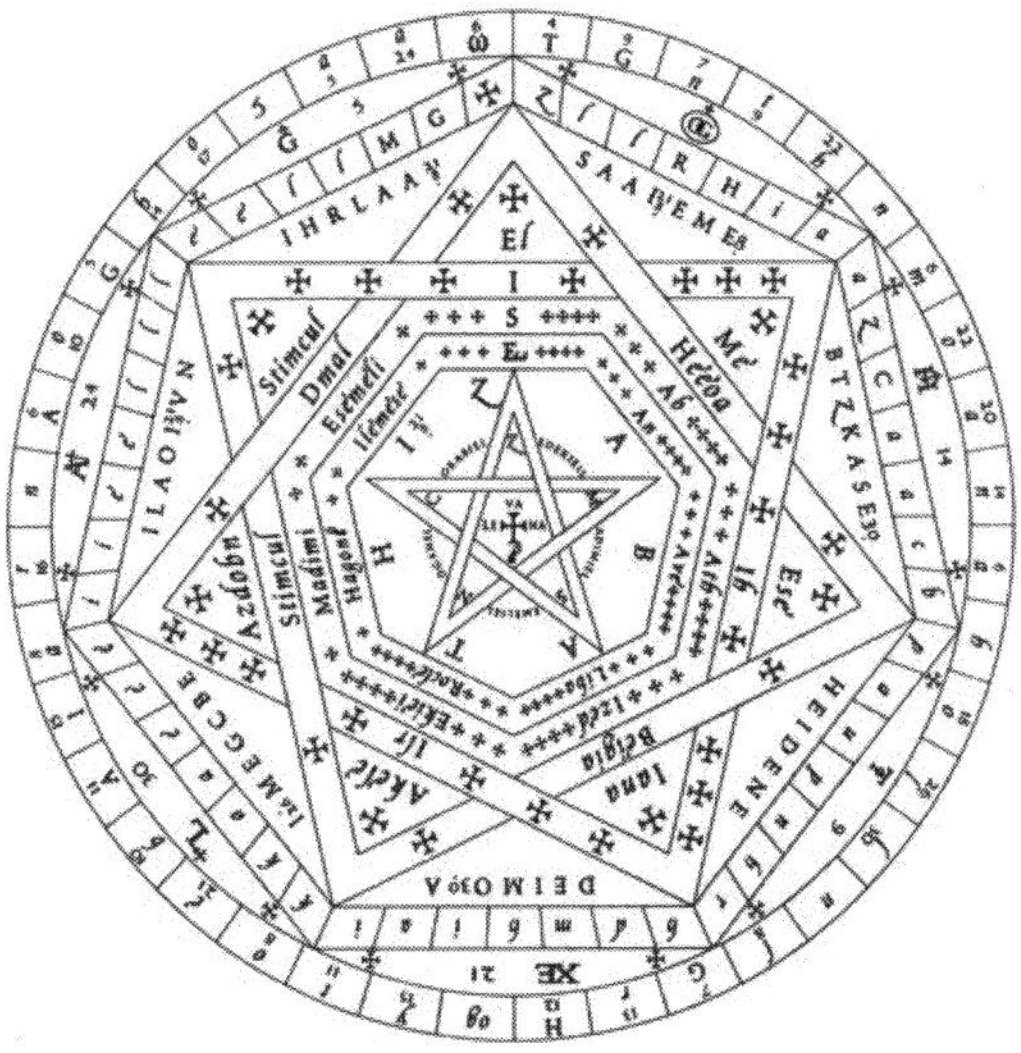

全ての人にとってのヒーロー

柴田勝家

ヒロイックなキャラクターというのは、洋の東西を問わず多く存在する。

古くは神話の時代に語られた神や英雄から始まり、戦場を駆ける武人や騎士道物語が語られ続け、現代では無数の小説の登場人物が役目を担っている。ヒーローたちは人々の祈りや願いを一身に背負い（ダークヒーロー、アンチヒーローの類もいるだろうが）、対峙すべき相手と死闘を演じ、苦難を乗り越えていく。そういった物語に触れるなかで、いつしか自分も主人公に感情移入し、自らも同じように活躍する様を想像することもあれば、あるいは傍観者の一人となって応援していることもある。ようは小説における主人公、ヒーローは自分たちの代弁者であり、世に生きる人々の現実を打破するために挑み続けるのだろう。

などと言ってみたが、果たして本当に全ての人々の思いを背負えるヒーローがいるのだろうか。世に生きる人々の願いと言ったが、既にこの世に存在しない、死者の国の住人となった者たちはヒーローを求める権利を失ってしまったのだろうか。それこそ心配はいらない。死者には死者のヒーローがいるのだ。

イギリスの作家ブライアン・ラムレイの創造したハリー・キーオウこそ全ての死者にとってのヒーローで、言い換えればこれまで地球で生きてきた、そして今は生きていない人たち全ての祈りと願いを背負う存在だ。

日本では東京創元社から『ネクロスコープ　死霊見師ハリー・キーオウ』（夏来健次 訳）が刊行されているが、内容をかいつまんで紹介しておきたい。主人公のハリー・キーオウはネクロスコープと呼ばれる死者と会話する特殊能力を持っていたが、少年時代は取り柄もない凡庸な人物だった。しかし彼は死者たちと対話する中で、彼らが生前に発揮していた能力を次々と自分のものにしていく。数学者の霊に学んで学問を修め、体育教師の霊にコーチについてもらい、文学者の霊に代わって小説を発表する……。やがてその能力はイギ

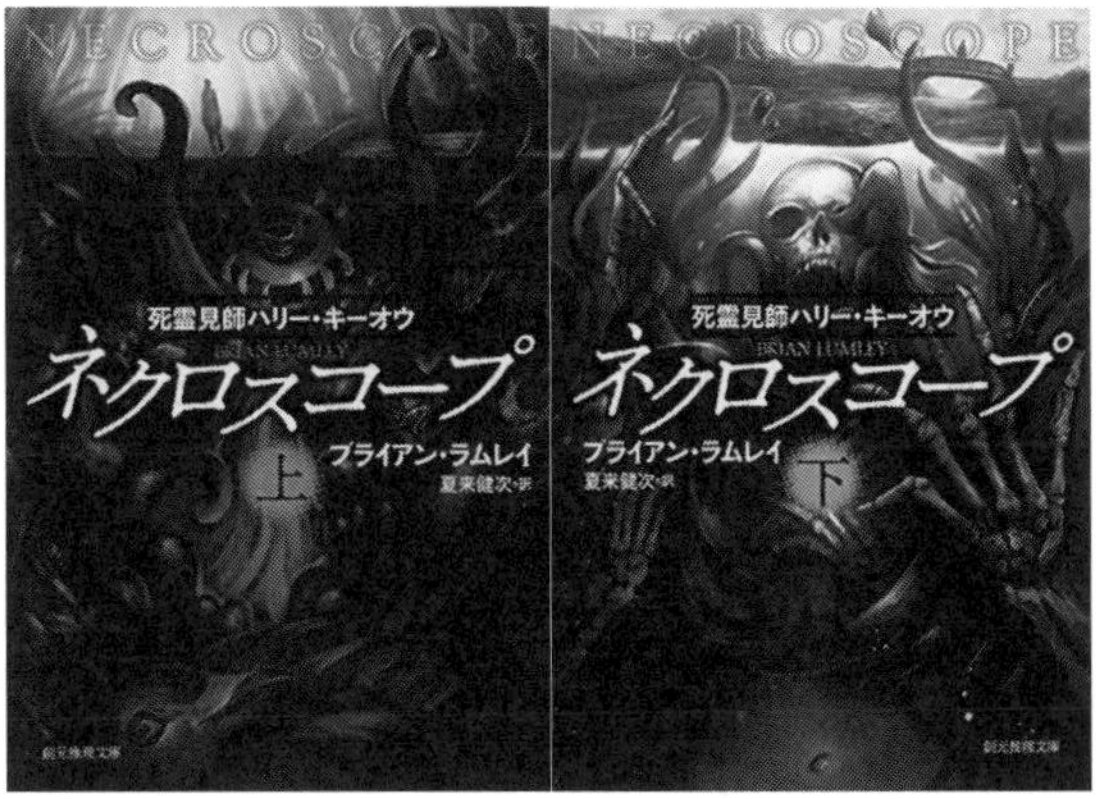

リスの超能力専門の特殊機関Eブランチの知るところとなり、彼はソ連との超能力諜報戦へと巻き込まれていく。対するはルーマニア出身の諜報員、ボリス・ドラゴサニ。彼もまたソ連の超能力研究機関に所属しており、ネクロマンサーと呼ばれる死者から秘密を聞き出す能力を有していた。彼はハリー・キーオウとは異なり、死体を無惨に荒らし、有無を言わさず生前の記憶や能力を奪う。またドラゴサニは古に吸血鬼として恐れられた存在の血を受け継いでおり、今なお不死者として地の底に眠るその存在すら利用しようとしていた。一方は死者の願いを聞き届けるネクロスコープ、その敵は死者の秘密を残酷に暴くネクロマンサー。対照的な両者は、やがて互いの存在をかけて激突する。

　ここまでは『ネクロスコープ』の内容だが、その終盤でハリーはさらなる能力に目覚め（そのきっかけはあの数学者メビウスとの時を超えた対話だ）、さらなる冒険の旅へと出発することになる。好敵手ドラゴサニの影響元であった吸血鬼一族との戦い、ソ連との諜報戦などなど魅力は尽きない。まさに「ネクロスコープ・サーガ」は超能力ヒーロー活劇にして、吸血鬼モノの怪奇小説であり、冷戦時代を描いた冒険スパイ小説でもある。ただし、二巻以降は日本では未訳。本国では短編集も含めて十八作も刊行されている人気シリーズだけに期待しておきたい。

　ところでブライアン・ラムレイといえば、クトゥルフ神話の世界観で書かれた「タイタス・クロウ・サーガ」の作者としても有名だ。オカルト探偵にして邪神ハンターであるタイタス・クロウの活躍は胸躍るものがあるが、一方で人智の及ばぬ邪神に完全と立ち向かう姿や冒険小説の趣きは必ずしもラヴクラフト的とは言えない。もちろんラヴクラフト自身が書いた『未知なるカダスを夢に求めて』は冒険小説だったが、今回は目を瞑ろう。

　ようはラムレイが書く作品は、より冒険小説の空気が色濃いというこ

『ネクロスコープ』(米版1988)

とだ。だから「ネクロスコープ・サーガ」も、彼自身が好んだヒロイックなキャラクターに支えられた冒険小説として楽しむことが基本だろう。死者との交信、超能力バトル、吸血鬼といった要素は日本の漫画でも多く扱われる題材だ。

しかし、個人的には『ネクロスコープ』でハリー・キーオウに向けられた死者たちの視線こそが何よりも目新しく感じた。死者が意識を持って語りかけてくる、という要素自体は多く存在する。だが、多くは生前の未練だったり自身の死に対する不

第2部 *Vampire World* 第1巻(米版1992)

平、様々な恨みや憎しみなどネガティブな対話ばかりだ。一方の『ネクロスコープ』では、死者の多くが穏やかな眠りの中で生前の特技や才能を発揮し続けており、その唯一の発表の場としてハリー・キーオウに協力することになる。たとえば偉大な数学者メビウスも死後二百年に渡って霊魂のまま研究を続けており、その成果を彼に伝授するのだ。他にもハリー・キーオウが土地に眠っていた古のタタール人たちを蘇らせ、死者の軍勢として操るような恐ろしげな場面もあるが、それすら死んだ戦士たちに活躍の場を与えているような印象がある。さらにハリー・キーオウは過去に死した者だけでなく、未来に死ぬ人々の霊魂との対話すら可能とさせる。ここに至って、彼は本当の意味で全ての人類にとってのヒーローとなったのだ。

それにしても「死者の願いを聞き届ける」というのは、なかなかにヒロイックな展開と相性が良いのかもしれない。ソーシャルゲームに馴染みのある人なら『ＦＧＯ』（及び他の『Ｆａｔｅシリーズ』も）のことも思い出すだろう。過去の英霊たちの力を借り、今を生きる主人公が強大な敵に立ち向かっていく。もしくは小説では山田風太郎の『魔界転生』もそうだし、漫画なら武井宏之『シャーマンキング』もそうだ。顧みる者もいない古戦場、寂れた墓地、そんな場所で眠る者たちも、生前には勇名を馳せ、自らの才能を輝かせ

た人たちだった。彼らを再び現世に蘇らせ、相応の活躍をさせたいと願うからこそ様々な物語が生まれたはずだ。

　さらに言えば、たとえ生きている間に不遇の生涯を遂げたとしても、死後に能力を発揮できる場があるとしたら希望となるのではないか。単純な天国や地獄は信じられずとも、自らが死した後に世の中で活躍できる可能性があれば、と願うことはある。

　ここで本職に立ち返り、ひとつＳＦ的な与太話を考えておきたい。

　昨今、ＡＩに学習させた美空ひばりや手塚治虫が話題になった。生前の歌声、生前の漫画、生きてさえいれば生み出したであろう様々な名作を死後にも発表する。このこと自体の是非は問わないが、やがて技術が進歩すれば全ての人たちが生前の記録をもとにＡＩ化することは可能だろう。そうした時、たとえば生前には小説を書くこともなかった人物が、実はブログの文章などが才知に富んでおり、死後にＡＩ化されて名作を生み出したら。単なる鼻歌が生前にライフログに記録されており、それが死後に名曲としてヒットしたら。人によっては「生きている間に評価されなければ無意味だ」と思うだろう。しかし、自分が死んだ後にでも世界が続いていて、そこに自分が関与できる、そのことに安心する人もいると思っている。

　ハリー・キーオウは完全にフィクションのヒーローで、彼の力は実現不可能な超能力だ。今現在、彼と同じような能力を持った人間はいないだろう。それでも技術の進歩によって似通った状況は生まれるかもしれない。もっと幻想的な想像をして、いつかネクロスコープのような超能力を人間が持つ時が来たら。

　自分の魂が死後も誰かに活用されること、それを好む人もいれば嫌う人もいるだろうが、個人的には大いにアリだ。さてしかし、その時に「柴田勝家」として呼び出される魂はワシか、それとも……。

E-Branch三部作の第1巻(英版1999)

現時点での最新長編(2013)

ショートショート

まぼろしの血闘

井上雅彦

地獄へ続く遊歩道——と乗客の誰かが言った。

譬《たと》えとしてはごもっとも。芝居がかった言い回しだが、あまりにも剣呑《けんのん》な揺れ方だから、馬車泣かせの悪路を意味するご当地特有の言い回しだろうと見当をつけてはみたものの、案外、正真正銘、ここいらの地名なのかもしれない。亡者の骨身を舐めまわす炎みたいに真っ赤な色の砂漠が地平の果てまで延々と拡がって、遙か遠くに見えてくるのは、怪物じみて天に聳《そび》える奇岩の群れ。

いずれにせよ自分が行き先を間違えたのは確かなようだ、とジョーは思った。行きたかった港町とは逆方向で、駅馬車はどんどん内陸へと向かっている。

もちろん、帽子の行商なんて、何処に行ってもそんなに売り上げが変わるものでもない。抱えている鞄の中には、折りたたみ式《クラッシャブル》の商品見本。いや、なによりの見本は、ジョー自身の頭の上に乗っかっている。本物のトキージャの葉で織り込んだ純白のパナマ帽。そこに注がれる好奇な目を厭《いや》がっていたんじゃ一人前の商売人ではない。なにかのきっかけで話しかけてくれれば、それが売り込みのチャンスというものだ。

とはいえ、どうも、いつもと勝手が違う。

乗客は、みな、自分と目を合わさない。

自分の顔と目が合うと、なぜかぎょっとしたような表情を浮かべて、顔を俯《うつむ》くか、余所《よそ》を見る振りをする。そんな乗客が少なくなくて、なんだか、雰囲気が微妙だった。

もちろん、乗客全員というわけではない。

最初から乗り込んでいた黒い服の二人組は、あきらかに、この帽子に興味を示していたように見えた。もちろん、二人とも、あからさまに、凝視しているのではない。だが、針のように冷たく鋭い目が、時折、頭上に向けられるのを、ジョーは幾度も感じる。

――なんなのだろう？　あの二人？

東部の銀行員のようにも見えないことはないが、締まった身体は揺れる車内でビクともしない。ジョーのようにあっちへふらふらこっちへゆらゆらと、振り回されそうになることもない。その目が、時折、銃口のように、こちらに――いや、頭上に向けられる。

――前にも見たな、あんな目つき……。

他人様の視線を浴びるのは嫌いじゃない。それどころか、むしろ、好きだったのは、遠い昔。あの頃のジョーは、油性の白粉《おしろい》を顔に塗り、目張りを入れ、シェークスピアの台詞を朗々と口ずさんでいた。まだ、役者の仕事を続けられると信じていた頃だ。無理な発声がたたって、肺に穴が空く前の頃だ。そんな頃にも、時折、客席から向けられる独特の視線を感じていた。役者を殺す専門家。評論家というやつだ。冷徹な目。あの二人のような目。

――帽子の評論家ってことは……。まさか、ね。

その二人だけではない。

一つ前の停車駅（潰れて久しい牧場跡）から乗ってきた牧師もだ。他の客はあらかた降りて、入れ替わりに入ってきた背の高い人物で、十字架をぶらさげていたわけではないが、服装から見て牧師だろう。彼もまた、ぞっとするほど冷たい目を彼の頭上に光らせた。評論家というよりも、むしろ、リア王の娘コーディリアに差し向けられた刺客の目つきはこんなだったのではないだろうか。

とりとめのない妄想に苦笑する。このまま、まともな宿場までは揺られていこうと、覚悟を決めたら、うとうとした。何度か舟を漕いだような気がしたとたんに――

衝撃が来た。

馬車は停まり、ジョーは床に投げ出されていた。それでも、本能的に自分の帽子を手で押さえている姿を、たった三人の乗客である黒衣の二人組と牧師が、一瞬だけ、まじまじと見据えて、すぐに目を逸らし、なにごともなかったかのように、馬車を降り始めた。

「な、なんだ、終点か？」

窓の外を見て愕然とした。

進路に、大きな幌馬車が横転している。いや、倒れた馬車は一台や二台じゃない。

「なにごとだ！　事故か！」

「事故じゃない。強盗さ」

乗り込んできた男が、ライフルを携えて、ジョーを見た。保安官のバッジが胸元で光っている。窓の外を指さして、「まったく、史上最大のショウを見せてくれたもんだ」

横転した車体には、ド派手な文字。

《ハイパーボリア一座　史上最大のサーカス！》。

「サーカスの一行が襲われたってのか？　強盗団に？」

「強盗団じゃない。たった一人だ。しかも、身内。象使いの大男――いや、巨人と言ってもいいかもな。もう、怪物の範疇《はんちゅう》だ。たった一人で、馬車の一団を、あの通り」

「そんな馬鹿な」

「この宿場で唯一の旅籠《はたご》にたてこもってる。もう三日目だ。奪った金庫を枕に、サーカス一の美女を人質にな。だから、団長が依頼した。おかげで、この小さな宿場町に、国中の賞金稼ぎが、ぞろぞろ集まってくるというわけなのさ。おまえさんも見ただろう。黒服の二人はピンカートン探偵社の腕利き――探偵どころか、殺しが本業だ。そして、あの有名な〈偽牧師〉も。やつらばかりじゃない。化け物じみた連中が、ぞろぞろと」

と、そこまで言った保安官の顔色が変わって、ジョーを指さした。

「まさか――おまえさん……モンテクリスティ……？」

「え？　よくわかったね」

ジョーは、自分の頭から帽子を取った。「そうなんだ。このパナマ帽は、赤道直下の名峰モンテクリスティ産の最高級トキージャの葉から作ったものさ。さすがは保安官、お目が高い……」

保安官は、しげしげと帽子を見ながら、「ふん。俺としたことが。おまえさんのようなのが、あの伝説の賞金稼ぎ〈破れパナマ〉モンテクリスティの筈《はず》がない。奴に狙われたら、どんな賞金首でも命はないが、賞金首よりも多くの同業者を屠《ほふ》っている。奴を倒して名を挙げようという賞金稼ぎが殺し合いを挑むからなんだが……まったく、非道な連中だよ」

とんだところに来たもんだ、とジョーは思った。はやいこと、引き返して貰うに限る。

といっても、馭者の姿も見えない。どこにいったのかと、馬車の外に出てみたとたん、

「おじさん！　はやく、こっちこっち！」

子どもが手招いている。ジョーは思わず、馬車を降り

て近くに寄った。

「お願い！　助けて。殺さないで」

「え？」

「コナンを殺さないで。コナンを助けて」

「コナンって？」

「ぼくの友だち」

少年は、ポスターを指さした。そこには象の手綱を引く、筋肉隆々とした大男の絵が描かれている。象よりも大きく描かれた男は、まさに巨人のようだ。

「コナンは何も悪いことをしていない。巻き込まれただけなんだ。このままでは、殺されてしまうよ」

「しかし、坊や……」

「おじさん、モンテクリスティなんだよね？」

ジョーは驚いた。この子はさっきの保安官との会話を聞いていたのか？

「伝説の賞金稼ぎモンテクリスティは、どんな殺し屋よりも強いはずだ」

「じょ、冗談じゃない。人違いだ。あの保安官に訊いてくれれば――」

と、顔を向けた方向に、駅馬車がない。馭者の嗄《か》れ声が谺《こだま》のように尾を引いて、陽炎《かげろう》の中に馬車が小さく遠ざかっていくのを呆然と見送りながら、ジョーはじわじわと血の気が引いていくのを感じていた。自分は置き去りにされたのだ。

「ここって……何処なんだ？」呆然と口に出した。

「マッチモニートさ」少年は答えた。

「もともとは、ここに棲んでいる地霊の名前なんだって。エイボン博士がそう言ってた」

「エイボン博士？」

「今の団長だよ。前の団長が死んで、博士が、あとを継いだんだ。でも、それから、なんだか悪いことばっかり続いてる。今度のことだって――」

「そんなことはどうでもいいや。なんだか物騒だから、旅籠には行きたくないな。そこの馬車は横倒しだけど、中に泊まれそうだね。鉄の骨組みががっしりしてるし」

「うん。もともとドゥームを入れてた檻なんだけど、逃げ出して、今はいないからね」

「ドゥームって？」

「虎だよ。密林の魔王。ピエロが食べられてから消息はわかんないだけど、まだ、近くにいるかもしれない」

ジョーの顔が恐怖に引き攣った次の瞬間――背後から身の毛もよだつ咆哮が轟いた。


黒い影が飛びかかってくる。凄まじい血の匂い。

ジョーは動けなかった。文字通り、身体《からだ》が硬直していたのだ。その身体の上を、黒い影が飛び越えて、ぐしゃりと落ちた。血塗れの死人だ。大きな銃を握っている。

「うわあああ」

あらためて悲鳴が口から溢れた。少年はと見ると横倒しの馬車の虎の檻に入って身を伏せている。今にして思えば、あそこが最も安全だったのかもしれないが、ジョーにはもはや隠れ場所がない。

「コナンを助けてね！」少年が叫ぶ。「……頼んだよ、モンテクリスティ！」

「やはり、おまえがモンテクリスティだったのか」

背後から声が聞こえた。

振り向けば、黒服の男。馬車に乗っていたピンカートン探偵社の二人組の片割れ。両手には二挺の拳銃。

「まさかとは思ったが、相棒を殺《や》れるだけの技量があるのは、〈破れパナマ〉のモンテクリスティ……」

「ええっ？」

死体はこいつの相棒か。顔なんか吹っ飛んでるし。

「こいつを殺ったのは、たぶん虎だよ。俺じゃない！」

「堂々と勝負しろ！　〈破れパナマ〉！」

二挺拳銃が言った。「またの名を〈裂け目〉……。おまえさえ殺せれば、賞金首なんざ、どうでもいいんだ」

「誤解だ！　人違いだ！　こ、これを見てくれ！」

ジョーは叫んだ。「そんな二つ名は俺と関係ない！」

頭上の帽子に手を伸ばす。

「見ろ。俺のパナマは破れてなんか――」

ザクッと音をたてて、指が、生地の裂け目に入った。

――破れてる！　と気づいた瞬間――。

怖ろしい咆哮が轟いた。同時に、目の前の、二挺拳銃の男の身体が、血と肉とともに爆ぜ飛んだ。

機関銃だ。虎の声じゃなかった。ジョーは走った。あれは、きっとガトリング銃だ。猛り狂って、吼えまくる。爆音まで轟く。まるで、南北戦争だ。ジョーは走り続ける。陽は落ちてくる。いったい、どこに逃げればいい？

「天国へ逃げるのかね……」

硝煙の向こうから声がした。立ちはだかるのは陰気な長身の影。「それなら、私が見送ろう」

牧師の黒服は、静かに言った。銃らしきものは持っていない。だが、油断は出来ない。

「蠍《さそり》と蛇が殺《や》られたが、君の仕業か？」

牧師は言った。「あのピンカートン探偵社の二人組のことだ。……どうやら、ちがうようだな。ガトリング銃を使ったのなら〈軍曹〉だ。他にも〈四本腕のビリー〉や〈皮剥モーガン〉が来ているらしい。そして……とうとう、あの伝説の〈裂け目〉まで」

「いったい、なぜなんだ?」

ジョーは訊いた。「おまえたちの賞金首は、サーカスの大男の筈だよな? 仲間同士でなぜ殺し合う? 目的は同じなんだから、協力し合えばいいじゃないか」

「それが……不思議なのだよ」

〈偽牧師〉は小さな壜をとりだした。翳《かざ》してみせる。酒の行商人が持ち運ぶ見本のミニチュア壜にも似ているが、そんな優雅なものであるはずがない。

「互いに殺し合うことでも、これが、私たちにとっての共同作業……そんな気がしているのだ……欲であれ、殺意であれ、個々の情念が互いに響き合う。たとえば……交響楽やオペラ……あるいは……舞台劇のようにね」

ジョーは目を瞬いた。

「これまで自覚はなかったのだが、今宵、此処に来て、はじめて気づいたのだ。鮮明にね。こうすることが、最も自分自身を貫けることなのだと」

ジョーの顔を凝視した。「さて、君はどうなのかね?」

節くれ立った長い指から、ポイ、と壜が離れた。回転しながら、放物線を描いて、ジョーのほうに飛んでくる。

「ニトロだ!」

思わず叫んだが、その声は自分の鼓膜に届かなかった。

凄まじい爆発が、目の前の世界を灼きつくして――

「しっかりして! モンテクリスティ!」

女の声がした。ジョーは我に返った。

どこだここは。ベッドの上だ。陽に焼けた肌のエキゾチックな若い女が、自分の顔を覗き込んでいる。

「ここなら、大丈夫。盲点よ。誰ひとり気づいていないんだから。人質の私がとっくに逃げ出して、まだ同じ建物の、最高級の客室に隠れているなんて」

「すると、君は――サーカス一の美女……」

「ただの芸人よ。名前はエレクトラ。でも、流石《さすが》だわ。この窓から見てたの。〈破れパナマ〉のモンテクリスティの闘いぶりを。投げつけられたニトロの壜を、軽く跳ね返して、逆に、相手を吹き飛ばしちゃうんですもの」

「なんだって?」

「貴方は、その帽子に軽く手を触れたようにしか見えなかった。まるで手品ね」

「お、覚えてない……でも……」

妙に気分がいい。ジョーはそのことに驚いていた。

「凄い爆発だったものね。気を失っているように見えたから、部屋に運び込んだのだけど、身体のどこにも傷は見つからない。そのパナマ帽以外は」

しなやかな指の感触で、気がついた。自分は服を着ていない。身につけているのは、パナマ帽だけだ。

「あなたは強いわ。モンテクリスティ。噂以上よ。だから……お願い……私を護って……」

甘やかな唇が重なる。いつの間にか女の裸体が絡みついている。幾久しく忘れかけていた官能が鎌首を擡《もた》げてくる。どうするんだ。これで、いいのか。女の柔肌が熱を帯びて、激しく蠢動する。照明が点滅する。バリバリという空気の音。歓喜の声。そうだ。気分がいい。細かい電光が走る。最高だ。火花。絶叫。稲妻の奔流――。

「そこまでだ。モンテクリスティ君」

ベッド脇に、青い影法師が立っている。「合格だ。伝説の勇者を味わえただけでも、彼女は満足だっただろう。自分の高圧電流で昇天してしまうほどに……」

「この女も賞金稼ぎなのか？」

煙のなかから、ジョーは用心深く身を起こした。

「ちがう。特殊な帯電体質だが、電気椅子の女王エレクトラはうちのドル箱スターだ」

「というと……あんたが団長か？」

ジョーは言った。「なんとかいう博士だな」

男は近づいた。ずんぐりした身体に丸眼鏡をかけている。その顔から禿げ上がった額にかけて、奇妙な文様がペイントされている。

「博士というより、道化師なのか？」

「服を着たまえ。絶景を見せよう」

窓のカーテンを開いた。見える景色は地獄だった。

血と硝煙と飛び交う弾丸。累々と転がる死体。その誰もが銃やナイフを握っている。その死体を踏みながら、向かい合い殺し合いを演じる者たち。

「最高だろう。史上最大のショウだ……」

血腥い戦場と化した、この建物《ホテル》の中庭《パティオ》が、あたかも、サーカスの競技場《アリーナ》めいて見えるのは、今、睨み合っている異形の戦士のせいかもしれない。

長すぎる四本の人工の腕に、それぞれ拳銃やナイフを持たせた男の毒蜘蛛のような動き。

両手の斧を振りあげる男の顔を覆う人皮の仮面。

軍服を着て、コヨーテのような声をはりあげる男が両腕で構える銀色のガトリング銃。

「やつらのことか……。〈四本腕のビリー〉、〈皮剥モーガン〉、それに……〈軍曹〉……」

そして……かれらの目の先にいるのは、壁を背に立っている筋肉の塊のような大男――巨人だ。

「あれが……象使いの……」

　あれが、コナンか!?　少年が指さしたポスターに描かれた象使いからは想像もできないほどの威圧感だ。

　魔神のような憤怒の顔。赤銅色の上半身を露わにした、まさに巨人。胴鎧を思わせるような大胸筋や腹直筋は、いかなる装甲よりも凄みがある。あの太い腕なら、たった一人で何台もの馬車を横転させられるのも理解できる。

　その脇で対照的に弱々しく見えるのは、ポスターにも描かれていた象だ。きらびやかな頭巾で装飾された頭を隠すかのように壁の隅に蹲《うずくま》り、青い刺繍で彩られたゴブラン織りの鞍敷きにくるまれるかのように、小さくなって、ぶるぶる震えているではないか。

　そして、巨人の足の下に長々と伸びているのは虎だ。密林の魔王は、すでに背骨を踏み砕かれ、黄と黒の縞模様の巨体は引き裂かれて、真紅の内臓を露出させている。

　まさに、獣の帝王であるかのように、赤銅色の巨人は、憤怒の表情で、自分に攻め寄る者たちを睨めつけていた。

「あいつは、贄《にえ》を呼び寄せてくれたのだ。戦士の血を」

「すべて、おまえの計画だったんだな、団長」

「この星回り。この地霊の領域。血の贄が、マッチモニートを喜ばせる。精霊《マニトウ》たちよ、我らの願いを叶えよ」

〈軍曹〉がガトリング銃を構えた。ジョーは唇を噛んだ。コナンが。少年の友だちが。機関銃が吼えた。すべての弾丸が巨人の胸に集中する。だが――弾丸がいくらあたっても、巨人の筋肉は傷つかない。

「まさかそんな……」

　ありえない。大量の弾丸が、すべて命中しているのに。

〈軍曹〉は呆然としている。巨人の腕が近寄る。コヨーテのような絶叫が悲鳴へと変わる。巨《おお》きな掌が軍帽を被った頭を摑んで、一気にぐしゃりと握り潰した。

「思い違いをしていた」

　ジョーは呟いた。「コナンは人間じゃなかったんだ」

「コナンだと？」

　博士は怪訝な顔をした。「あいつの名はコロッサス。私が創った。機械仕掛けの無敵の巨人だ」

「なるほど……そういうことか……」

「残りの賞金稼ぎどもも、もはや時間の問題だな……」

　道化師めいた顔が笑った。「だが、まだ流れる血が足りないようだ。今宵は誰もがいかなる望みも叶えることのできる星回りだというのに、私の願いはまだ……」

「おまえの願いってなんだ？　ここまで血を流して叶えたい願いなんて。金か？　名誉か？」

「神秘の智だ」

　エイボン博士の目が輝いた。「人類の理性も及ばぬヴイジョン。神すら畏怖する宇宙の秘密。その総《すべ》てを知り尽くし、究め尽くし、未来永劫名を残す偉大な魔導師となることだ。しかし……まだ、闇の天啓は兆しすら訪れてこない。願いを叶える贄はまだ足りぬ……だから」

博士は、小さなボタンを押した。その瞬間——床が開いて、ジョーは戦地に投げ出される。

なるほど。そこで、伝説の賞金稼ぎの投入か。俺は願いを叶える贄か。ジョーは、しっかりと帽子を手で押さえる。宙を舞う時間が長く感じる。地獄が迫る。累々たる死体。いや、あれは蠢いている。まだ戦っている。死霊と化しても、戦うのか。それが、やつらの願いか。あるいは、誰かの願いか。では、自分の願いは？　この心地よさは？　演じることだったんじゃないのか？　最も自分自身を貫けることというのは？

「地獄はもぬけの空《から》なのだ。総ての悪魔が現世《ここ》にいる」

『テンペスト』第一幕第二場の台詞を口にした。

朗々と声が出た。そうだ。俺は演じて見せよう。それが、俺の願い。無敵の賞金稼ぎを演じて見せよう。

ジョーは……いや、破れパナマのモンテクリスティは、魔鳥のように地に舞い降りた。

舞台への最高の登場だ。

地霊がざわめく。死霊たちが振り向く。

見た顔がいる。頭蓋骨に血のお粥を塗りつけたような顔で拳銃を向ける黒ずくめの二人組。肉片のパスルででっきあがったような肉体が牧師の服を纏った長身の化け物。死んで化け変わってもなお、闘い続けることを望んでいる。願いを叶えた死霊たちだ。

弾丸をくぐり抜け、モンテクリスティは、走った。

足下から白い靄《もや》が舞い上がる。地霊はすでに自分を変えつつある。そうだ、これは、スポットライトだ、客の歓声だ。だが——自分の願いは、ただ演ずることだ。そして、もうひとつ……。

巨人の姿が視界に迫る。白い濃霧が巨人の周囲で渦を巻いている。周囲では、死してなお化け変わった異形の賞金稼ぎが殺し合う。首の無い〈軍曹〉が、自分の頭のあった場所から、ガトリング銃のように真っ赤な肉弾を吹きだしている。〈四本腕のビリー〉は十六本ものの腕の鉤爪を蟷螂のように振り回し、〈皮剥モーガン〉は人皮の剥けた赤い髑髏の顔で斧を跳ばす。ビリーの腕を切り裂いて跳んできた斧を、モンテクリスティはかっさらい、走りよったのは、巨人の足下。そして、斧を振り下ろして断ち切ったのは、巨人が握る象の手綱だった。

象は驚き、嘶《いなな》いた。鞍敷きに青い刺繍で綴られた文字を確かめるようにして引き寄せ、その背中に飛び乗るモンテクリスティ。解き放たれた象は走り出した。

「さあ、これからが大きな見せ場だ！」

　巨人が怒りの雄叫びをあげながら、腕を振りかぶる。

その腕に飛びついたのは——虎だ。引き裂かれた筈の猛虎の露出した内臓は、幾つもの虎の頭と変わり、牙を剥いて巨人に襲いかかる。虎までが化け変わり、殺し合いを続けたいのだ。祝祭は頂点を迎えようとしている。

「地霊たちよ。俺がモンテクリスティだ！」

　叫ぶと同時に……帽子の裂け目に自ら手を差し込んで、拡げていく。〈裂け目〉から眩《まばゆ》い光が溢れだす。

　地面が回り始める。蛇とも蛆ともつかぬ白くて巨大なとぐろが巻きあがる。戦場を巻き込んでいく、眩い光の竜巻。地霊が、死霊たちが、舞い上がる。あの巨人までもが、人形のように舞い上がる。

　そして——あの団長、エイボン博士が窓から吸い出される。渦の中に吸い込まれていく寸前、その顔は異様な笑みを浮かべ、目は陶然と酔いしれているように見えた。

　そうだ。俺も最高に心地よい。モンテクリスティは破れたパナマ帽を天に掲げた。光の渦巻く世界のとぐろは、まるで折りたたみ式《クラッシャブル》の見本のように、すべて帽子の〈裂け目〉のその中に吸い込まれ……。


　星が堕ちたのではないかと思われた閃光が消えた。横倒しの馬車から顔を出した少年の顔が、明るく輝いた。

「モンテクリスティ！　約束を守ってくれたんだね」

　走りよった少年は、くたびれた姿のジョーよりなにより、最愛の友だちの名を呼びながら、彼の跨《また》がった象に抱きついた。「ぼくのコナンを助け出してくれた！」

「危うく思い違いするところだったけどね」

　ジョーは呟いた。「坊やの願いが叶ったんだな……」

「まさか、おまえさんが……本当に、あの伝説の……」

　保安官が呆然としながら言った。「賞金首は？」

「やつらの望む世界へ行っちまったようだ」

「え？」

「永遠に殺しあえる世界に。そして……あの博士も。遠い時空の果てに。偉大なる魔導師の名を残せる世界に」

「え？　え？」

「そして、俺は」

　ジョーは言った。「大役を演じた。それだけで満足さ」

　自分のパナマ帽を手に取った。

　傷はひとつもついてはいなかった。

ショートショート

月の夜は

久美沙織

海魔リヴァイヤタンが絶叫した。凍結させた上、イリムの神鍛冶の聖鎖で厳重に拘束、脳天に天槌《あまつち》ゴーンのいかずちを打ちこんだのだ。さしもの凶獣も反撃ができないようだった。牙口《きばぐち》の端からどろりとなにかがこぼれ流れた。黒まだらに焼け爛《ただ》れた醜い姿は、硬直したままよろけて傾き沈んでいく。溶岩台地のような体表を最後のあがきの呪詛《じゅそ》の火花が走り抜け、不吉な暗緑色の煙と吐き気を催す悪臭を漂わせた。

怪物のまなこの底でちらちら燃えていた鬼火が、すうっと消える。巨軀は沈み、ぶくぶくと泡をたてながら沈み、やがて、まったく見えなくなった。

激しく逆巻いていた渦も波紋も、いつしかおさまり、あたりは穏やかに静まりかえった。

「やった……?」勇者グラスはつぶやいた。剣を油断なくかまえたまま。「やった、のか? 俺たち?」

「クエス・レス・エルダン……昏《くら》き深淵へ」老賢者メリエンはターレの最強護符を手に魔封じのしぐさをした。念を押すように。「そこにて睡れ、永久《とこしえ》に」

「いやっほーい! 二度とよみがえってくんじゃねーぞ!」武闘家ゴルチエフが両手の武具を打ち鳴らし、ぴかぴかに白い歯を見せた。「みんな喜ぶぞお! ガルガンチョワの海峡が通れるようになるだろ。船が出せれば、漁もできる。貿易も。あっちの大陸とこっちの大陸に生き別れになってたペロリーヌさんの親子だって」

「……わたくしは冷たい水の中にいます……」

メチルド聖騎士王女がいつもどおりの陰気な声でぼそぼそつぶやいた。

彼女は仰向けで硬直した姿勢で、半身波に洗われていた。白と金の精霊の衣も顎までおおう巫女のヴェールも聖なる光で輝き、あんな激しい戦闘後でも汚れひとつ皺もたるみもありはせず、浮世ばなれした神々しさだ。

「みず?」

勇者グラスは足下に目をやった。一行が乗ってきて、たったいまも乗っている原始的で簡素な作りの細長い舟は、なんと、浸水していた。

戦闘系男子三名はさっきまで戦いに没入していた。跳躍したり抜刀したり殴ったり蹴ったり魔方陣を繰り出したりするので忙しく、舟がどうだなんてことには、まったく注意をはらっていなかった。

改めて、視線をあげ、見回してみる。

海だ。

あたり一面、どこまでも。淡々とうねりつづける波が果てしもない。

「わたくしの右手の人差し指と、左肘と、背面に、船体の欠損があります」王女は淡々とことあげした。「叡智のオーラと我が身そのものを蓋となして能《あた》うかぎり耐えましたが、もはや限界。なんとかしてください」

「わぁ、急げ、汲みだせ、汲みだせ!」

「こっちも破れかけてる! 何かでふさがないと!」

各自、あわてて奮闘した。両の手と外した兜《かぶと》などでばしゃばしゃ水をすくい、マントや袋を穴に押し込んだ。しょっぱい水はとても手強かった。執拗で、情け知らずだった。舟は狭く、男どものガタイはでかい。すれ違うのも容易ならず、武器や防具は重くてかさばる。たがいに押しのけあいジタバタ避け、バランスが崩れた。よろけたあまりにへんなところに手をついてしまったり、薄いところを踏み抜いたり。

「やばい」

舟はくるくる回った。いまにもバラバラになってしまいそうだ。

どこかに陸があるはずだった。さっき出航してきた岸辺が。が、いずこが東で南やら、焦る目には空と海がただのっぺりと広がるばかり。水平線が上下するばかり。青黒い波は、わだかまったりほどけたり、船縁でちゃぷんと言ったりする。空はいちめん曇っていて、ところどころ明るかったり暗かったり青と白と灰色の不規則なまだらだ。太陽の気配がさっぱりうかがえない。そして必死に目をこらしても、島かげのひとつも見えはしない。

大海原のどまんなか。

どこまで泳げばいいのやら。

ちょぷん、ちゃぷん、と、波は音をたてた。無邪気に。無関心に。無遠慮に。波に悪意があるわけではないだろうが、そう淡々としつこくちょぷちょぷ言われると実になんともいらだたしかった。きらきら輝いては消える波頭と白いあぶく。紺に群青に黒。底なし。右も左も見渡すかぎりどこまでも海と海と海と空で、たまに、途方にくれたまま急激に青ざめていく仲間の顔が割りこむ。悲しげな目も。

ははは。なんだよ。なに弱気になってんだ？

きっとなんとかなる。

だって……俺たち、すげえんだから！

勇者が意を決して何かみなを元気づけるようなことを言おうと口をひらきかけたそのとたん、どろどろと不穏なとどろきが聞こえた。遠雷《えんらい》だ。雨の兆しだ。たちまち肌刺す冷風が吹き抜け、あたりは幕でもおろしたように暗くなる。

「まほう！　魔法でなんとかなんないのかよ！」

「移動呪文！　天馬とか竜とか！　呼ぼうぜ！」

「それがしに期待せんでくれ。さきの戦いで精神力を総ざらえした。眠うてかなわん。もう立っておれん」

「じゃ、ウーラの翼は？　あれで移動できんだろ。悔しいけど、しょうがない。サンナの村まで戻ってやりなおせば」

言ったとたんに魔法具のはいった頭陀袋《ずだぶくろ》が、ぽかっ、と波間に浮き上がった。誰からも微妙に離れたあたりだった。せいいっぱい伸ばした手の先、みなの悲痛を嘲笑うかのように、袋は流れた。波をちゃぷちゃぷ掻き分けて。どんぶらこどんぶらこと。投げかける切望の視線にまるで押しやられるかのごとく。

と。

王女がその神聖な階級にふさわしくない種類の悲鳴をあげた。

みな見た。

ひれだ。

黒い三角形のひれがいる。海面をぐいぐいと近づいてくる。海に棲むものの確信的な力強さで。見る間に同じものがふたつ増え、四つ増え、群れをなす。やってくる。

「イルカさ」ゴルチェフがいやに大きな明るい声で笑った。「イルカだよ。イルカに決まってる」

「ならなんでおまえ戦斧かまえてんの。しかも、膝、震えてるし」

サメだ。三角ひれのちょっとうしろに何かがある。ひれにぴったりついてくる。勇者は思った。あれは、尾だ。尾の先端が見えてる。だからイルカじゃない。

〈なぜなら、サメの尾びれは縦型で、イルカの尾びれは横型だから〉

　心でうなずきながら、勇者は混乱した。いまの誰？　なに言ってんだ？

　なにかがひらりと脳裏をかすめた。人魚の優雅な尾びれのように。ふわふわくすぐったく鼻にさわる。風になびくショールのように。

　だが目の前には三角ひれが迫ってくる。間違いなくサメのひれが。刻一刻。いやおうなく。

　からだがこわばる。あとずさりしたいが、動けない。目が離せない。

　こわい。こわい。こわい／すごい。すごいかっこいい。来る。来る。もう／やっと来る。とうとう来た。来てくれた。

　待て、なんだ、これは？　この憧れは？　切望は？　なにに魅せられてる？　なにを待ち望んでいる？

　どぐん、どぐん、どぐん、心臓が喉元までふくれあがり、耳の奥が痛い、金属がこすれる音がして奥歯が浮く。手が剣を握りなおす。

　と。

　最初のサメが躍りかかって来た。水面から舟上へ乗り上げて来た。目の前いっぱいがサメだ。すさまじい飛沫《しぶき》に足が滑った。もう立っていなかった。水に落ちた。落ちていく。手からすっ飛んだ剣が、きらきらと輝きながら沈んでいく。サメたちが嬉々として殺到してくる。

　ごぼり。

　空気とともに何かを叫んで、吐き出して、世界が裏返るように断ち切られる。

〈質問。鮫《サメ》と鱶《フカ》ってどこか違うんですか。答え。違いません。いっしょです。英語で言えばどちらもシャーク。でも、食料になるサメはフカって呼ばれたりします。高級料理フカヒレはサメの背びれとか尾びれとかです。あと、地方によっては、サメのことをワニとも言う。クロコダイルとかアリゲーターみたいに。大黒さまの因幡の白ウサギの話に出てくるワニもサメのことです。

　はーい質問。だいこくさまってなーに？　答え。えっ？　ごめん。そういう神さまがいるの。サメの質問にかぎってください。ほかに質問はありませんか。

　質問。さっき食料っていったけど、サメって食べれるの？　美味しいの？　お寿司屋さんで見たことないけど。答え。サメの肉は、獲れたてはともかく、時間がたつと、ちょっとおしっこ臭くなるんです。エイとかもそうなんだけど軟骨魚類は尿素を蓄える。そこがふつうの他のサカナと違う。けどだから特別美味しいって感じるひともあるみたいだし、冷蔵庫がないころにはアンモニアのおかげで腐りにくいサメ肉はすごく貴重なタンパク源だったそうです。昭和の四十年ぐらいまで、築地市場はマグロよりもサメでにぎわってたんだって。フカヒレはもちろん美味しいから高く売れるし。肉もにおいを別にすれば白身でかみごたえがあってなかなかいけてる。で、はんぺんとかかまぼこにしたり、干し肉にしたり、あと、肝油をとったり、皮だってガサガサなのを生かしてわさびをおろすのに使ったり、全身無駄なくありがたくいただいてきたんです。

　モンスターみたいに言われるけど、人喰いザメなんて滅多にいない。そもそも大動物を捕食する種類すら、何百種類もいる全サメのせいぜい数パー、ごくごくマイナーなものなの。あのでっかいジンベエザメなんか、プランクトンしか食べないからね。

　人を食べたことがあるサメは少ない。ひとは、けっこうサメを食べる。知らないうちに食べてたりする。サメに食べられたひとももちろん歴史上ゼロじゃないけれど、ひとに食べられたサメは、どれだけいるんだろう、誰も数えてないぐらい、すごくすごくたくさんいるわけです。サメのほうが人間を怖がっていいと思わない？〉

赤い。

赤い。

赤い水の中を沈んでいく。アンモナイトみたいにまるくなって、どこまでもどこまでも落ちていく。

苦しくない。冷たくない。ここでいい。これでいい。なにも見ない聞かない。考えない。さからわない。動かない。

がんばらない。戦わない。

赤い絨毯《じゅうたん》の四畳半はほとんど物置で、いつだって湿ったふとんのにおいがした。扉も雨戸もカーテンも閉めきって、ぼくだけの隠れ家、秘密基地。積み重ねて布をかけてとりあえずしまってあるたくさんの過去からきたものたちいらないものたちの山脈の谷間。すぐそばに大好きなものだけ集めてある。学習図鑑、動物園や水族館のカタログ、マンガ、フィギュア、自分で書いたノート。巻いてあるのは色とりどりの自由研究のポスター。天才サメ博士って呼ばれだしたのは小学何年生だっけ。発表とか質疑応答とか何度もやった。テレビにも出た。

思い出すとゾクゾクッと震えがきた。

もう、あんなことしない。目だったりしない。調子にのらない。

どんなに小さくうずくまっても、いなくなってしまうことはできないけれど。本気で探されたら、見つかるけど。ずっと腹ぺこではいられないし、トイレにもいかなきゃいけないし。忘れててほしいけど。見逃して欲しいけど。

なかったことにしてほしいのに。

いないことにしてほしいのに。

〈サメにはロレンチーニ器官っていうのがあって、隠れてる獲物だってみつけだすことができる。視覚とか聴覚とか人間にもある五感にプラスの、もうひとつ。第六感。超能力。ほんとすごいよね?〉

ごぶっ、と、頬や歯茎を内側から殴るように空気が出て、気がつくと必死に水をかきわけてのぼっていた。すごく苦くてしょっぱくて、そうだ海だ、と思い出す。舟から放り出された。

あれからどうなった。

みんなはどうした。

頭が動き出すと、軋《きし》んで止まっていた血がめぐりはじめ、時間がドッと流れはじめた。

もがいた。出ようとして。明るいほうへ。

水面をつきのけるように飛び出し、空気の中に頭をあげて、むさぼるように息をする。

吸って吐いて吸って吐いて、手足を必死に動かして、のたうちながら呼吸をする。

海だ。

そこらじゅうひどくきらきらしている。日の出か、日の入りか。陽の光が帯になって揺れていて、小さな波のひとつひとつがやたらまぶしい。

――ここは、どこだ?

サメたちが迎えに/攻撃しに、来たんじゃないのか?

顔をしかめる。

なにかへんだ。なにかが混乱してる。ひっかかる。へんなものがはさまってる。ちゃんと思い出しておかなきゃいけない。わかっておかなきゃいけないことが、あるんじゃないのか。

いやな感じに胸がどきどきする。落ち着け。

ふと、なにかが聞こえた。鳥の声か。いや旋律だ。

揺れる波のむこうに見える、あれは山だろうか。木々だろうか。白くくっきりとひかれた線のようなのは、砂浜だろうか。陸だろうか。

波打ち際に泳ぎ着くころには、とっぷりと暮れ、月が出た。

　彼は這いずり、濡れた砂にどさりと倒れこむ。

　女たちが歌っている、踊っている。髪の長い、よく陽に灼けた女たち。かがり火が煙をたなびかせている。女たちは赤いドレスをしなやかに揺らしながら、くるりとまわり、向きをかえる。いっせいにひるがえって踏み換える素足がひとそろいの軌跡を描き、砂をまいあげ、足跡をつける。

　男たちもいる。たくましい、あぶらでも塗ったようにてらてら光る肌をして。何人かが小さな弦楽器を掻き鳴らし、棒を打ち合わせたり、丸い壺のようなひょうたんを叩いたりして調子をとっている。甲高い小鳥のような声で歌い、詠唱している。ことばは聞き取れないが、楽しい明るい陽気な歌だったり、しみじみ悲しいせつない歌だったりするのはわかる。

　見ているうちに、聞いているうちに、眠ってしまったのだろうか。気がついたら、手足をつかんで運ばれていた。砂がよく乾いているほうに、そっとおろされる。

　冷たい水をのまされ、甘い果実をふくまされた。歓待されているとわかる。赤ん坊のようにあまやかしてもらって、すこし恥ずかしい。申し訳ない。女たちの腕や胸は骨なんてないみたいにやわらかで、いい匂いがする。ぐったりしたまま、誰かに抱き起こして抱きかかえてもらっていると、すごくあたたかくて、安心のあまりどこにもちからがはいらない。誰かの肌にぴったりくっついた耳が空中を通らない鼓動やたまに発せられる声のひびきを拾う。生きている誰かにからだをあずけている。ずさっ。ずさっ。搏動は重々しく規則正しい。ゆっくり繰り返しとまらない。けっしてとまらない。涙がひとすじ伝って流れる。

　女たちはかわるがわる踊る。踊りつづける。たゆたうように、流れるように。寄せては返す波のように。ときに男たちも混ざる。おおぜいがひとかたまりで、ひとつの生き物のように、ひとつの呼吸《いき》にのって、鼓動をあわせて。踏みしめ踏み替え揺れ戻る。右に左に、右に左に。こだまのこだま、引き波にかぶさる寄せ波、重ね、積み上げ、合わせ、繰り返す。吸って吐いて吸って吐いて、りきまず、とまらず、どこにも行かず、終わりのないひとつらなりのつながりにとけていく。

　髪で胸で耳の上で白い花飾りが揺れてはずむ。甘い魅惑的な香りがあたりにただよっている。踊りにあわせて、しゃらしゃらと音がする。花ではなかった。ずらりとつながれたたくさんの三角だ。つややつや美しい、宝石のような生命のかけら。貝殻だろうか？　いや、違う。まさか。あれは。

　女のひとりが三角のひとつをぷちりとはずして宙にかざす。あでやかに飛び立つ鳥のつばさのように掲げた自分の腕の内側のやわらかいところに、あてて、引く。すうっ、と、赤が流れる。したたる。女の肌が赤にまみれる。

　女たちは酔ったように笑いながら集まって血潮の泉を我先にもとめる。傷あとにくちづける。どの喉もくちびるも髪も背中も真っ赤に染まる。真っ赤な口が笑顔のかたちになる。赤い腕が風になり、波になり、花と咲き、祝福を舞う。

　ドレスが赤いのではなかった。

　血まみれだったのだ。

〈いやだ〉

　やめろ。こんなの見せるな

　――――ほっといてくれ！

　手に三角がある。いつの間にか握らされている。

　女たちは力強く高らかに詠唱する。歌う。踊る。誘う。彼を立たせ、踊らせる。首に腕をなげかけ、頬と頬をこすりあわせる。女たちの笑顔の真ん中で、歯が真っ白に輝く。

　痛い。痛い。そんなにこすったら痛いじゃないか。

〈サメの肌には楯鱗《じゅんりん》というウロコがあります。種類によっていろいろ違っていますが、いずれも一ミリより小さい電子顕微鏡サイズ、ふつうのサカナのと比べるとずいぶん小さくて頑丈なウロコです。なんと歯とほとんど同じものでできている。これが、水の摩擦抵抗を減らして高速推進を可能にしていますし、寄生生物をよせつけません。頭から尾に向けてはとてもすべすべですが、逆向きに撫でてみるとザラザラしています〉

　サメたちがむらがる。近づいて来る。歯しか見えない。歯の列。大きくあけた顎。

〈サメの歯は無限みたいにたくさんあるんだ。いくらでも生え替わるよ。もし取れてしまっても、すぐまた奥から次のが出てくる。だから、サメは歯医者さんには縁がないよ！〉

　赤がしたたる。赤がぶちまけられる。赤がさしだされる。

　いやだ。

　いやだ！

〈思い出したくないんだったら！〉

　月が、天の高いところで笑っている。

アプリ画面に割りこむ通知のように、事実が鼻先につきつけられる。忘れていたかったことが戻ってきた。理解が世界に足払いをかけ、彼をひっくりかえし、溺れさせる。

〈サメはサカナだけどおなかから子どもを生むことがある。そう、イクラとかタラコみたいなたまごじゃなくて、子どもなんだ。卵生、胎生、卵胎生。サメは人類よりもずっと古くからいる生き物で、いろんな進化をやってきた。ひとことでサメって言っても、うんとたくさん種類があって、それぞれぜんぜん違ってる。シロワニっていうやつなんか、母親の胎内でまずバトルロワイアルをやらかす。一度に孕《はら》まれた兄弟同士はおなかのなかでまず戦って、最強のやつだけが生き残る。ひとつの子宮から生まれてくるのは一匹だけ。あとぜんぶ、そいつの餌だ。つまり、生まれたときから勝者でサバイバーなんだ〉

ちびっこサメ博士の人気に浮かれて常軌を逸したのはむしろ母親で、特にぼくがテレビに出るのが嬉しくてしかたないようだった。母を喜ばせたい一心で、本も書いたし、サメ映画にも出た。いろんなサメと「ふれあう」ために、日本中の海にでかけ、水族館にいき、海外にも連れていってもらった。出張のたびになぜかしょっちゅう出くわす真っ黒サングラスでイタチ顔の男がいて、アテンドだかスタッフだか説明されたかもしれないけど興味なくて覚えてない、いま思えば母親とデキていた。最初はいろいろ教えてくれるひとだったのかもしれないけど、すぐにヒモになった。相手は次々に乗り換えられ、有名なほうへ、金持ちなほうへ、より権力のあるほうへ。良き妻良き主婦の平凡な人生がぶっ壊れたのはぼくのせいで、父は行方がわからなくなり、学校にも家にも居場所はなく、故郷にも帰れなくなって、じろじろ見てくる他人の目とかいつ爆発するかわかんないゴシップとか嫉妬とか裏切りとかお金とかだますとか利用するとか、頭がおかしくなるようなことが波になって重なって怒濤になって津波になって、押し流されて、ふたりである島にたどりついた。

あれから何年経ったのだろう。

母親が抱かれているところを見てしまったことがある。というか、わざと見せられたのだろう。溺れまいとするみたいにしがみついていた。たくましく、刺青だらけで、海藻のような髪の合間からにやりとふてぶてしく笑う男に。凶悪なぎざぎざの歯を持つ男に。

マノー・ヘレクー、直立して歩くサメ。あるいはカモホアリイ、サメに変身する神。

南太平洋にはサメを信じ奉じるひとびとがいて、そこでは人間よりサメのほうが上等なのだ。

母とあいつ、どちらがどちらの供物で贄なのやら。どちらが支配者で信徒なのか。

ともあれ母は神に選ばれて妻になり、日に日におおきくなるおなかの中では弟や妹が凄惨な殺し合いをしているのかもしれない。生まれ落ちて育ったら、やがては「皇位継承権」とか「跡目相続」とかをガチで争うことになるのだろうか。

だから、ぼくも鍛錬しておかないと。

神の妻の連れ子も、おかげさまでみんなにチヤホヤしてもらっていて、何不自由なく楽しく暮らさせてもらっている。なんでも欲しいものはくれるというから、まずＷｉ－Ｆｉの基地局をたててもらった。毎日ＳＮＳで誰かと喋ったり、ゲームをやったりしている。ひまつぶしをかねた戦いの訓練。ここは神聖なスピリチュアルな島だけれど、ご先祖や信仰のさまたげにならないかぎり文明の利器は拒まない。こんなとこからでも世界のどことでも直でつながる。島嶼《とうしょ》地域だから、モノの配達には余分な時間とコストがかかるけれど、なんでも買える。届けてもらえる。

挑戦してくるライバルがいたらぶっとばさないといけないのは、実生活もネット上も架空現実も同じこと。だいじなのは覚悟。そして気構え。

ぜったいに負けないこと。

まだ死んでない。ってことはサヴァイヴしてるってことで、生き残りレースで負けたことが一度もないわけで、ぼくはかなり強い。

ぼくにはペニスが二本ある。

生まれつき。

それが誰にも言えない秘密、サメに熱中したそもそもの原因。そして、遠い南洋の島でサメの神を信じるひとたちに問答無用みとめて尊重してもらえた理由。

なぜなら、

〈サメの雄には交尾のための交接器《クラスパー》が二本ある！〉

ものだから。

できれば、忘れていたい。

自分が勇者じゃなく、むしろ魔王（の予備軍？）だってことは。

波音とどろく砂浜は月の光でとても明るい。満月は大潮だ。流れは速まり、水は澄み、極小のものから巨大なものまで生き物たちが最高に活発になる。

こんな夜は浜に出て踊るしかない。潮風に吹かれて。たぎる血潮に浮かされて。こだわらず、惜しまず、なにも考えず、うたかたの生命のほとばしりのままに。いまここにいることを——生きてあることを、サヴァイヴを——、さあ、祝おうじゃないか。

魔物たちよ。

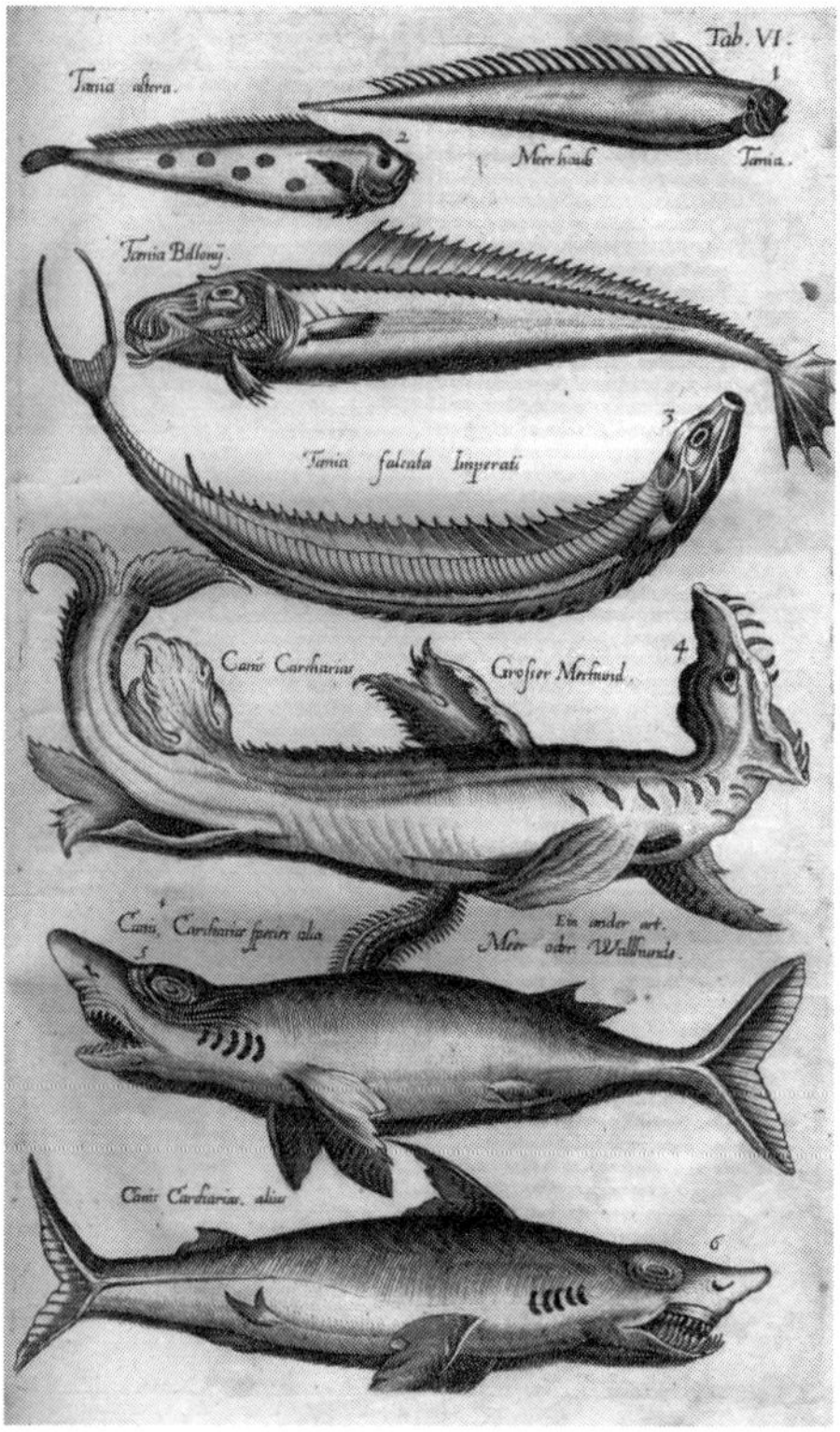

夜の魔翼

Wings in the Night

ロバート・E・ハワード
Robert E. Howard
植草昌実訳

一六世紀イングランドの清教徒ソロモン・ケインも、ハワードが創造したヒーローだ。長剣と短剣、さらに二挺のフリントロック式拳銃で武装したこの放浪者は、『ウィアード・テールズ』一九二八年八月号の「血まみれの影」以降、九編の物語に登場。ヨーロッパ諸国とアフリカ大陸で邪悪なものと闘った。WT三二年七月号掲載の本作は、アンソロジー『ウィアード・テールズ3』（国書刊行会）に「羽ばたく悪鬼」（今村哲也訳）として既訳がある。なお、J・R・ランズデール本人は明言していないようだが、『死人街道』のジエビダイア・メーサー牧師は、ケインに触発されたキャラクターだといわれている。

1　磔《はりつけ》の恐怖

奇妙な彫刻をほどこした杖に身をもたせかけたソロモン・ケインは、目の前に静かに広がる謎めいた眺めにとまどい、眉をひそめた。奴隷海岸から東に向かい、密林と川からなる迷宮に道を見失うこと幾月か、そのあいだに住む者もない廃村をいくつとなく見てきたが、ここまでの惨状を見るのは初めてだ。人手が入らず荒れ果てた畑地に陸稲《おかぼ》が茂るさまを見れば、飢饉《ききん》などなかったとわかる。アラブの奴隷商人も、このような名もなき地までは足を向けまい——草むす中に散らばる骨や、笑うように歯を剝き出した髑髏《どくろ》に陰鬱な目を向け、ここでは部族の争いがあったにちがいないと、彼は解した。人骨は折られ、砕かれ、空き家にはジャッカルやハイエナがこそこそ出入りしていた。それにしても、殺した連中は何も盗ってはいかなかったのか。うち捨てられた槍の柄は、白蟻に食われてぼろぼろだ。楯も雨風に晒《さら》され、朽ち果てていた。鍋釜も放り出されたままだし、叩き割られた頭蓋骨の下にのぞく、けばけばしい色に染めた小石や貝殻をつないだ首飾りは、そのまま頸椎骨を囲んでいる——この野蛮な地の征服者なら見過ごさないだろう。

どの小屋も奇妙なことに、草葺きの屋根が至るところで引き裂かれており、鉤爪のある生き物が上から入りこもうとしたかのようだった。だが、彼はそのあとに見たものが信じられず、当惑のあまり冷ややかな目を細めた。かつては村を囲む防壁だったらしい、崩れかけた土塀のすぐ外に、枝のない幹の高さは六十フィートはあり、太さは両腕を広げたくらいでは計れそうにないほどの、バオバブの巨木がそびえ立っていた。そのてっぺんの折れた枝に突き通され、ぶら下がっていたのは、一体の骸骨だった。未知なるものの冷たい手がケインの肩に触れた。あの哀れな死者はどうやってあの高い木に取り残されたのか。人間ではない、悪鬼か何かの巨大な手に放り投げられたとでもいうのか。

ケインは広い肩をすくめたが、その手は我知らず、二挺の拳銃の黒い銃把を、長剣の柄を、ベルトの短剣を確かめた。未知のものや名づけようのないものに対峙しても、彼は常人のように恐怖を覚えはしない。知らぬ土地を旅し、知らぬ獣たちと闘いつづけた歳月のうちに、頭脳も心も、鋼や鯨骨に比すべき頑強な体さえ、怖れることを忘れ果てていた。長身痩軀、荒野の生活を厭《いと》わぬこと狼のごとし。肩は広く、腕は長く、沈着冷静にして俊敏。生来の殺し屋にして天性の剣士だ。

その身なりは、密林の草木の刺《とげ》にひどく損なわれていた。着衣はいたるところ鉤裂きになり、羽根飾りのない鍔広の帽子はほころび、元は艶《つや》やかだったはずの馬革の長靴《ちょうか》は擦り傷だらけになっていた。胸元も四肢も赤銅色に灼けているが、世俗を断ったかのような顔にまでは日の光は届かないのか、肉は薄く青白く、ただ冷たく輝く目だけが生気を湛《たた》えていた。

ケインはあらためて村を見渡すと、ベルトを締め直し、盟友の呪術師、奴隷海岸のンロンガから授かった、握りに猫の頭を彫刻した杖を左手に摑むと、歩きはじめた。

西に向かえば、まばらな木立を下り、丈高く茂る草が波のようにそよぐサバンナに至る。その向こうにはまた、まばらな木立が帯のように見えるが、さらに先は鬱蒼としたジャングルだ。ケインは歯を尖らせた男たちに追われ、手負いの狼のようにジャングルから逃げてきた。何マイルも離れているはずなのに、荒々しい太鼓の音が、憎しみ、血を求め、腹をすかせた彼らの叫びとなり、密林も草原も越えて、今も聞こえてくる。

一昨日のことだというのに、間一髪の脱出と逃走の記憶は、まだ生々しかった。食人種の領域に知らず踏みこみ、午後いっぱい息の詰まるジャングルの中を、潜み、走り、隠れ、ときには引き返して、飽くことなく追いすがる人狩り人どもを欺きつつ夜を待ち、日が沈むや闇に紛れて草原を駆け抜けた。今日も昼近くなり、追っ手の気配は感じられないが、彼らが断念して引き返したという確証はない。草原に踏み出したときでさえ、間近に迫っていたのだから。

そこでケインは、目の前に広がる地を検分した。東を見れば、乾いた不毛の丘が南北に弧を描くように並び、南端では地平線に黒い峰をいくつも尖らせている。ネガリの黒い丘を、ケインは思い出した。今立っているところから丘までのあいだは、ゆるやかな起伏のある草原が広がり、木々はところどころに密集してはいるが、ジャングルと呼ぶほどではない。今いるのは、東は丘陵地帯、西はサバンナにつながる台地だ、とケインは察した。

ケインは疲れを知らぬ歩調で、丘に向かい大股に歩きだした。あの肌の黒い魔族どもはまだ追ってきているのだろうが、逃げるのもここまでにしたい。銃を撃ってやれば、そのときは怖れに飛び上がりもするだろうが、彼らが自分たちと同じように、未知のものを怖れるだけの知恵があるとも思えない。それに、海軍提督サー・フランシス・ドレイクに「デヴォンの剣王」と呼ばれたこのソロモン・ケインとて、一部族を相手の真っ向勝負とあっては、勝つ目算の立てようもない。

死者と謎のみを残し静まりかえった村は、彼の背後に遠く霞んでいった。不穏な静寂はこの台地をも占拠しており、巨木のあいだをコンゴウインコが声もあげずに飛ぶほかは、鳥の気配もなかった。聞こえるのは、猫ほどに静かなケインの足音と、風が遠くから運ぶ、囁くような太鼓の音ばかりだった。

だが、木々のあいだに見たものに、ケインは言語に絶する恐怖に襲われ、心臓が跳ね上がるのを感じた。彼はその〝恐怖〟の前に立ち尽くした。草木のないかなり急な斜面に立つ太い杭、そこに縛りつけられていたものは、かつては黒人の男だった。ケインはトルコの虜囚として鎖につながれガレー船を漕いだことも、バーバリーの葡萄園で苦役に甘んじたこともある。新大陸で赤い肌の原住民と闘い、スペインの地下牢では異端審問の拷問に堪えた。人間が同じ人間にどこまで残虐なことをなし得るか、そのおこないの惨《むご》さを身をもって知っていた彼ですら身震いし、吐き気を堪えた。その男は正視できないほどの傷を負っていたが、ケインが恐怖を覚えたのは、彼がそれでもまだ生きていたからだ。

近づくにつれ、血まみれの頭が傷だらけの肩のあいだを左右に揺れ、左右の耳のあったところから血が飛び散るのが見てとれ、切り裂かれた唇から獣が唸るように泣く声が聞こえた。

ケインが話しかけると、もはや人とは見えぬほどに切りさいなまれたそのものは、堪えきれぬと言わんばかりに叫び、身をよじった。神経が断たれているのか、首を激しく上下に振り、それでも声の主を目を見定めようとするように、空洞の眼窩を振り向けた。彼の声を耳にして低く唸り、首を振って杭から身を離そうと暴れるさまは、上空から来る何かを怖れているかのようだった。

「聞いてくれ」川岸に住む部族の方言で、ケインは言った。「怖れるな。私はきみを傷つけはしない。何ものにもこれ以上傷つけさせない。今、ほどくからな」

自分の言葉の虚しさを、ケインは苦々しく思った。だが、その声はこの黒人男の、今や痛みしか感じられないずたずたの脳髄に、わずかでも届いたようだった。折れた歯のあいだから、呆けたように涎《よだれ》を滴らせながら、切れ切れの声が答えた。旅のあいだに親しくなった川岸の部族に教わったものに近い言葉で、その瀕死の譫言《うわごと》をつないでケインが聞き取ったのは、彼は先の満月の夜にこの杭に縛りつけられ、人間でない邪悪なものにかくも無惨な目にあわされた、ということだった。そのものを男は「アカアナ」と呼んだようだが、ケインには聞き覚えがなかった。回らぬ舌が言うには、彼の両足をこの杭に固く縛ったのはそのものたちではなく、ゴルという名の神官だった——瀕死の男がその名を口にしたとき泣いたのに気づき、これだけの苦痛の只中で、その小さな苦しみを忘れずにいることに、ケインは驚いた。

神官が自分を縛るとき、実の弟が手伝った、と語ったとき、男が子供のように泣き、その虚ろな眼窩から血の涙が流れるのを見て、ケインは恐怖を覚えた。いつか狩りのあいだに槍を折ってしまった、などと譫言を言っているあいだに、ケインは縛《いまし》めを切り、彼の壊された体をそっと下ろした。だが、このイングランド人の慎重な扱いにもかかわらず、哀れな男は身をよじり、死にかけた犬のような声をあげた。深い傷口から新たに血が流れ出すのを見たケインは、その傷が槍や短剣ではなく、牙や鉤爪でつけられたものだと気づいた。ようやく、血まみれの身を柔らかい草の上に横たえると、苦しげに息をつく男の頭の下に帽子をあてがった。

　ケインは水筒の水を男の裂けた唇に含ませると、屈みこみ声をかけた。「その悪魔のことを教えてくれ。我が民の神に誓って、たとえ魔王が邪魔立てしようと、私はきみの苦しみに報いよう」

　この言葉が瀕死の男に伝わったかはわからない。だが、彼は何かを聞きつけたようだった。コンゴウインコがその種ならではの好奇心で、すぐそばの木立から飛んで頭上をかすめていった。その羽音に、男は身を起こし、ケインの耳から死ぬまで離れそうにない叫びをあげた。「翼が！　翼が！　やつらがまた来る！　ああああ、お助けを！　やつらが来る！」

　血をどっと吐いて、男は死んだ。

　ケインは立ち上がり、額の冷たい汗を拭った。午後の日差しが陽炎《かげろう》をあげ、木立を揺るがせていた。夢に見ているかのように、あたりは静まりかえっていた。物憂い目を、彼方に連なる黒い丘の禍々しい稜線から、果てしなく広がるサバンナへと戻した。この未知の大地に残る太古からの呪いは、ソロモン・ケインの心にまで影を落としていた。

　かつては若さと力に満ちていた男の、血に染まった亡骸を、彼はそっと抱き上げ、平たいところまで運ぶと、冷たくなった手足をできるだけ揃え、筆舌に尽くしがたい損壊に寒けを覚えながら、餌を求めてうろつくジャッカルに食い荒らされないよう、上に石を積んで探り当てられないようにした。

　埋葬を終えようとしたとき、彼はふと、陰鬱なもの思いから我に返った。かすかな音を聞いたか、あるいは狼さながらの警戒心ゆえにか。空き地の端の丈高い草むらが動き、醜怪な顔が現れたのが、離れていても見てとれた。低い鼻には象牙の輪をはめ、厚い唇からは削って尖らせた歯がのぞき、縮れた髪をいただいた狭い額の下には目が鈍く光っている。顔が隠れるや、ケインは木立に身を投じ、背後に潜んでいた戦士たちが雄叫びをあげて躍り出すのではないかと怖れつつ、木《こ》の間《ま》から木の間へと身を隠し、鹿を追う猟犬のように駆けた。

　だが、ほどなくして、やつらは狩りの獲物の跡を確実に追ってきてはいるが、それだけに早くはない、と気づいた。台地の森を早足で進み、ときどきに身を隠しているあいだ、追っ手の姿を見ることはなかった。背後から迫ってきているとしても、襲撃するときには姿を現さないわけにはいかない。狩られる狼でなくても気づくことだ。ケインは陽気さのかけらもない笑みを浮かべた。蛮族どもの筋肉がもつか、我が身が鋼の強靭さで逃げきるかの、根比べになるだろう。日が沈めば、夜陰に乗じてやつらを撒くこともできる。できなければ——アングロ・サクソンの血の奥底に流れる野生は、逃亡のうちにひりつくほどに鋭敏になり、やつらを寄せつけることもなさそうだが、それでも敵は多勢、こちらは一人だ。

　日は西に沈んだ。今朝方に干し肉の最後のひとかけらを呑みくだしたきりのケインは、空腹を覚えていた。しばしば見つかる水場で渇を癒やす間に、一度は木立の向こうに小屋の屋根が大きく見えたようにも思った。だが、そちらには近寄らないことにした。静まりかえった台地とはいえ居住者がいないとは思えないし、いるのは自分を追っているやつらと似たような獰猛な連中だと考えておいたほうがいい。歩を進めるほど荒れ地に踏みこみ、割れた岩の転がる急な斜面を下るうちに、陰鬱な丘の麓《ふもと》に着いた。そっと背後をうかがったが追っ手の影はなく、ただ草がなびき、枝がそよいで葉をざわつかせるばかりだった。用心深いにもほどがある。近づいて仕留めようとはしないのか。

　暗くなり、麓から登っていく長く暗い坂道の下に、ケインはさしかかった。ここまで来れば、いかにしつこい追っ手も着いてきてはいまい、と思いはしたが、言葉にしようのない厭《いや》な感じがして、そこから遠ざかった。草深い中に大蛇がとぐろを巻いて眠っているかのような、邪悪なものが潜んでいる気がしたのだ。

　闇はさらに深まった。暑さはやわらぎもせず、夜空には星が赤くまたたいていた。深い森の中でケインは足を止め、斜面の上の木々がまばらになっているあたりに、かすかに動く物音を聞いた——木の葉がそよぐほどの風もないというのに。振り向くやいなや、木立の下から駆け寄るものがあった。夜陰に乗じた影が一つ、獣じみた唸りをあげて斬りかかり、ケインが星明かりを受けた刃《やいば》のきらめきを目にするとともに、襲撃者は胸を接するばかりに間合いを詰めてきた。細いが屈強な腕で締めあげてくるばかりか、負けじと引き離せば尖らせた歯で咬みついてくる。ほつれたシャツが咬み裂かれたが、そのひょうしに相手がナイフを構えているのに気づき、不意討ちの恐怖を覚えつつ、ケインも短剣の鞘を払った。

　加勢が来ないのを訝《いぶか》りつつ、イングランド人は鉄の腕《かいな》の全力をこの闘いに振り向けた。闇の中で両者は組み打ち、刃の一閃を見舞う隙をうかがいあったが、白人が優位に立つにつれ、食人種は恐水病の犬のように吠え、爪を立て、歯を剥いた。もつれあい、木立の外に転がり出ると、象牙の鼻輪と自分の喉を狙う獣じみた歯が、星明かりに白く浮かぶのを、ケインは見た。彼は短剣の柄を握り、敵の黒い胸を刺し貫いた。夜気が戦士の悲鳴に揺れ、血臭に淀んだ。だが突如、翼の荒々しい一撃にケインは大地に打ち倒され、黒人は絶叫とともに彼の前から消えた。ケインは身を起こし、足を踏まえた。敗者の哀れな声が遠ざかっていく——上へと。

空に目を凝らすと、姿かたちのはっきりしない怖ろしい影が、星空を横切った——人間の手足と巨大な翼を具えたもののように見えたが、あまりに速く飛び去ったので、いったい何だったのかは、彼にはわからなかった。

悪い夢を見たのかとさえ思った。が、木立の下には彼が落とした呪術師の杖とともに、戦士が持っていた短い槍があった。さらに確かな証拠として、彼の短剣の刃は血に染まっていた。

翼だ！　ここには夜飛ぶものがいる！　木に掛けられた白骨。引き裂かれた屋根。剣でも槍でもないもので切りさいなまれ、「翼が！」と叫んで死んでいった男。この丘陵地帯には、人間を獲物とする巨大な鳥がいるのか。いや、鳥ならば、あの男を杭に縛りつけるのではなく、食っているだろう。それに、星空を覆ったあの影は、鳥のものではなかった。

当惑したケインは、肩をすくめるほかなかった。夜は静まりかえっていた。棲み処を遠く後にしてまで彼を追ってきた食人種どもは、今はどこに身を寄せているのか。仲間を襲った凶運に怖れをなして逃げ帰ったのか。彼は拳銃に目をやった。潜むのが食人種であれ、他の何ものであれ、今夜は丘に踏みこむ気はない。

たとえこの地の悪魔どもが総出で追ってきていようと、今は眠るときだ。夜に狩りをする肉食獣の咆哮を西に聞きつつ、ケインは斜面を下り、食人種と闘ったところからは離れた木立に身を隠した。大きな木に安全な高さまで登ると、自分の長身を支えられるほど太い二股の枝があった。その上は小枝が密で、飛んでくるものには急襲の妨げになるだろうし、蛮族どもが忍び寄ったとしても、猫ほどに眠りの浅い彼は、枝が揺れれば目を覚ます。大蛇や豹が相手ならば、すでに数限りなく闘ってきた。

ケインが見た夢は、切れ切れでぼんやりとしてはいたが、人類創世以前からの邪悪なものの気配があり、それは次第に形をなしてきた。彼は驚いて拳銃に手をやった——不意に目覚めたときはまず武器に手を置くのが、絶え間ない闘いのうちに身につけた習慣だった。得体の知れない奇怪なものが間近な枝にとまり、黄色く光る眼で彼をじっと見据えていた。痩せこけた体はひょろ長く歪《いびつ》で、あいだの狭い二つの眼のほかは、どこまでが体でどこからが影なのかはっきり見えない。魅入られたか、動きがとれずただじっとしていると、それは眼に躊躇のようなものを浮かべ、人間のような動きで離れるや、翼を大きく広げて宙に舞い上がり、影となって消えた。霧が晴れるように眠気が失せ、ケインは身を起こした。

　朧《おぼろ》な星明かりの下、ゴシック建築の内部のような枝のあいだには、彼一人いるばかりだった。すると、あれは夢だったのか――だが、あの人間とはかけ離れた邪悪な姿はたしかに見たし、獲物を求めて飛ぶ猛禽のような体臭さえ残っていた。ケインは耳をすました。風のため息、木の葉の囁き、ライオンの遠い咆哮――聞こえるのはそれくらいだ。彼はまた眠りについた――だが、樹上はるか、星空を背にして、翼あるものが旋回を続けていた。瀬死の狼を狙う禿鷲のように。

2　高空の戦闘

　ケインが目を覚ますと、朝日は東の丘を白々と照らしはじめていた。彼は木を下りながら、昨夜の悪夢がやけにはっきりしていたことを訝《いぶか》った。近くの泉で渇を癒やし、この台地には珍しい果実で飢えを満たした。

　そして、彼は丘に顔を向けた。ひとたび戦いが始まれば、ソロモン・ケインがみずから退くことはない。人の子に仇なす邪悪な敵が、目の届くところにいる。頭に血の昇ったデヴォンの洒落者が手袋を彼の顔に叩きつけたとき以来、この清教徒《ピューリタン》が闘いを避けたことはなかった。

　睡眠で疲労を回復した彼は、大股で足早に歩きだし、昨夜に闘いの場とした木立を過ぎ、木々がまばらになった丘の登り口まで来た。丘の上で足を止め、来たほうを眺め渡す。高みからは遠い村がよく見えた――竹を骨組に、土を固めて作った小屋が集まり、少し離れて小高くなったところに、とりわけ大きな一軒が建っていた。

　恐怖の翼が上空からケインを急襲した！　電流に撃たれたかのように、彼は瞬時に向きを変えた。昨夜の出来事から、有翼の怪物が狩りをするのは夜だと考えていた。だから日中の襲撃は予期していなかった――蝙蝠《こうもり》のような影が朝日の下、彼を目がけて急降下してくる。見上げれば巨大な翼のあいだに、人間じみた怖ろしい顔が眼を光らせていた。肉迫する標的にケインは拳銃を発砲し、怪物は宙で一転するや、そのまま足元の地面に墜落した。

まだ銃口から硝煙をたなびかせている拳銃を手に屈みこみ、ケインはそれを調べた。清教徒の目には、どう見ても地獄の窖《あなぐら》から飛び出してきた魔物だった。だが、鉛の弾丸《たま》で斃《たお》すことができた。ケインは当惑し、肩をすくめた。これまでに奇妙な経験はしつづけてきたが、このような怪物は見たことがない。

　人間よりもはるかに長身で、おそろしく痩せてはいるが、一見したところは人間に似ていた。髪のない頭は幅が狭く、奥行きが深い——捕食性の動物に特有の形だ。小さな耳は先が尖っていた。もはや光の失せた眼は細くつり上がり、黄色みを帯びていた。幅の狭い、尖った鼻は、猛禽の嘴のように先が曲がり、裂け目さながらに唇の薄い、大きな口は、断末魔にゆがんで狼のような牙を剝き、泡を噴いていた。

　だが、その体毛のない体を細見すると、やはりこの怪物は、人間とはかけ離れていた。肩は幅広く強健だが、首は細長い。腕は長く筋肉質で、親指が手首寄りにある掌は類人猿のものに似ている。どの指の先も厚く鋭い鉤爪を具えていた。胸の形は独特で、船の竜骨のように張り出した胸骨を肋骨が支えている。細長い脚はやはり屈強で、足は踵《かかと》を親指のように使い、手と同じく物が摑めるようになっていた。爪は鉤にはなっていないが、長かった。

　だが、この奇怪な生き物の、もっとも奇怪な特徴は、背中にあった。一対の巨大な翼だ。たたんだ形は蛾の羽根に似ているが、骨のあいだに皮を張った翼は、背筋の肩のあたりから生えて、腕の付け根から細い腰まで届いている。翼開長は十八フィートはありそうだ。

　怪物の死骸に手をかけ、鞣《なめ》し革のように固くなめらかな感触に嫌悪感を覚えながら、持ち上げようとした。六フィート半ほどの体は、同じ身長の人間の半分も重さがなかった。骨は鳥類に似た構造で、筋肉はほとんど腱なのにちがいない。

　ケインは一歩下がり、あらためて観察した。ゆうべの夢は、どうやら夢ではなかったようだ——この邪悪な怪物か、仲間がすぐそばまで来ていたのだ——そのとき、突然の羽ばたきとともに、怪物の体が宙に浮き上がった！　たじろぎながらも、このジャングルを飛ぶものの卑劣な策にはまったと、ケインは気づいた——驚きと探究心に警戒心が圧されていたのだ。今や有翼の悪鬼に喉笛を狙われ、拳銃を抜くいとまもない。目に映るのははためく翼と、人間もどきの面構えばかりになり、羽ばたきが身を打ち、鉤爪が胸板に食いこんだかと思うや、足が地面から離れ、宙に浮いた。

有翼人はイングランド人の脚に自分の脚を絡みつけ、牙のある万力のような鉤爪で彼の胸筋を締めつけた。狼さながらの牙を喉に近づけてきたが、ケインは左手で骨張った首を摑み、その奇怪な顔を遠ざけながら、右手で短剣の柄を探った。有翼人はゆっくりとだが上昇しつづけ、今や木々の梢よりも高くにいるとケインは見てとった。空の上で敵を斃しても墜落するだけで、生き延びる手だてはない。だが、アングロ・サクソンの戦士の荒ぶる気質で、死なば敵もろともと、彼は肚《はら》を括った。

鋭い牙を寄せつけず、ケインは短剣の鞘を払うや敵の胴を深々と突いた。半人半蝙蝠の怪物は身をよじり、耳障りな金切り声で締めつけられた喉を震わせた。激しくもがき、狂ったように羽ばたき、背をたわめ首をねじってケインを振り落とそうとしつつも、牙を立てようとした。片手が鉤爪をさらに胸筋に深く食いこませてくるのも、もう一方の鉤爪を振りまわして頭といわず胴といわず傷を負わせてくるのも、痛みと苦しみのせいか。だが、イングランド人は深手を負いながらも、ブルドッグもかくやのしぶとさで片手で首を絞めあげ、もう一方の手では短剣を怪物の胴中に何度も突き立てた。地上には、目も眩む高さでの激闘を怖れつつも見上げる人々がいた。

台地の外れまで飛ぶ頃には、蝙蝠人の力は尽きかけ、今やかろうじて自分と獲物の重さを支えるばかりだった。次第に降下しだしていたが、流れこんだ血と闘いの高揚で目の見えないケインが気づく由もなかった。頭皮は大きく裂けて垂れ下がり、胸にも肩にも深手を負った彼は血に盲《めし》い、心にはただ一つ、敵を殺すというブルドッグさながらの衝動しかなかった。やがて、翼は震えて羽ばたく力も失い、瀕死の怪物は木々の梢まで下降し、我が身に絡みついていた脚からも、胸に突き立てられた鉤爪からも力が抜けていき、斬りつけてきたもう一方の爪もいたずらに動くだけになるのが、ケインにはわかった。

残る力を振り絞り、血まみれの短剣で胸骨を刺し貫くと、怪物の全身が痙攣するように震えた。大きく広がっていた翼が窄《すぼ》まっていき、勝者も敗者もまっさかさまに落ちていった。

赤く揺らぐケインの視界を、波打つように迫り上がる木々の枝が覆った——枝は顔を打ち、衣服を裂いたが、怪物はまだ体から離れず、落下を止めようと枝を摑もうとしたが、手の中を木の葉がすり抜けていくばかりだった。頭が太い枝に激突し、底なしの闇が彼を包みこんだ。

3 影に棲む者たち

黒い玄武岩で造られた、巨大な夜の回廊を、ソロモン・ケインは千年も駆けつづけていた。真っ暗な頭上を、巨大な魔物どもが蝙蝠のものに似た翼を広げて旋回し、彼は吸血蝙蝠に追いつめられた鼠のように抵抗した。骨ばかりの顎が神をも畏れぬ言葉を吐き、恐るべき秘密を彼の耳に流しこんだ。暗がりに覚束ない足が、何度となく髑髏につまづいた。

熱に浮かされていたケインがふと我に返ると、最初に目に入ったのは、自分を見やる太った黒人の温和な顔だった。今いるのは広く風通しのよい、清潔な小屋の中で、外からは鍋の煮える音と、旨そうな料理の匂いがしてきた。ひどく空腹なことに彼は気づいた。そして、信じがたいほど衰弱していた。頭に延ばした手が包帯に触れるとともに、手の日焼けが薄れているのに気づいた。

太った男ともう一人、厳しい顔つきの長身の戦士が彼に屈みこんだ。太った男が言った。「気づいたようだぞ、クロバ。容態はよさそうだ」痩軀の戦士はうなずき、外に向かって何か呼びかけると、答える声がした。

「ここはどこだ」覚えている中では、今耳にした言葉にもっとも近いと思われる方言で、彼は尋ねた。「私はどれだけ眠っていたのか」

「ここはボゴンダの村外れです」太った男は女がするようにやさしく、彼の背中を支えた。「あなたは丘の斜面の木の下に、ひどい傷を負い、気を失って倒れていました。何日も譫言《うわごと》を言っておられた。さあ、おあがりなさい」

素早く小屋に入ってきた若い戦士の手には、食物を盛った木のボウルが湯気を立てており、ケインは受け取るや脇目もふらずに食べはじめた。

「豹のような御仁だの、クロバ」太った男は感に堪えぬと言わんばかりだった。「これほどの傷を負って生きのびるとは、千人に一人もいまい」

「まさに」戦士が答えた。「そればかりか、重い傷を受けながらアカアナを殺したのだ、ゴル」

ケインは自分を支える手を肘で払おうとした。「ゴルか?」彼は声を荒らげた。「貴様が村人を杭に縛りつけ、魔物の生贄にした神官か!」

太った男を絞め殺してやろうと懸命に立ち上がったが、衰弱ゆえに部屋が揺れて見えるほどひどくふらつき、彼は息を喘がせてへたりこみ、すぐに眠ってしまった。

ふたたび目覚めると、ナイエラという若い細身の女が彼のそばにいた。彼女に食事を与えられたケインは、体力が回復してきたのを感じ、いくつかのことを尋ねると、彼女は内気な様子だが的確に答えてくれた。このボゴンダの村は、族長クロバと神官ゴルが治めている。村人の誰一人として、白い人を見たことも聞いたこともなかった。意識を失ってここに運びこまれてからの日数をナイエラから聞き、ケインは驚いた。あの闘いは生き延びられるようなものではなかった。骨折していないことにも驚いたが、彼女によると、落ちるあいだに木の枝がたくさん折れ、地面に落ちたときはアカアナを下にしていたという。ナイエラに頼んでゴルを呼ぶと、太った神官はケインの武器を手にして部屋に入ってきた。

「あなたが倒れておられたところにありました」ゴルは言った。「火と煙を吐く武器に敗れたアカアナの下敷きになっていたものもあります。あなたは神かとも思う――が、神であれば血は流さず、死にかけることもなかろう。あなたは何者か?」

「神ではない」ケインは答えた。「肌の色が違うだけで、あなたと同じ人間だ。海のはるか彼方、崇高にしてどこよりも美しい地から来た。私の名はソロモン・ケイン、放浪者だ。あなたの名は死にかけた男から聞いていた。だが、あなたは人を殺すようには見えない」

神官は暗い目をしてうつむいた。

「人であれ神であれ、まずは静養なさるがよい」彼は言った。「遠からず、この古き地の古き呪いを話して進ぜましょう」

その後の数日のうちに、ケインは傷を癒やし、野獣さながらの体力を取り戻した。ゴルとクロバは時間を見ては、不思議な事柄を彼に語って聞かせた。

彼らの部族はもともとこの台地に住んでいたのではなく、百五十年ほど昔に移住し、かつて住んでいた土地の名ボゴンダをここにつけた。元のボゴンダはここよりはるか南の大河のほとりにあり、彼らの部族は大きな勢力をもっていた。だが、部族間の争いに敗れ、内乱が起きる前に移住することを選んだ。ゴルの先祖にあたる神官は、伝説に従って移住を指揮したが、一千マイルの大移動はジャングルや沼地を越え、そのあいだ敵との闘いが引きも切らぬ、過酷なものだった。

獰猛な食人種の居住域を抜け、別の部族の攻撃を受けそうにないところまで来た――だが、そこは後《のち》の世代に至っても逃れることのできない、罠のような土地だった。そこは恐るべきアカアナの領土であり、この台地の外れまで逃れた自分たちをなぜ食人種たちが嘲笑ったのか、先祖たちはようやく知った、とゴルは言った。

　ボゴンダの民は、この地は土が肥沃で水も豊富、狩りの獲物も多いと知った。山羊ばかりでなく、何種類もの野豚もいた。はじめのうちは人々は豚を捕って食べていたが、のちにしかるべき理由で避けるようになった。台地とジャングルのあいだには、羚羊《れいよう》や水牛が群をなしていたし、ライオンも多く棲息していた。その数は、咆哮が台地にまで届くほどだったが、ボゴンダの名はかれらの言葉で「ライオンを狩る者」を意味し、ほどなくしてかの大型の猫は、この地での覇者の座を譲ることになった。だが、真に怖れなければならないのはライオンではなかったと、ゴルの先祖たちはすぐに知ることになった。

　食人種がサバンナを越えて来ることはないと知ったかれらは、長い移動をここで止め、上ボゴンダと下ボゴンダの二つの村を作った。今、ケインがいるのが上ボゴンダで、下ボゴンダは先に立ち寄った廃村だった。だが、ここが血に染まった鉤爪と牙が支配する悪夢の地であることに、かれらは気づいた。夜ごとに巨大な翼の羽ばたきを耳にし、群をなして夜空の星を横切り、月明かりを遮《さえぎ》る影を見た。子供たちがいなくなり、狩りをしに丘に登った若者が、夜になっても帰らなかった。白々と夜が明ける頃、引き裂かれ食い荒らされた死体が、空から村の通りに投げ落とされ、はるかな高みから悪鬼さながらの笑い声が轟いてきたので、外に出てきた人々は震えあがった。このときが、ボゴンダの民を見舞う恐怖のはじまりだった。

　当初、有翼人たちは肌の黒い人々を怖れていた。だから洞窟に隠れ、夜にだけ飛ぶようにしていた。だが、かれらは次第に大胆になっていった。白昼、戦士がかれらに矢を射かけたことがあった。だが、怪物は自分たちが人間を殺せることに気づいていた。射落とされたものの断末魔の悲鳴を聞いた仲間たちが空を埋め尽くし、戦士は村人たちの目の前でずたずたに引き裂かれた。

　ボゴンダ族は悪鬼の土地を離れる準備を始め、百人の戦士に丘を登らせ、安全な道を探させた。かれらは断崖に行きあたり、懸命の努力でよじ登って、蜂の巣のようにいくつもある洞窟を見つけた。そこは有翼人の棲みかだった。

　かくて最初の闘いが始まり、怪物の一方的な勝利に終わった。戦士たちの弓矢や槍も、飛行する悪鬼どもの鉤爪の前には無力で、丘に登った百人のうち、一人として生還した者はいなかった。かれらは最後の一人を捕らえ、上の村から矢を射て届くほど近くまで空を運ぶと、墜死させたのだ。

丘を生きて越えることはできない、と悟ったボゴンダの民は、闘いながらでも来た道をたどり帰ろうと決めた。だが、草原に待ち受ける食人種の軍勢と終日闘いつづけ、結局は敗れて戻ることとなった。激闘のあいだ、上空を怖ろしい影が群をなして旋回し、人間が殺しあうのを見下ろしては歓喜の笑い声をあげていた、とゴルは語った。

この二度の闘いを生き延びた者たちは、痛手に堪えながら、運命をただ受け入れるという素朴な哲学を受け入れた。子供を含めた千五百人ほどの生存者は、小屋を建て畑を耕し、頭上に影を落とす悪夢に無関心で生活していくことにしたのだ。

その時代には有翼人も多くおり、その気になればボゴンダの民を殲滅《せんめつ》することもできたことだろう。さらに、人間よりも強い相手に闘いを挑む無謀な戦士はおらず、鷹のごとき攻撃をしては反撃しようのない高みに舞い上がるアカアナには、いかに勇猛な戦士であれ勝ち目はなかった。闘いに弓矢を用いなかったのか、とケインは尋ねた。素早く正確な射手でなければ空を飛ぶアカアナに抗することはできず、敵の強靭な皮膚を貫くには矢を直角に当てなくてはならない、とゴルは答えた。この地では弓矢は狩りに使うもので、鏃《やじり》も多くは尖った石の切片や削った骨、たまに鉄のものがあっても銅ほどの硬度しかないことを、ケインは思い出した。百年戦争でのアジャンクールやポワティエの戦いに思いを馳せ、イングランドの強健な長弓隊が、あるいはマスケット銃を装備した兵士の一団がいさえすれば、と考え、気が沈んだ。

だが、アカアナは村人を皆殺しにする気はなさそうだ、とゴルは言った。かれらが捕食するのはおもに台地に棲む小型の野豚であり、若い山羊を食うこともある。羚羊を狩りにサバンナに飛ぶこともあるが、開けたところは得意でなく、ライオンを怖れてもいるらしい。また、翼が広げられないので、木が密生しているジャングルは避けているという。かれらは行動範囲を台地と丘に限っている——そして、丘の向こうに何があるか、ボゴンダには知る者がいない、と。

アカアナたちはボゴンダの民が台地に住むのを許したが、それは狩りの獲物を野に、漁する魚を湖に棲ませておくようなものだった——かれらの楽しみのためだ。蝙蝠人は独特の、怖ろしいユーモアのセンスを持っていて、人間が苦痛に悲鳴をあげるのが面白いようだ、とゴルは言った。そのため、かれらの嬲《なぶ》り殺しにあう者の、心凍てつく悲鳴が、暗い丘陵からしばしば響いてきた。

村人たちがかれらを主人と見なし抵抗をしなくなってからは、アカアナは長年のあいだ、たまに赤子を攫ったり、道に迷った少女や、村境の壁の外で夜明かしをする若者を食い殺すくらいで満足しているようだった、とゴルは言った。村には警戒しており、上空を旋回することはあっても、中に入ろうとはしなかった。最近までは、そのように村は安全だった。

　アカアナはやがて滅びるだろう、とゴルは言った。ボゴンダのほうが生き残る、と希望を抱いた時期もあった。だが、もしそれが現実になっても、次はジャングルを越えて攻めこんできた食人種に、鍋で煮て食われることだろう。アカアナは今や百五十もいまい、と彼は考えていた。戦士を集めて討伐に行き、魔物どもを根絶しようとは考えないのか、とケインが尋ねると、ゴルは苦笑を浮かべて、闘いでは蝙蝠人が上手《うわて》だ、と繰り返した。ボゴンダの人口も今や四百ほどで、西の食人種から守ってくれるのは蝙蝠人だけなのだ、と彼は言い加えた。

　この三十年ほどで、村人は弱くなってしまった、とゴルは言った。アカアナは数を減らしているが、残虐さは増す一方だ。かれらは村人を丘の洞窟に連れ去り、苛んだ末に食うばかりか、狩りに出た者たちやバナナ畑で働く者たちを急襲するようになり、夜ごとに丘のほうから、すさまじい悲鳴と獣人の血も凍るような笑い声が聞こえ、村人たちは怯えるばかりになった。姿を消した者の引きちぎられた手足や、血まみれの首が上空から村に投げこまれたり、かれらのおぞましい饗宴を星明かりに見たりすることもあった。

　やがて旱魃《かんばつ》が、そして飢饉が来た、とゴルは言った。泉は干上がり、陸稲もヤムイモもバナナも枯れはてた。ヌーや鹿や水牛といった、ボゴンダで食肉にしていた獣たちは、水を求めてジャングルへと移動し、台地からはいなくなった。飢えたライオンは人間への警戒を忘れ、村に近づくようになった。村人の多くが死に、生き残った者たちは、蝙蝠人の獲物として手をつけなかった野豚を捕って食うようになった。野豚は減りはじめ、アカアナは怒った。飢饉のあいだに、ボゴンダの民とライオンとが、台地の山羊を一頭残らず食い、野豚を半減させた。

　飢饉が去っても、余波は長引いた。台地に群をなしていた草食獣たちは、すっかり影をひそめて、狩りに出てわずかな生き残りを目にはしても、捕まえられなかった。ボゴンダの民は野豚を食い、その結果としてアカアナに食われることになった。地獄のような状況に、ついに下ボゴンダの百五十人あまりが叛乱を起こした。度重なる暴虐に堪えかね、支配者アカアナに抵抗を始めたのだ。子供を攫おうと村に降りたった蝙蝠人は、全身に矢を受けて死んだ。村人たちは小屋に立てこもり、来たるべき運命に備え待機した。

その夜のことだった、とゴルは言った。アカアナは村への警戒を解いた。群をなして丘から舞い降りてきた怪物の鬨《とき》の声と、下の村の人々の叫びを聞きつけ、上ボゴンダの住民はみな目を覚ました。だが、怖れのあまり身動きもできず、咆哮と悲鳴が静まるのを、冷や汗をかきながら待つほかなかった。ゴルは額の汗を拭って続けた。ひとたび静まったかと思いきや、蝙蝠人が肉を食《は》み骨を齧る音と、嘲笑うような声が、夜明け近くまで続いた。

明け方、上ボゴンダの人々は、魔物の一団が腹を満たした禿鷲のようにゆっくりと、丘に向かって飛んでいくのを見た。かれらが去ったあと、おそるおそる下の村に踏みこんだ者たちは、その惨状を目にするや悲鳴をあげて逃げ帰った。そのとき以来、もはやもの言う者ひとりいない村に、弓の三射が届く距離より近づく者はいなくなった、とゴルは言った。ケインは暗い目でうなずいた。

その日以来、上の村の人々も恐怖の訪れを怯えて暮らすようになり、ついには絶望のあまり、みずから残虐なふるまいに及ぶようになった。くじ引きをして、不運を引き当てた者はアカアナへの服従を示すために、下の村とのあいだに立てた杭に縛りつけられることになった。そうすれば、上ボゴンダの民は、下の村の縁者たちを見舞った惨事を免《まぬか》れることができるかもしれない、と考えたのだ。ゴルによるとその取り決めは、昔アカアナを崇めていた食人種が、月ごとに生贄を一人、かれらに捧げてきたことに倣っている、が、自分たちがアカアナを殺せると知って以来、食人種は崇拝をやめた。いかに強大であれ、いかに無慈悲であれ、死ぬものは崇拝に値しないとかれらは考えたのだ、とゴルは説明した。

かつては有翼の魔物を静めるため、希にしたことではあったが、この頃には生贄を捧げるのは習慣になっていた。必要とされていたのだ。アカアナが求めれば、減りゆく村人の中から、健康な若者が男女問わず、磔《はりつけ》にされた。必要とされたこととはいえ、言語に絶する行いを語るゴルの顔に悲哀の色を見てとり、この神官が言うことには嘘偽りない、とケインは知った。人間がかくして徐々に、しかし確実に、怪物の餌となり果てていくことに、身震いを抑えられなかった。

自分が出会った哀れな男のことを伝えると、温和な目に苦悩の影を浮かべて、ゴルはただうなずいた。アカアナどもは時間をかけてあの男を痛めつけ、苦しめ、その血肉を喰らって欲求を満たしたのだ。生贄という言葉には収めようのない残虐行為で、村は滅亡への時間稼ぎをしている。飢饉が過ぎたあと、野豚はアカアナが食うに足りるだけ台地に増え、かれらも時に子豚を攫うくらいだというのに、それでも月に一人、人間の犠牲を求めているのだ。

　ケインはふとひらめいた。

「食人種がこの台地には来ることはないのか」

　ゴルはかぶりを振った。ジャングルにいれば安全な食人族は、わざわざサバンナまで出てきはしない、と。

「だが、やつらは私を追って丘の麓まで来た」

　ゴルはまたもかぶりを振った。追ってきた食人種は一人だけだった。ゴルたちは足跡を見ていた。向こう見ずな戦士がただ一人、ケインを追うのに傾注するあまり台地への怖れを忘れ、結局は報いを受けたのだ。ケインは悪態を噛み殺した。たった一人が相手とは知らずに、ひたすら逃げつづけていたのか。敵は慎重に後を追い、日が沈み襲撃の時が来るのを待っていた。だが、とケインは問うた。アカアナはなぜ彼でなく、食人種を攫っていったのか。そして、夜のあいだに樹上の、彼の眠る枝まで来たのに、なぜ何もしなかったのか。

　食人種の戦士が攫われたのは、出血していたからだ、とゴルは答えた。禿鷲ほどにも嗅覚の鋭敏な蝙蝠人は、血の臭いを嗅ぎつけたのだ。そして、かれらは警戒心がきわめて強い。ケインのように、自分たちを怖れない者には出会ったことがなかったのだろう。だから、襲撃にかかる前に観察していたにちがいない。

　あの怪物どもはいったい何ものなのだ、とケインは重ねて問うた。ゴルは肩をすくめた。蝙蝠人は先祖たちがこの地に来たときはすでにいたが、それ以前には言い伝えにもなかった。食人種とも接することがなかったので、かれらを通して知ることもなかった。アカアナは獣のように、衣服を身に着けることもなく、洞窟に棲んでいる。火を使うことを知らず、肉は生で食う。だが、かれらのあいだには言語があり、王もいる。飢饉のあいだに強いものが弱いものを食い、数は大きく減った。かれらもまた滅びつつある。雌や子供の姿は久しく見かけない。残っている雄がみな死んでしまえば、アカアナはいなくなる。だが、その頃にはボゴンダも同様の運命をたどっているだろう。もっとも――と言いかけ、ゴルはもの言いたげな目をケインに向けた。だが、かの清教徒は思いに沈んでいた。

　放浪の旅のあいだに耳にした数かぎりない伝承の中から、一つが浮かんできた。かなり昔、年老いた呪術師から聞いたものだ。翼のある魔物どもが北から飛んできて、彼の土地の上空を、ジャングルが鬱蒼と広がる南に消えていった、と。かの魔物についての、古い古い伝説がある、と呪術師は言った。かつて、ここより何カ月も北をめざして、ようやくたどり着ける遠い地の、鹹《しおから》い水を湛えた大きな湖のほとりに、かれらは大勢で暮らしていたが、昔のさらに昔に、ある族長が戦士たちを率い、弓と矢でもって魔物の多くを滅ぼし、残ったものたちを南へ追いやった。族長の名はンヤスンナで、多くの櫂を具えて湖を渡る大きな船を持っていた、と。

それを聞いたとき、時間と空間を隔てていた扉が開き、一陣の風が吹きこんだかのようにケインは感じ、寒気《さむけ》さえ覚えた。年月を経て形を変えたこの伝説と、より古い伝説が合致し、いずれも真実であると知ったのだ。大きな湖は地中海であり、族長ンヤスンナは神話の英雄イアソンであり、彼が打ち負かし追いやった妖鳥ハルピュイアは、ストロファデス諸島だけでなくアフリカにも逃げのびた、ということか。老呪術師の語ったことが真実であるなら、と考えるや、この異郷で豁然と開けた驚くべき可能性に、ケインは目も眩む思いがした。ハルピュイアの存在が伝説でないのであれば、ほかのものはどうだ——ヒュドラやケンタウルスや、キメラやメドゥーサ、パンやサテュロスは？　これらを語った伝説は遠い過去のものだ——だが、その陰には、悪夢めいた真実が邪悪な牙と爪を剝き出しているのではないか。いや、「暗黒大陸」と呼ばれるアフリカは、いまだ魔術や呪術が横行し、恐怖が影を落とす土地なのだ。西洋文明の光に放逐された邪悪なものどもが、ここに息づいているのだ！

ケインは我に返った。ゴルが彼の腕にそっと手をかけたからだ。

「我らをアカアナからお守りください」ゴルが言った。「あなたは神ではないだろうが、神から授けられた力をお持ちだ。お手にある呪術師の杖は、すでに滅び去った王国の王笏《おうしゃく》であり、徳高い神官の職杖でもあります。炎と煙を吐き死をもたらす武器もお持ちだ。村の若い者たちは、あなたがアカアナを二頭も斃したのを見ております。お望みであれば、あなたをこの地の王とし、神として崇めましょう。あなたがこのボゴンダに来てから、月の満ち欠けは一度ではありませんが、私たちは生贄を出すこともなく、あの呪わしい杭は今や誰も磔《はりつけ》にしておりません。アカアナはあなたを怖れ、村に近づこうとしないのです。赤子が攫われることもありません。あなたの力で、私たちは軛《くびき》から解き放たれるのです」

ケインは両手でこめかみを押さえた。「自分が何を言っているか、わかっているのか？」彼は大声をあげた。「たしかに、この地に踏みこみ邪悪なるものと闘ったのも、まぎれもない神の思し召しだが、私は神ではない。拳銃で魔物の二、三頭も射落とせようが、火薬も残りわずかだ。火薬と弾丸がふんだんにあって、吸血鬼が巣くう〈死霊の丘〉で使ったマスケット銃も手元にあるなら、やつらを狩ることもできようが。だが、もしやつらを全滅させられたとしても、食人種はどうするのだ?」

「かれらもあなたを怖れている」族長のクロバが、ケインの世話をしていたナイエラと、次に生贄とされたはずの少年ロガを伴い、部屋に入ってきた。三人とも、真摯な目をケインに向けていた。ケインは頬杖をつき、ため息をついた。

「村人を守るためだけに、私は生涯、このボゴンダに足止めを食わされそうだな」

かくしてソロモン・ケインは、魔翼が影を落とす村ボゴンダに腰を落ち着けることとなった。村人たちはみな親切だったが、影の下の生活が長いせいで、快活で楽しみを欠かさない気質は抑圧され、つねに悲しげに沈んでいた。白い人の来訪はかれらの心情に転機をもたらしたが、ケインへの信頼ぶりは痛々しいほどで、彼の気を重くした。かれらはバナナ畑での作業のあいだ唄を歌ったり、夜には焚火を囲んで踊ったりするようになり、ケインに向ける目には、信頼というよりはむしろ崇拝に近いものが浮かんでいた。そんな目を向けられるたびに、有翼の悪鬼どもが空から急襲してきたときには役に立ちそうにない、無力な我が身を彼は恨んだ。

だからといって、彼がボゴンダを後にすることはなかった。懐かしきデヴォンの崖の上に広がる青い空と、その空高く風を翼に受けて飛ぶ鷗《かもめ》を夢に見ても、ボゴンダを越えた先にある未踏の地が呼ぶ声が高まってきても。彼はとどまり、村を守る計画に頭を絞った。心が折れそうなときは、何時間も呪術師の杖を見つめ、魔術に助けを求めようとさえ思った。だが、ンロンガに授けられた杖も彼を救いそうにはなかった。奴隷海岸の魔道士を相手取ったときには、ンロンガは空間を隔てても力を貸してくれた——だが、彼の助力が得られるのは、敵が超自然の存在のときだけだ。ハルピュイアの末裔は自然の存在だった。

ひらめきが一つ、ケインの胸中で輝きを増しはじめたが、彼はそれに目を向けようとはしなかった。大がかりな罠を仕掛ける——だが、どうすればアカアナを罠にかけられるのか。ライオンの咆哮が、ケインの沈思黙考に伴奏をつけるかのように遠くから響いた。台地に住む人間が減り、狩人の槍だけを怖れていた獣が増えはじめたのだ。ケインは苦笑した。彼が仕留めようとしているのは、ライオンではない。

　村から少し離れて、元は寄り合い所だっただけにやや大きな、ゴルの小屋があった。そこにはさまざまな呪物があったが、彼は分厚い両の手を広げて、どれも悪霊を退ける力をもつが、生きて骨肉を具えた敵には役にたたない、と言った。

4　ソロモン狂乱す

　ケインの眠りは突然に妨げられた。恐怖に駆られた叫びがあちこちで響きわたったのだ。小屋の外では夜陰の中、人々が無造作に殺されていた。いつものように武器を身につけたまま眠っていた。そのまま立ち上がって外に出ると、足元でくぐもった声がして、何かが彼の膝にすがろうとした。かすかな火明かりに、それがロガだと見てとった。少年の体は無惨にも引き裂かれて血まみれになり、顔からはすでに生気が失せていた。夜気を揺るがすのは悲鳴だけでなく、咆哮と飛膜《ひまく》の羽ばたき、草葺き屋根を引き裂く音と、人のものではない笑い声だった。死者の手を払いのけ、消えかけた焚火に駆け寄った。惑乱し逃げまどう人影に向かい、星明かりを翳らせて翼の影が襲いかかるのが、朧に見えた。

　燃え木を拾い、小屋の草葺き屋根に投げあげた――すぐさま広がった炎に照らしだされた光景に、彼は驚きのあまり身を竦めた。災厄がボゴンダを血に染め、唸りをあげていた。有翼の怪物が叫びながら飛び交い、逃げまどう村人たちの頭上を旋回し、屋根を破っては中にいた者が悲鳴をあげるのもかまわず、摑みあげていた。

　イングランド人は叫びを嚙み殺し、恐怖にすくむ身を鞭打って、赤い目を光らせて自分に向かい舞い降りてきた影に発砲した。頭を射貫かれて、それは路上に落ちた。彼は腹の底から鬨の声をあげると、戦乱の渦中に踏みこんでいった。異教徒サクソン人の先祖たちがみなしてきたように、怒りと高揚に身をまかせて。

　長年の服従に慣れてしまっていたボゴンダの民は、急襲に驚きうろたえるばかりで、力を合わせた抵抗などできようもなく、ほとんどが屠所の羊さながらに殺されていった。自暴自棄のうちに反撃の弓を引く者たちもいたが、放たれた矢はほぼ外れ、槍の一突き、斧の一撃も加えられないほど敏捷な怪物が相手では、狙いが確かでもせいぜい翼をかすめるくらいなものだった。かれらは空に飛び上がるだけで攻撃を躱すと、舞い降りて背後から敵を捕まえ、地面に叩きつけてから、牙で咬み殺し、爪で切り裂いた。

　返り血を浴びたクロバが、もはや動かぬ怪物の首を踏みつけ、小屋の壁を背に立っているのを、ケインは見た。族長は憔悴した顔を強ばらせたまま、自分を取り囲んで耳障りな声をあげる五、六頭の魔物を、手にした戦斧《せんぶ》で次々と薙ぎ倒していた。助太刀せんと足を向けようとするや、彼の耳はかすかな啼泣をとらえた。血にぬかるんだ路上に倒れたナイエラが力なくもがき、その上には一頭の蝙蝠人が、屍に降りた禿鷲のように屈みこみ、背の肉を引き裂いていた。今にも光の消えそうな彼女の目が、イングランド人に懇願した。ケインは悪態をつき、至近距離で発砲した。魔物は耳障りな叫びとともに後ろざまに吹き飛び、断末魔に翼を震わせた。ケインが屈みこみ抱き上げると、ナイエラは彼の手に唇で触れ、涙を落とした。その目が閉じた。

　ケインは少女の亡骸をそっと横たえると、クロバの姿を捜した。彼がいたところには怪物どもが群をなし、何かを引き裂きあい、奪いあっていた。ケインは逆上した。地獄まで届く大音声で叫ぶや、敵を仕留めんばかりの勢いで立ち上がった。そのまま長剣の切っ先で禿鷲もどきの喉を一撃した。怪物の末期の苦悶には目もくれずに剣を抜くや、怒れる清教徒は次の獲物を求め、駆けた。

　ボゴンダの村は阿鼻叫喚のさなかにあった。虚しく抗う者がいれば、鷹に追われる兎のように逃げまどう者もいた。小屋に逃げこんだ者を追う怪物は、屋根を裂き扉を破った。中で何が起きたかをケインが目にしなかったのは幸いと言えようか。恐怖に惑乱した白い人には、すべてが自分の引き起こしたことに思えた。黒い人々は彼に守ってもらえるものと信じていた。だから怖ろしい支配者たちに生贄を捧げるのをやめた。その代償はあまりに大きく、ケインにもかれらを救うことができない。たくさんの苦痛に淀む目が凝視する中、ケインは止めどなく苦杯を喫した。彼の心に満ちているのは、怒りでも恐怖でも、報復でもなかった。痛みを覚えるほどの自責であり、恥辱であった。かれらが神と信じた者に、かれらを救う力はなかったのだ。

　虐殺の巷をさまようケインを魔物たちは避け、より弱い獲物を狙った。だが、ただ避けられているわけでもなかった。燃えてもいないのに赤い靄の立ちこめる小屋に、彼は恐怖の光景を見た。異郷でハルピュイアと呼ばれたものが狼じみた牙で屠《ほふ》っている剝き出しの肉塊は、捕まるまでは人間の女だったはずだ。ケインが一躍して斬りかかると、蝙蝠人は悲鳴をあげつづける餌食を投げだし、羽ばたいた。ケインも長剣を捨て、血に飢えた豹のように飛びかかると、魔物の喉を摑み、両脚で万力のようにその胴を締めあげた。

ふたたび高空に連れ去られるかと思いきや、浮かんだのはせいぜい小屋の屋根までだった。怖れているのは冷血きわまりない魔物のほうだった。すでに闘う気はなく、声もあげずに身を押さえつけ、自分を殺そうとしているものを引き離したい一心になっていた。全身を激しく振るい、叫び声をあげ、翼を相手に打ちつけたが、ケインの短剣を胴中深く受けるや揺らぎ、頭を下に墜落した。

小屋の屋根を突き破り、ケインと瀕死の魔物は一塊となって床に落ちた。外から燃える火に浮かんでケインの目に映った光景は、またも頭脳を惑乱させるほど怖ろしいものだった。血を滴らせる牙を嚙みあわせる顎。赤い肉塊になってもまだ苦痛に震えている犠牲者。怒りに正気を失ったまま、翼で打たず鉤爪で摑みかからなくなるまで、怪物の喉に指を食いこませ、手を緩めるとその首は骨が折れたか、ぐにゃりと曲がった。

外では血まみれの狂宴が続いていた。ケインは身につけた武器を手探りで確かめるや立ち上がり、小屋を飛び出した。足元で蝙蝠人が一頭、羽ばたいた。手を伸ばした先の斧を摑むや頭に一撃をくらわすと、水瓶を割るように脳髄がはね飛んだ。転がる死体をいくつも飛び越え、全身に負った傷から血を滴らせたケインは足を止め、前後不覚のなか、憤激の叫びをあげた。

蝙蝠人は中空にとどまっていた。自分たち以上に怖ろしい、激怒に駆られ物狂いとなった白い肌の男を相手取ろうとは思っていないのだ。だがもちろん、獲れるものは獲っていく。貪欲な鉤爪は、苦痛に泣き叫び身悶えするものを捕らえていた。血まみれの斧を手にしたケインは一人、死骸に埋め尽くされた村に取り残されていた。

彼は顔を上げ、空の魔物たちに向け、憎しみを叩きつけんばかりに叫んだ。ねばつく滴が雨のように彼の顔に降りかかり、暗い空には苦痛の叫びと怪物の笑い声が響きわたった。夜空を満たす忌まわしい咀嚼の音と、星空から降り注ぐ血の雨に、わずかに残っていた彼の正気も失せた。彼は一人、喚《おめ》き、吼え、呪った。

齧り痕のある骨や、肉を剝がされ笑みを浮かべるだけの頭蓋骨が転がる中を、ケインは斧で虚しく空《くう》を斬り、頭上高くで嘲笑っては、狂った彼の目に血の雨を降らす夜の魔翼の一群に、譫言とも呪詛ともつかぬ言葉を吐きつづけていた。その姿は、もはや人間ではなかった。

5　白い肌の覇者

蒼ざめた曙光が黒い丘から昇り、かつてはボゴンダと呼ばれていた血まみれの廃村を照らしだした。小屋は焼け落ちて煙を上げている一軒を除いては、みな残っているようだったが、どの草葺き屋根も破られていた。いたるところに人骨が、肉を残したものも交えて散らばり、中には途方もなく高いところから投げ落とされ、砕けた骨もあった。

この死の領域に一人、生きている者がいた。血まみれの斧を杖がわりに、狂気を帯びた目でその惨状を見据える、ソロモン・ケインその人だった。胸といわず肩といわず、顔までもが傷だらけで、流れた血は今は泥のように固まっていたが、その傷を気にとめる様子もなかった。

ボゴンダの民は死を甘んじて受けたわけではなかった。人骨が散らばる中に、蝙蝠人の死骸が十七体あった。うち六体はケインの手にかかったものだ。残りは、死を目前にした村人たちの、最後の抵抗の成果だった。だが、自分たちの命の対価としては、あまりにわずかな数だった。上ボゴンダの四百あまりの村人のうち、生き残った者は誰一人いなかった。生き延びた怪物たちは、腹を満たして去っていった――黒い丘の洞窟へと。

機械のような足取りで、ケインはゆっくりと、自分の武器を拾い集めた。長剣、短剣、拳銃が二挺、そして呪術師の杖。彼は村を後にし、坂道を登ってゴルの家に向かった。たどり着くや、彼は新たな恐怖に立ちすくんだ。魔物どもはここでも、おぞましい悪ふざけをしていった。切断されたゴルの首が、扉の上からこちらを見ていたのだ。生前ふっくらとしていた頬はたるみ、唇は呆けたように閉じることなく、目を大きく見開いたさまは傷ついた子供のようだった。ケインはその目に不信と非難を見たように思った。

彼は死の村を見やり、ゴルの死に顔に目を戻した。固く握った両の拳を頭上高く上げ、目に怒りの火を宿し、口から泡を飛ばして、天の彼方から地の隅々までを呪った。冷たく光る星々を、照りつける太陽を、嘲る月を、囁く風を呪った。あらゆる運命を呪い、彼が愛したものすべてと、彼が憎んだあらゆるものを呪い、海の底に沈む沈黙の都市を呪い、過ぎ去った時代と来たるべき未来を呪った。口にしうるもっとも汚い言葉で、人間をほしいままに弄ぶ神々と悪魔どもを呪い、無知なままに生き、無知なままに神々に踏みにじられる人間を呪った。

息が続かなくなってようやく、ケインは言葉を切った。サバンナのほうから低く響くライオンの咆哮を耳にしたとき、彼の目は策謀のひらめきを帯びた。凍てついたように立ち尽くしたまま、狂気じみた命がけの計画を組み立てた。神を呪う言葉はもう口からは出なかった。神々は人間を弄ぶために作ったのかもしれないが、ほかの生き物にはないものも授けていた。策を弄する頭脳だ。

「時は至った」ソロモン・ケインはゴルの首に語りかけた。「あなたは日に曝《さら》されて干からびも、冷たい夜露に萎《しぼ》みもしよう。だが、私はまだ借りを返していない。あなたを殺したものどもの最期を見せてやりたい。そうとも、私は村人たちを守れなかった。だから、私の部族の神に従い、復讐を遂げる。みなは闇と恐怖の化身、翼ある魔物に狩られ、慰みものにも餌食にもされた。だが、邪悪なるものには滅びが訪れるのだ、ゴルよ――それをあなたに見せよう」

　それからというもの、ケインは毎日、夜明け前から作業を始め、日没後も月の光が差し、疲れはてて眠りこむまで続けた。食事のあいだも手を休めず、怪我をしても手当もせず、自然に治るにまかせた。低地に下りて長く強い竹を切り、山積みにした。木の太い枝も切り、綱のかわりにするため蔓も集めた。これらの素材を使い、彼はゴルの小屋の屋根と壁を補強した。壁沿いに竹を並べて深く地中に打ちこみ、籠を編むように組み合わせて、強くしなやかな蔓で固く結わえた。長い枝で屋根を葺き、同じように結びあわせた。作業のあとには、小屋の壁は象でも破れないほどになっていた。

　台地のライオンが数を増し、そのぶん野豚は目に見えて減っていた。ケインはライオンから逃れた野豚を仕留めては、ジャッカルに食わせた。根のやさしいケインは、いたずらに獣の命をとることに気がとがめ、狩るたびに心が沈んだ。だが、これも計画の一環であると我が身に言い聞かせ、非情であるよう務めた。

　数週間が過ぎた。ケインは昼も夜も作業を続け、干からびて縮んでいるが目だけは不思議なことに光を帯び、生きているかのようにさえ見えるゴルの首に語りかけつづけた。今に至るまでの狂気に駆られた日々も、悪い夢だったかのように薄らぎかけてきた。だが、ケインはゴルの首が彼の言葉を聞きつけ、乾き果てた唇で答えるのを耳にしたように思った。

　遠い空でアカアナどもが旋回しているのを目にするようになった。かれらは近づいてこようとはしなかったが、ケインは眠る間も拳銃を手放さなかった。魔物たちは硝煙と銃声が死をもたらすことを知り、怖れていた。村を襲撃した夜に飽食し、獲物を洞窟に持ち帰りもしたからだろう、かれらはしばらくのあいだは、のろのろと飛ぶばかりだった。だが、数週間の後《のち》には目に見えて痩せこけ、餌を求めて遠くまで飛ぶようになった。そのさまを見たケインは狂ったように笑った。考えついたときは机上の空論だった作戦が、ハルピュイアどもが餌にする人間がひとりもいなくなった今なら、実行に移せる。人間どころか、野豚さえいない今なら。この台地には蝙蝠人の腹を満たすものはない。かれらが丘を越えて東に行こうとはしない理由を、ケインはわかったような気がした。西側と同じようにジャングルが広がっているのだ。かれらが羚羊を捜して草原の上空を飛ぶのも、ライオンに仕留められるのも目にした。アカアナは捕食者の中では弱いほうで、かれらが猛威を振るうのは、相手が野豚や鹿――そして、人間のときばかりなのだ。

とうとう、アカアナたちは夜にケインのいるあたりまで飛んでくるようになり、夜陰に貪婪な眼の光が見えるほど近づいてきた。ケインは次の行動に移った。大きく荒々しいので蝙蝠人が狙うことのない水牛が何頭か、もう耕作されることのないボゴンダの農地に入りこんでいた。ケインはその一頭を群から引き離し、大きな声をあげたり石を投げたりして、ゴルの小屋へと追い立てた。退屈だが危険きわまりない作業で、不機嫌な牛の突進から身を躱《かわ》すことも一度ならずあったが、苦労の甲斐あって小屋の前まで来させると、射殺した。

強い西風が吹く中、ケインは屠《ほふ》った牛の血を手で受けては、丘のハルピュイアどもが嗅ぎつけるようにと、空に投げあげた。牛を解体し、まず四肢を小屋に運びこむと、ばかでかい胴体もなんとか引きずりこんだ。そして木立に身を潜め、待った。

長く待つことはなかった。朝の空気が突然、羽ばたきの音に揺らぎ、忌むべき一群がゴルの小屋の前に降り立った。人もどきの獣たちは一頭残らず集まってきたようだ。この奇怪な長身の生き物が、決して人間ではないのだが、人間に似たところが多いのを見てとり、ケインは驚いた。その姿は悪魔そのものだった。翼をたたんださまは外套を肩にかけているように見え、かれらは人間には出すことのできない耳障りな声で、言葉を交わしあっているようだった。やはりかれらは人間ではないのだ、とケインは思った。造物主の悪ふざけでこの地上に生を受けたもの――天地創造以降、初期の実験段階で作られた生命の戯画だ。あるいは人と獣のありえざる交合から生まれたものだ。もしくは生命進化の枝分かれの先、行き止まりに現れた異形の種だ――古代の哲学者たちが唱えた「人間とはひときわ高度に発達した獣である」という異端の学説には一抹の真実があると、ケインは以前から考えていた。造物主が昔、奇妙な獣たちを作っていたとしたら、怪物じみた人間のようなものを思いついたとしても、不思議ではなかろう。ケインの知る「人間」なるものが、この地上を最初に歩いた生き物ではないのは確かだし、最後でもないだろう。

　ハルピュイアどもは建物を忌避する習性ゆえに、すぐには中に入ろうとしなかったが、何頭かが屋根に飛び乗り、草葺き屋根を引きちぎりはじめた。だが、ケインは屋根を堅固に作っていた。あきらめた怪物たちは地面に降り、血の臭いと隙間から見える肉に我慢ができなくなったか、まず一頭が小屋に入りこんだ。他のものたちが中になだれこんだのはその直後で、かれらはすぐに肉を引き裂き、むさぼり食いはじめた。最後の一頭が中に入ったのを見届けると、ケインは手を伸ばし、扉を支えている留め具につないだ蔓を引いた。扉は音を立てて閉じ、仕掛けどおりに閂《かんぬき》が下りた。野生の雄牛が体当たりしても開くことはないだろう。

　ケインは隠れ場所から出ると、空を眺め渡した。百四十頭ほどいるはずのハルピュイアは、みな小屋に閉じこめられたようだ。空には羽ばたくものはなく、一頭残らず罠にかけた、と彼は確信した。陰鬱な笑みを浮かべ、ケインは燧石《ひうちいし》で小屋の脇に山と積んだ枯葉に火をつけた。異変に気づいたのか、小屋の中から怪物の不安げな声が漏れ聞こえた。細い煙がたなびいたかと思う間もなく、火が赤く燃え上がった。落葉の山は一瞬のうちに一塊の炎となり、乾いた竹を炙《あぶ》りだした。

　火は壁を這い、すぐに広がった。煙の臭いに気づいた魔物どもが騒ぎだした。かれらが鳴く声と、壁を爪で掻きむしる音を、ケインは聞いた。彼は嬉しくもなさそうな、暗い笑みを浮かべた。風向きが変わり、煽られた炎は壁を昇って屋根に移った――炎は小屋全体を包み、唸りをあげた。中からは焦熱地獄さながらの悲鳴が聞こえてきた。体当たりする音もしたが、壁は揺れはしても破れなかった。かれらの絶叫はケインの胸には音楽のように響き、彼は小屋に向かって拳銃を構えながら、叫びに応えるように大声で笑った。叫びは耐えがたいまでに高まり、炎の唸りさえ霞むほどになった。炎がさらに猛り、煙が立ち昇るにつれ、聞こえるのは弱々しい悲鳴と、苦しげな喘ぎに変わっていった。肉の焼ける堪えがたい臭気が立ちこめた。ケインが狂乱の中、勝利に酔っていなかったら、それが人間の肉を焼いたときにのみ漂う、言葉にしがたい悪臭であると気づき、身震いを抑えられなくなったにちがいない。

濛々たる煙の中、燃える屋根から何かが現れるや、炎を上げる翼を力なくはためかせ、苦しげに宙に舞い上がった。ケインは落ち着いて拳銃の狙いを定め、撃った。焼け焦げた怪物が炎の中に落ちるや、壁が内側に崩れていった。干からびたゴルの顔が大きく口を開き、炎の音をかき消さんばかりに高らかに笑いながら、煙の中に消えていくのを、ケインは見た。だがそれは、狂気と炎が見せた幻だったのかもしれない。


ケインは片手に呪術師の杖を、もう一方の手に拳銃を持ち、燃え落ちた廃墟に立っていた。はるかな昔に一人の英雄が、半人半獣の怪物をヨーロッパから駆逐した。今、彼がその末裔を最後の一頭まで滅ぼした。その場に立ち尽くすケインは、さながら覇者の像であった。黒い肌の民はいにしえの魔物に滅ぼされ、古い王国はここに消え去った。ここに残るは、白い肌の蛮族の、冷たい目をした戦士ただ一人。身に着けたものが狼の皮と角のある兜であれ、長靴《ちょうか》と刺子の胴衣《ダブレット》であれ、手にした武器が戦斧でも長剣でも、その剛勇が変わることはない。そして、彼の生まれがドーリアでもサクソンでもイングランドでも、その名がイアソンであれヘンギストであれ、ソロモン・ケインであれ、その武勲は比類ない。

朝の空に立ち昇る煙を見上げるケインの耳に、台地に獲物を狩るライオンの咆哮が響いた。朝日に霧が晴れていくように、彼に正気が戻ってきた。

「この無人の暗い台地をも、神は朝日で照らしたもう」

沈んだ声で彼はつぶやいた。「荒れ果てた地を悪が統べても、その悪は必ず滅ぶ。この辺境の地にも朝が訪れ、夜の闇は消えていく。神よ、なぜこのようなことをなさったのか、その御心を教えてください。悪の道に踏み入った私を、あなたは罰するどころか、傷を負わすこともなく、悪の力を滅ぼすよう導かれた。無辜の民の頭上を魔の翼が覆い、かれらは身も心も邪悪なるものの餌食となりました。いつか悪の影は消え失せ、魔王がおのが領地、地獄で永劫の縛につく日が来るでしょう。神よ、その日まで人は、望むと望まざるとにかかわらず、おのが勇気のみを頼りに、あなたの御加護なくしては勝ち得ない戦いに挑まなくてはならないのです」

ソロモン・ケインは静まりかえった丘を見上げ、その彼方から自分を呼ぶ声を聞いたように思った。そしてベルトを締め直すと、杖をしっかりと握り、東に向かって歩きだした。

The Bible and Bullets　聖書と銃弾

飢えた雪

The Hungry Snow

ジョー・R・ランズデール
Joe R. Lansdale
植草昌実 訳

神を憎みながらも、与えられた使命として悪を滅ぼす二挺拳銃の牧師、『死人街道』のジェビダイア・メーサーは、ランズデールが創造したヒーローたちの中でも、ひときわ記憶に深く残る一人だ。同書序文で「私はまたいつか、牧師の新たな冒険を書くかもしれない」と言ったとおり、彼は二〇一四年には怪奇西部小説《ウィアード・ウエスト》のアンソロジー Dead Man's Hand に"The Red-headed Dead"を書き下ろしている。牧師はその後、また読者への音信を絶っていたが、昨二一年、ホラー専門の小出版社 Death's head Press から小冊子で出版された本作で帰ってきた。変わらぬその銃捌きをお楽しみください。

パルプ・フィクションの君主、
ロバート・E・ハワードの思い出に

血に染まった雪。氷の砕ける音。身を切る風。
思い出せるのはそれだけだ。
いや、あいつがいた。

馬に乗ったジェビダイア・メーサー牧師は、荷物を背負わせた騾馬《らば》ともども、吹雪の中にいた。神は――彼が仕える理不尽な独裁者は、泥まじりの雪と氷を世界いっぱいに詰めこんで、不機嫌な子供のように振りまわしていた。

風がようやく止み、牧師はあたりを見渡した。ロッキー山脈のどこかを、ずいぶん高くまで登ってきた。目に映る峰はみな白く覆われ、足を進める山道は狭い。視界がはっきりしているあいだは、山越えもたいしたことがないような気がしたが、道が危なげに曲がった先で雪がまた激しさを増し、牧師は騾馬の手綱を握って岩壁に引き寄せた。右手のほんの二、三フィート先は崖で、雪をかぶった木々の枝の向こうは、はるか下の岩にぶち当たるまでは、何もない。

　牧師は騾馬の手綱をかたく握り、曲がった山道を歩かせようとした。瞬時に風が向きを変え、雪を吹きはらった。道の先に、曇りガラス越しに見た燐寸《マッチ》の火のように、赤いものがぼんやりと見えた。大きな洞窟があり、中で火が焚かれていた。火を囲んで身を寄せあう人たちがいた。風が雪を吹きつけ、視界を覆ったので、ほんの一瞬しか見えなかったが。

　物音がしたかと思うや、小石が、続いて岩が、さらに氷の塊が落ちてきて、彼は騾馬の手綱を握り直したが、それは掌に火傷《やけど》を残してすり抜けていった。

　騾馬は山道から滑り落ち、消えた。手綱がすり抜けたのはほんの一瞬のことで、そのあとは何もなかった。落下したのではなく、何かに攫《さら》われたかのように。

　ロッキー越えに必要なものを運ぶため、ウェスト神父が貸してくれた騾馬だった。今は荷物ともども崖の下だ。嘶《いなな》き一つ残さずに。

　牧師は足を止め、馬の手綱を放して先に行かせた。両手を自由にして、岩に手掛かりを探り、摑むために。体をこれ以上できないほど岩壁にぴったり寄せた。体が収まるほどの窪みがあっても、休めば凍死を待つばかりだ。

　あの洞窟で火に当たらせてもらうことだけを考えた。それがかなえば、馬とともに吹雪をやり過ごせられるだろう。

　吹雪の中で山道を進むのは、目が見えずに針に糸を通すようなものだったが、足を進めるにつれ、雪の中にふたたび火明かりが赤く見えた。冷たい風が雪を吹きつけるなか、焚火《たきび》は点滅するように見えた。

　重い足を前に進めるうちに、焚火ばかりか洞窟の入口が、そして、中にいる者が見えてきた。男が二人立って、牧師が近づくのを見ていた。髭面の男が火のそばにうずくまっていた。そのそばで、毛布をまとい寄り添って座る二人は、女と少年だった。

　牧師は洞窟の入口で立ち止まった。火の中で薪《たきぎ》が、落花生の殻を割るような音を立てて燃えている。

「食いものはあるか」立っていた男の一人が言った。大男だが、野牛革の分厚いコートのせいで、さらに大きく見える。履き口に兎の毛皮をつけたブーツと、これも分厚い、革の帽子を身につけていた。コートの前は閉めていない。裏地はチェックの毛布だった。片手は拳銃の銃把にかかっていた。扱いやすいよう手を加えた四四口径のようだ。男はわずかに身を屈めた。この男が何をするつもりなのか、牧師は見てとった。

もう一人は小柄で細身だった。痩せているうえに顔色が白すぎて、地図の道筋を青鉛筆でたどったように、顔に青い血管が透けて見えるほどだった。相棒と同じような革のコートを着ているが、こちらのほうはさほど厚くはなく、着古して黒ずみ、あちこち染みが浮いていた。斜めにかぶった黒い帽子には穴があいていた。銃把に置いた手を離し、だらりと脇に下ろした。

「あんた、食いものを持ってんだろ」痩せた小男は言った。「俺たちは、着ているもののほかはそっくり、煮て食っちまった。足や荷運びのための馬や騾馬も、農園で増やすはずだった豚や鶏も。畑に蒔く種もな。蕪《かぶ》や豌豆《えんどう》や南瓜《かぼちゃ》まで」

「あたしたちのものだったのに」女が言った。

「そりゃそうだが」小男が言った。「食わなかったら、みなとうに死んでたさ」

牧師は一同に注意深く目を向けた。この二人のように威嚇してこない相手のほうが警戒を要すると、経験から知っていた。三人目の、髭面の男は、いちばん年嵩《としかさ》だった。垂れ下がるほど鍔《つば》の広い帽子をかぶり、鼬の毛皮のコートを着ていた。コートの下で拳銃を構えているのかもしれない。男は牧師に顔を向けた。顔じゅうを覆う髭《ひげ》は歳月だけでなく、雪と氷でも白くなっていた。

女はフードつきのコートを着ていた。フードからこぼれた髪は、炭鉱の奥の闇ほどにも黒かった。巣穴から外をうかがう獣のような目つきで、女は牧師を見た。か弱そうに見える顔だちだが、その黒い眼には強い意志がみなぎっていた。

少年は十二、三歳だろう。女と同じ黒い髪だった。他の者たちと同じように、寒気のせいで唇が割れ、血が滲んでいた。髪と眼の色から、この二人は親子だろうと牧師は察した。

「食いものを持っていないかね」火のそばから、髭面の男が言った。

「正直に言おう。荷物を負わせた騾馬が道を踏み外して、翼を失ったイカロスよろしく墜落してしまった」

「なんの話だ」野牛革のコートを着た大男が言った。

「たとえ話さ」痩せた小男が言った。「宣教師はよくするものだし、聖書だってたとえ話ばかりだ。もっとも、イカロスが誰なのか、俺は知らないがね」

「ありのままを話しただけだ」牧師は言った。「騾馬が崖から落ちてしまった」

「簡単に言えばいいじゃねえか」と言う大男を、牧師は胸のうちで〈野牛革〉と呼んだ。もう一人は〈痩せ〉。焚火のそばにいるのは〈髭面〉で、あとの二人は〈女〉と〈子供〉か。名前は知らないでいたほうがいいときもある。こんな状況だ、食料にも名前があったなどと思い出すようなことはあってほしくない。

「友好的な提案からさせてもらおう」牧師は言った。彼は〈髭面〉に目を向けた。「拳銃から手を離せ。二度は言わない。離さなければ敵意があると見て、頭を撃つ。一度じゃない、二度な」

しばらく牧師を見つめていた〈髭面〉の顔から、見る間に気力が失せていった。立ち上がり、手を上げた。拳銃はコートの下に隠れた。

「あんた、いったい何者だ？」〈野牛革〉が言った。

「〈牧師〉と呼んでもらおう。馬の名はビルだ」

「牧師様だとよ」〈痩せ〉が言った。「あんたが賭博師《ばくちうち》だったら、カードで暇つぶしもできるんだがな」

「生憎《あいにく》だったな」牧師が言った。

許しを乞おうともせず、牧師は焚火をまわってビルを通し、洞窟の中に入れた。火の暖かみが奥まで行き渡っており、天井は高く、広さも奥行きもあった。居心地は悪くはない。

鞍に結わえておいた綱でビルをつないだ。そして、警戒するように先客たちに目を向けた。

牧師は黒いダスターコートの前を開き、黒革のホルスターに収めた象牙の銃把の二挺拳銃が見えるようにした。外の寒気ほど張りつめた空気の中、無用な争いが起きるのを避けるためだ。

自慢の拳銃だ。手に入れてさほどたってはいないが、前の持ち主の銃職人は、これはワイルド・ビル・ヒコックが最後に持っていた一対で、彼の魂が宿っている、と言った。その銃捌《さば》きを覚えている、と。そして、銀の弾丸しか装填してはならない、とも。牧師はこの一対に気を惹かれた。そして、自分のものにした。

ワイルド・ビル・ヒコック最後の愛銃というのは、売値を上乗せするための法螺《ほら》だろうが、拳銃そのものが気に入ったのだから、銃職人が言うことの真偽は気にはしなかった。手に取ったとき、奇妙な感覚を覚えた。撃ったこともないのに、銃が引き金を引いてほしがっているような気がしたのだ。腕には自信があるが、試し撃ちをしたときには、さらに腕が上がったようにさえ思った。

屈み込んで馬に足縄をかけたとき、頼もしいことに、薪が山をなしているのが見えた。黒焦げの骨も一山あった。馬の骨だけではなかった。折れた大腿骨や、子供が開けて小銭を出した豚の貯金箱のように、頭頂部を割られた頭蓋骨は、人間のものだった。

牧師は気にもとめなかった。鞍に括りつけた、厚い革の袋からランタンを出した。それを洞窟の壁際に置いた。必要になるまで点灯はしない。月も星もない夜に明かりがいるが、焚火の明かりでは頼りない、というときまで、灯油を減らしたくはなかった。ランタンは何度か、聖水で洗ってある。聖職者の祝福を受けた水だ。自分ではない。彼は祝福できるような者ではないのだ。

馬から馬衣と鞍を外し、ランタンの脇に置いた。鞍頭にかけておいた馬櫛で、ビルの毛を梳いた。一同は、人のようにふるまう熊を見るかのような好奇の目を、牧師に向けていた。彼はサドルバッグを取り上げ、肩にかけると、焚火に歩み寄った。

「食べものはないの」女が言った。

牧師は答えた。「少しある」

彼は膨らんだサドルバッグの一方に手を入れると、蠟紙の包みを取り出し、中から干し肉を出した。一人に一切れずつ配った。みな火を囲んでうずくまり、食べた。牧師も自分のぶんを一切れ取ると、残りを丁寧に包み、しまった。

一同は彼を見つめていた。警戒されているのか、干し肉では足りず、彼まで食おうとしているのか。奥の骨を見て、かれらがすでに食人で命をつないだことはわかっているが、仲間が死んでしまったから食べたのか、食べるために殺したのかまでは、わからない。確かなのは、自分が食われるのは御免こうむる、ということだけだ。

船乗りだった老人から、三人の仲間と南の楽園のような孤島に漂着した話を聞いたことがある。その島では魚がまったく獲れなかった。自生する葉野菜や果実、たまに獲れる蟹で飢えをしのいでいたが、生き存《ながら》えるにはとても足りなかった。死んでいった仲間を、残った者たちは生で食った。腹を割いて内臓を取り出し、肉は細かく切って食った。肉は固かったが味はよく、おかげで生き延びられて感謝している、と老人は言った。

とうとう生き残ったのが二人だけになったとき、彼も仲間も相手が先に死ぬのを望み、互いから目を離さなくなった。死にそうな様子を見せたら楽にしてやろうと思った、と彼は言った。相手が歩くコーンブレッドに見えるほど飢えていたのだ、と。

幸いにも、二人は船に救助された。ほんの一時、ロビンソン・クルーソーよろしく有名になったが、その後、仲間に会うことはなかった。海に出はしなかったが、波止場で働いた。年老いて、共に生き延びた男が死んだという知らせを受けるまで、あの島で何があったかを口にすることはなかった。自分一人になったと知って、ようやく話したのだ。

「今でもな」と老人は言った。「あのときの肉が食いたくなるんだ。ものを食って、あれほど旨いと思ったことは、後にも先にもないからな。もちろん、飢えていたからだとは、わかってはいるが」

　牧師はこの話を忘れることができなかった。その老人を訪ねたのは、彼を殺さなければならなかったからだが、それは正義の執行であり、食人とは関係なかった。

「ここに足止めされて、どれだけになる?」牧師は尋ねた。

「もうわからなくなってしまった」女が言った。「ずいぶん長いというだけ」

　年嵩の男が言った。「私たちは西部を目指して、山を越える途中だった。近道をとるつもりで、迷ってしまった」

「私も同じだ」牧師は言った。

「山道から抜けられなくなって、ひと月はさまよった」女が言った。「はじめのうちは、食料はたくさんあった。馬たちの餌も。でも、尽きてしまった。食べられるものを懸命に探した。男の人たちは獣を獲った。木の皮を剝いで食べもした」

「木の皮はそんなに悪くなかったよ」少年が言った。

「ひどいもんさ」野牛革のコートの大男が言った。「馬糞から残った麦粒を選《よ》りだして食うくらいだった。それでも食えた。ところで、あんたみたいな身なりのよい牧師さんが、毛づやのいい馬に乗って、なんでまたこんなところに来たんだ?」

「谷から出られなくなったが、そのときはまだ危険は感じなかった。狩りの獲物もいて、雪もまださほど降ってはいなかった。出られたのはついこのあいだだが、すぐに谷を出るのではなかったと思った。通り過ぎた吹雪が復讐するかのように帰ってきた。もとの道を行けば安全だとはわかっていたが、旅程が何日か短くできる近道があると聞いた。天候がよければ教わったとおりに行けたのだろう。谷を出たのが早すぎ、さらに道を間違えて、ここに着いたわけだ」

「俺たちと同じだな」〈野牛革〉が言った。「ここにいたほうがましだ。この悪天候じゃ、洞窟にこもっているほかない。問題は、もう食うものがないことだ」

「それが正しい判断だろう」牧師は言った。「雪が止み、氷が少し解けたら、私は来た道をたどってみるつもりだ。ほかに道もないだろう。北風をまともにくらうし、肉屋の包丁の刃を歩くような道筋だしな」

「だが、吹雪はもう何週間も止まないし、まだ何ヵ月続くかもわからん」〈野牛革〉が言った。「ここに来て、日が差すのを見たのは一度だけさ。忘れもしない、糞《くそ》を放《ひ》りに洞窟を出て、屈んで用をすませたとき、銃弾《たま》で撃たれたみたいに日差しをまともにくらった。ほんの二、三分だったが、あんまりあったかくて、俺は泣いたよ。こなれそこなってまだ食えるものが出てきていないか、自分の出したものを見た。種を見つけたような気がした。だが、日が翳って風が強くなり、俺の糞も雪の下さ。お日様を拝んだのは、それっきりだ」

「レディの前でする話じゃないぞ」〈髭面〉が言った。

「今はレディも何もあったもんじゃない」〈野牛革〉が言った。「俺たちはみな同じ、死にぞこないだ」

　誰も言葉を返さなかった。空に夜が這い寄り、太陽を押しやりはじめた。旅人たちは、わが身が追いやられていくかのような顔で、暮れていく空を見上げていた。

「たしかに、ここにいれば寒くはない」牧師は言った。

「洞窟のそばの木を何本か切り倒して、薪にしてある」〈髭面〉が言った。「だが、もう切る木もない。薪を使いきってしまったら、この寒さだ、私たちは持ちこたえられない。それに、ここで火を囲んでいるのには、ほかにも理由がある」

「その理由というのは？」牧師が言った。

「あいつよ」女が言った。

　氷の割れる音が夜気に響いた。みな洞窟の外に目を向けた。

「外にいる。近づいてくる」彼女は言った。「でも、あいつは火を怖れる。だから焚火で入口を塞いでいなくてはならない。毎晩ね。だから薪が減っていく」

　彼らが焚火を洞窟の入口に広げ、火の障壁を作るのを、牧師も手伝った。〈髭面〉と〈痩せ〉が洞窟の奥から薪を運び、燃える火に加えた。

　作業が終わると、〈髭面〉は焚火のそばに座り、暗くなった外に目を向けた。「あいつは昼間のあいだは来ないが、夜になるとかならず来る。私たちと一緒で、あいつも飢えているんだ」

　風が鳴った。洞窟の前で雪が渦を巻いた。牧師は臭いに気づいた。覚えのある、邪悪なものの臭いだ。普通の人間ならば気づきもしない臭気。これまでに彼が闘ってきた、吸血鬼や人狼や、歩く死骸や、時間の果てから来た怪物と同じ臭いに、鳥肌が立った。

〈髭面〉が言った。「薪は保って明日《あす》か、明後日《あさって》までだ。ジェーンが言ったように、あいつは火を嫌うが、夜には力を得る。だから近づいてくる」

「ジェーン」彼女の名を知ったので、牧師は話しかけた。「あいつのことを教えてくれないか」

「話したら、わたしたちはそろって頭がおかしい、と思うかもしれない。でも、みんな本当のことよ」彼女は言った。

「奇怪なことはこれまでも目にしてきた」牧師は言った。「それが私の仕事のようなものだ」

「なら」ジェーンが言った。「わたしたちは気候のよいときに出発した。その頃は大勢で、そう、二十人ほどいた。馬も騾馬もいて、食料も十分だった。旅は順調だった。ミスター・ミーカーが、近道をしたほうがいい、と言いだすまでは。何日か、いや何週間か、旅程を短くできる、という話だったの。でも、近道は天候のよいときのものだったし、もう空模様は崩れはじめていた。悪天候に足止めをくらい、蓄えた食料を費やすことになった。食料が尽きると、木の皮や身につけた革まで食べた。もちろん、馬や騾馬はその前に殺して食べてしまって、残っているのはわたしたちだけだった」

「もう話さなくていい」〈髭面〉が言った。

「かまわないで」ジェーンは言った。「誇らしくはないけれど、恥じることでもないから。牧師さん、わたしたちは死んだ人を食べた。ミーカーが最初だった。神に仕える人はどうお思いになるか」

「あなたを裁きはしない」

「そのあとは、悪くなる一方だった。仲間を殺してまで食べようとする人が出てきた。夜になると、狙った相手を森に連れていってね。翌朝には、雪が血に染まっていた。殺された人はきれいに食べられてしまい、骨が少し残っているばかりだった。信じられる？　人ひとりが、一晩で、割って中身を出した頭蓋骨の欠片だけ残して、人の体をそっくり食べてしまうなんて。腕や脚の骨も砕かれ、骨髄が吸い出されていた。死んだ者が生き残った者たちに食べられるだけなら、まだわかる。生きるためのことだから。それならば自然なことだけれど、わたしたちのあいだに起きたことは、とてもそうは思えなかった。殺したうえ、誰とも分かちあわないのだから。誰もが、ゲイブリエル・ジョンスンの仕業だと思った。このようなことになる前から、悪い人だったから。強欲で、盗みはもとより、あれこれ悪いことを重ねてきたという噂が絶えない男だった」

牧師が言った。「山には精霊たちが棲むと言われている。寒気や、雪や、身を切る風の精霊だ。飢えを満たすために宿主を探している。宿主が抱く悪意や、絶望や、強欲が、かれらを呼び寄せる。私たちの誰もが持っているものだが、強いほどかれらには好都合だ」

「ゲイブリエル・ジョンスンはぴったりだったみたいね」ジェーンが言った。「食べるものも分け前だけでは不満だったし、もといた町の鉱山キャンプに開いていた店で、品物や水やウィスキーに高値をつけても売れる秘訣を、たびたび自慢していたくらいだから。鉱夫相手の仕事を紹介してやる、と言われたこともあった。テーブルにお皿を運ぶような仕事のわけがなかった。そんなまねをするのが、あの男の自慢の種だった。だから旅のあいだに、だんだんわたしたちから離れていった。一人で森にいるほうがよかったみたい。

でもあの男は、わたしたちの蓄えから、小麦粉や塩や燻製肉を、たびたび盗んでいった。はじめのうちは少しずつだったけれど、あるとき、ごっそり盗っていった。気づいたときはあとの祭りよ。盗んだ食料をいったいどこに隠したものか。総出で捕まえようとしたけれど、あの男は夜に身を隠していた。日の出ているあいだは出てこない。夜になると近づいてきて、声をかけてくる。わたしたちをからかうために。でも、じきに様子がおかしくなってきた。たしかにあいつなのに、どこか違う。声を聞いたとき、わたしは気づいた。この寒さに耐えられるようになったのか、焚火にはけっして寄ってこなくなっていた。ようやく目にしたときのあの男は、私たちの蓄えでなく、殺したばかりの仲間を抱えたまま、森の木々を飛び移っていた。すっかり痩せこけた姿になっていた。まるで骨だけみたいに」

「目まで変わっていた」〈髭面〉が言った。「闇の中で光るっていうだけでもおかしいのに、明かりを消すみたいに、その光をすぐに消せるんだ」

「結局、ジョンスンをはっきり見ることはできなかった」ジェーンが言った。「見えたのは影だけ。雪の上に黒く、くっきりと落ちていた。すっかり日が暮れてしまう前の、ほんの一瞬のこと。でも、あの男の姿そのものは見えなかった。そこにいたのは影だけ。でも、日が暮れれば、影は夜の闇にまぎれてしまい、みんな不安になった。

ある夜、一人が松明《たいまつ》を手に、篝火から離れていった。松明の明かりで、四つ足のものの影が蜥蜴《とかげ》のように走っていくのが見えた。その影は体を起こして、人間のように立って走りだした。遠ざかるにつれて大きくなっていくように見えた。そのあとを、雪が追うように舞っていった。雪をまとって、つかのま姿が見えた。でも、それは森に逃げ込んでいった。火の光と熱が嫌いみたいだった。

その夜から、あいつは日が沈むと来るようになった。ジョンスンの声で呼びかけてきても、臭いはあいつのものだった。牧師さんもお気づきでしょう。今もしているこの臭いよ。あいつは姿が見えるほど近くまで来た。火に近づいてこなくても、もうジョンスンではないと見てとれるほどに。雪を固めて人の形にしたみたいだった。おまけに、飢えていた。その足音と、風を切るような息づかいに、騾馬が二、三頭、怯えた。騒いで、杭につながれたまま暴れた。そのあと、一頭残らずいなくなってしまった。ジョンスンだったものが、どうやってか攫っていった。

わたしたちはさらに火を焚いた。残った騾馬たちを集めた。結局は、守った最後の一頭も、自分たちが食べてしまったのだけれど。そのあと、わたしたちが移動すると、あいつもついてきた。わたしたちは明るいうちに動いているのに、あいつはどうしてか、夜になるとすぐ近くに来ていた。日が沈むと近づいてきて、ジョンスンの声で呼びかけてきた。声に惹かれて、何人もが焚火を離れ森に踏み込んでいった。飢えと疲れでまともに考えることもできなくなり、自分の意志を失ってしまったんだわ。闇に向かって行ってしまうと、もう帰ってはこなかった。

「そして、私たちはこの洞窟にたどり着いた」〈髭面〉が言った。「ここなら、入口さえ守っていればすむ。火を絶やさなければ十分だ。だが、もう食うものもなく、腹を満たすのは空虚ばかりだ。飢えて死ぬよりは、ジョンスンの言うとおりにしたほうが、楽なのかもしれん」

「いや」牧師は言った。「それはない。そちらを選べば、体が死んだあとも魂が苦しみつづける。外から来るやつはもうジョンスンではない。今の彼は触媒か、宿主にすぎない。本人ではなくなっている。さっき話した、山の精霊にとって代わられたのだ。ウェンディゴと呼ばれるやつに」

「ウェンディゴ」少年が言った。

「インディアン、中でもクリー族やオジブワ族は、やつを知っている。かれらの部族は寒い土地に住み、飢えの苦しみも闇の深さも身にしみている。ウェンディゴはさまざまな名で呼ばれている。やつは殺し、喰らう。そして、自分と同じようにするよう誘いかける。だが、誘われて禁忌に触れれば、魂が滅びる。一時《いっとき》は苦しみから自由になり、救われたような気にはなる。だが、救われはしない。逃げた先は闇の中で、苦しみが終わることはない。ジョンスンが宿主に選ばれたのは、やつに合っていたのだろう。ウェンディゴは宿主がいなくても存在するが、その力には限りがある。寒気。飢え。もたらすのはその二つだけだ。力を得るには魂がいる。だから、やつはいつも人間の肉と魂に飢えている」

「私たちも貪欲の大罪を犯している。飢えゆえに」〈髭面〉が言った。

「だが、そのために人を殺してはいない」〈野牛革〉が言った。「考えもしなかった、とは言わない。思ったことはあるさ。だが、それだけだ。死んでいった者と、自分の手で殺した者は違う。俺たちは飢えていたから、ほかに手はなかったんだ。死んでしまった仲間の肉を無駄にせず、この雪の中で自分たちまで骨にならないために食った。だが、今になって、ときどきまた思うようになってきた」

「ウェンディゴの仕業だ」牧師が言った。「そう思うように仕向けられている」

「火で入口を塞ぐのをやめて、中に入れてくれ、と言ってくるんだ」少年が言った。

「で、たまに言われたとおりにしたくなる」〈痩せ〉が言った。「声が聞こえるんだ。食うものがあるぞ、ってね。何よりも欲しいものが。聞いているうちに、なぜ信じないんだ、という気になってくる。そんなとき、やつは外に立っていて、火を透かした姿はとてつもなく大きく見える。で、朝になって外に出ると、焚火の向こうに熊とか赤鹿《エルク》とか、獣の骨が散らばってるんだ。声に誘われて正気を失い、火をすり抜けて出ていっちまったやつもいた。その翌朝には、雪がそいつの血で染まっていて、骨が散らばっていた。ちっとばかり、肉の残っている骨もあってな」

「それでわたしたちは生き延びた」ジェーンが言った。「神様、わたしたちをお許しください」

「神は無慈悲で、怖ろしい」牧師が言った。「神の思し召しは人の苦しみ。だが、それに従うのが私の役目。神の目的を人は毫《ごう》も知りえない。神罰には終わりがない。私はそれを甘んじて受ける。善悪にかかわりなく、罪深い者も罪なき者も分け隔てなく、神は人に罰をくだす。神は神であり、魔王《サタン》でもある。神は自らの意図さえ信じてはいない」

「罰当たりなことを」〈野牛革〉が言った。

「たしかに。だが、神を知れば私の言うことがわかるだろう」

「わたしたちは人の肉を食べた」ジェーンが言った。「また誰か死ぬことがあれば、わたしは同じようにする。自分の手で息子に食べさせもするでしょう。牧師様、どうお思いになりますか」

「あなたは飢えていた、と思う」牧師は言った。

「気づいているだろうが、奥に骨がある」〈髭面〉が言った。「カラザーズじいさんの骨も、その中にある。いいやつだったよ。自分がどうなるか知っていた。私たちが向ける目が、肉屋に来た客みたいになったのに気づいていた。じいさんの馬をみなで殺して食ってしまったあとだったしな。同じようにしてくれ、と言いのこしていったよ」

「あなたはなすべきことをした」牧師は言った。「ジョンスンは己《おのれ》が欲することをした。それとは違う。彼がなすべきことをしていれば、あなたがたはウェンディゴにつきまとわれはしなかったことだろう。あの男はウェンディゴの要求にかなっていた。疑いの余地はない。ウェンディゴにはまさに、夢の男だった。やつに夢があればだが。ウェンディゴは暖かさとは対極の存在だ。だから火を避ける。だが、それゆえに凶暴にもなりうる。生き延びたければ、この洞窟を出ていくほかない。行く先に賭けるばかりだ。狩りの獲物も捕れるだろう。夜には火を焚けばいい。途中で薪は拾えるだろうし、黄燐燐寸《ルシファー》なら私がたくさん持っている。防水布の袋の中に、蠟紙で包んである。燧石《ひうちいし》もある。ここで死を待つのも、生き延びるために外に出るのも自由だ。私は今すぐでも動けるようにしている。残りたいならかまわないが、同行するなら、何事も私の判断に従ってもらう」

「あんたになんの権利がある？」〈野牛革〉が言った。

「自分の権利ですることだ。きみの許可はいらない」牧師が言った。「意見が違いもするだろうし、言いたいことはあるだろうが、きみの意見ではよい結果にはなるまい。残りたければ残ればいい。一緒に来たとしても、なんの保証もできないがね。過信と思うかもしれないが、私は似たようなことをこれまでずいぶん見聞きしてきたから、経験に従っているだけだ」

雪の重みで枝が折れるような、大きな音がして、異臭が濃く漂いだした。熟れすぎて発酵しだした果物の甘ったるい匂いと、それでは隠しきれない、腐りかけた肉や野菜を貯めこんだ窖《あなぐら》のような臭いだ。焚火が風に煽《あお》られたかのように揺らいだ。だが、風はない。牧師の馬が嘶いた。そのとき、声が聞こえた。すぐ近くからのようにも、はるか彼方からのようにも聞こえた。体の芯から悪寒を覚えるような声だ。

「火をよけてくれ。凍えた者を助けてくれ」

「ジョンスンだ」〈痩せ〉が言った。

「ウェンディゴだな」牧師が言った。

けたたましい笑い声がしたかと思うと、風が吹きはじめた。風は雪を巻き上げ、焚火を揺らした。笑い声は山道を転げ落ちるかのように急速に遠ざかり、岩に当たった皿が砕けたかのように一瞬高まって、消えた。

牧師は立ち上がって両手を銃把にかけ、火の向こうを透かし見た。何かが見えた。人間のような形の、大きな影だ。影は揺らぎ、吐き気を催す臭いを残して、吹雪に消えた。

「森に逃げても、あいつに捕まる」少年が言った。

「大丈夫よ」女が言ったが、少年は怯えたままだった。外の闇を、そこに絞首台が立っているかのような顔で見つめていた。

時間がたつにつれ、臭いは薄らいでいった。声ももう聞こえない。座っていた〈野牛革〉が立ち上がり、帽子を取ると、畏《かしこ》まった様子で牧師に言った。

「あんたの馬を食ってもいいかな」

「駄目だ」牧師が言った。「もし馬に手を出したら、きみが食われることになるだろう」

「わかった」〈野牛革〉は帽子をかぶり直した。

*

夜は静まりかえっていたが、焚火は絶えなかった。あいつが来るから絶やせないのだろう、と牧師は察した。だが、焚火は小さく、洞窟を守るには心許ない。あいつを怯《ひる》ませられるかもしれないが、追いやるだけの力はないだろう。いずれ薪も尽きる。次の手を打たなければならないが、かれらは生き延びるだけで精一杯だ。かわりに考えねばなるまい。

牧師は愛馬ビルに櫛をかけると、飼葉袋に麦を入れ、食わせてやった。そのあと、目に布をかけて落ち着かせ、洞窟の壁面に身を寄せて座ると、広げた毛布をかけた。火からは遠いが、さほど寒くはない。心地よいくらいだ。

毛布の下で、両手を拳銃にかけた。〈野牛革〉からは目を離さないでいた。大男は、火のそばで壁面に寄りかかっていた。こちらが眠るのを待ち受けているのが見てとれた。〈痩せ〉も、脂の滴るポークチョップの皿を見るような目を、牧師に向けていた。二人とも弱っているところを、ウェンディゴの力に影響されているのだろう。

牧師は帽子のひさしを下げたが、男たちが見えるようにしておいた。疲れてはいたが、眠るのを怖れていた。

眠りこんだとしても、かれらが近づいてくれば、愛馬ビルが気づいて鼻息を荒らげ、蹄を鳴らすだろう。番犬がわりとはいかないが、少しは安心だ。

＊

牧師はうたた寝をしていた。が、ビルが鼻息も荒く足踏みをしたので、すぐに目を覚ました。立っていた〈野牛革〉と〈痩せ〉が、気まずそうな目を牧師に向けた。ほかの三人は火のそばで眠っていた。

「やあ」〈野牛革〉が言った。

「警告は一度だけだ。近づくな。火のそばに戻るがいい。私が休んでいるあいだに銃に手をかけたり、近づいたりしたら、問答無用で撃つ」

〈野牛革〉はコートの前を開け、拳銃を見せた。「口は達者だな、牧師さんよ。だが、撃てるのか」

牧師は毛布を撥ね、左手の拳銃を撃った。〈野牛革〉の額の真ん中に穴が開き、血と脳漿の細かい飛沫が舞った。〈野牛革〉は膝を折り、後ろざまに倒れた。

ジェーンと少年と〈髭面〉が飛び起きた。三人とも牧師に目を向け、口を開けた。

牧師は〈痩せ〉に銃口を向けた。「銃を置いて伏せろ。きみの額に三つめの目を開けるだけのことに、わざわざ立ち上がりたくはない。銃をもう一挺持っているだろう。それも置け。もし撃とうとしたら、きみも死ぬ」

「わかったよ」〈痩せ〉は親指と人差し指で拳銃をつまみあげると、そっと置いた。「やつを食ってもいいか？」

「それはきみの権利だ」

「あんたのぶんをとっておくよ」

「いや、結構だ。ジェーン、あなたと息子には悪いものを見せてしまったな」

「なんでもないさ」少年が言った。「こいつは嫌いだったし、腹は減ってるし。もっとひどいことも見てきたしね」

一同は焚火を離れ、〈野牛革〉の死体を囲んだ。「コートはもらうよ」〈痩せ〉が言った。

「いや」牧師が言った。「御婦人のものだ」

「誰が決めたんだ？」〈痩せ〉が言った。

「聞こえなかったのか」牧師が言った。

〈痩せ〉はうなずいた。

牧師は少年に言った。「そこの拳銃を渡してくれ。革のコートの内側にある、もう一挺もな」

少年は二挺とも牧師に渡すと、すぐに〈野牛革〉のそばに戻った。

大人たちは死人から衣類を剝ぎ取っていた。言われたとおり、コートはジェーンがはおった。

「そいつを火のほうに持っていってくれ」牧師が言った。「私のそばで処理するな」

「あんたも腹が減ったろう」〈髭面〉が言った。

「そこまで減ってはいない。好きにしてかまわないが、私のそばではするな」

＊

夜明けまでに〈野牛革〉の死体は解体され、飢えた人々がきれいに食ってしまっていた。腹は割かれて内臓は取り出され、血や胃腸の中に残ったものは洞窟の外に捨てられ、一同は血まみれになっていた。肋骨がつながったまま放り出されていた。

ほとんど眠った気がしなかったが、雪が止み日の光が差してきただけで、疲れが消えていくのに牧師は驚いた。

馬糞を踏まないよう気をつけながらビルに飼葉を与えた。すませると、焚火に歩み寄り、肋骨を蹴り出した。薪の先で火を押しのけ、洞窟の外に出ると、雪を見た。足跡はなかった。驚くことではない。ウエンディゴのような怪物は、動きたがらないからだ。

山道の雪は氷に変わっていた。下りられそうにない。歩くのは危険で、この洞窟よりウェンディゴから身を守るのに適した場所に、日が沈むまでに着くのはまず無理だろう。別の道を見つけなくてはならない。

牧師は中に戻った。「外を見てくる。馬はここに置いていく。もし手出しをしたら、一人残らず容赦なく殺す。わかったか」

声を出す者はいなかった。

「牧師さん」少年が言った。「一緒に行きたい」

「母親の許しがあればな」

少年は母親に目をやった。

「そのほうが安全みたいね」彼女は言った。

牧師は夜のあいだ枕にしていたサドルバッグを肩にかけた。置いていけば、中の干し肉を巡ってかれらが何をするか、目に見えている。食料だけではない。銀の弾丸。予備の拳銃。他のこまごましたものでさえ。ただ、ランタンは置いていくことにした。

少年は、授業の終わりを告げるベルを待つかのように、気ぜわしげにそばに立っていた。牧師が言った。「斧はあるか」

「あるよ」少年は言った。「手斧も」

「両方持ってきてくれ」

牧師と少年はすぐに洞窟を出た。少年は手に斧を持ち、ベルトに手斧の柄を差していた。風は剃刀《かみそり》のように鋭く、北極熊の睾丸のように冷えきっていた。

洞窟の裏にまわって、山の奥に向かう細い道があった。牧師は道をたどりはじめた。

「どうして、そっちに？」少年が言った。「ぼくたちがこの洞窟に着くまでにたどってきた道だよ。先には何もない」

「一緒に来たかったんじゃなかったのか。道案内ができると思っているのなら、洞窟に戻ったほうがいい」

「ごめんよ」

「このあたりを見渡せるだけ高いところに行きたい。ここから出る道を見たいが、薪のほうが先だな」

山道を登り、若木のまじる杉の木立まで来た。見下ろすと、急斜面が幅五エーカーにわたる象牙色の氷に覆われ、三エーカーほど降りていた。その下は湖だった。凍てついた湖は、晴れた空のように青かった。

牧師は地形を考えた。湖の向こうに見える道は、洞窟までたどった道ほど雪深くはないようだ。道は山のあいだを抜けている。両脇は岩と森だ。氷の急斜面をくだり、凍てついた湖面を横切ってあの道に入ればいい。だが、斜面は急に過ぎる。湖に張った氷も、どれだけ厚いものか。上を歩けるか？

答えようのない問いだ。

「山を下りる道を探しているんだね」少年が言った。

「そうだ」

「ここからは下りられそうにないね」

「私もそう思うが、まずは洞窟に火を絶やさないよう、薪を大量に運ばなくてはならない。火を焚きつづけたところで、お互いの体のほかに食料がないことには変わらないが。さらに、ウェンディゴから身を守らなくてはならない」

「人を食べるのにも慣れちまったよ」少年が言った。

「母親はどうだ。食えるか。あるいは、食われてもいいか」

「ぼくが死んだら食べてくれるよう、母さんには言ってあるよ」

「いずれにせよ、あの洞窟から出ないことにはな。選択の余地はない、できるだけ早く出るんだ。このままでは死を待つだけだからな。斧を貸せ。話で時間をつぶしていたら、日が暮れる」

＊

使えそうな枯れ木が見つかり、二、三時間のうちに牧師は扱いやすく割った薪を山と積んだ。枯れ木は思いのほか多くあった。少年も、手斧で薪を割った。

少年に割らせて常緑樹の生木も少し薪にすると、牧師はサドルバッグから出した革紐で束ねた。薪から手頃な長さの枝を何本か取り、橇に仕立てることにした。

牧師は少年に目を向けた。初めて見たときより力強く見えた。今朝がた、〈野牛革〉の肉を食べたからかもしれない。空腹でないというだけでも大きく違う。少年の顔やコートの胸には、まだ血がついていた。

「私の馬に鞍を置いて、ここまで牽いてきてくれ。ところで、名前は？」

「エヴァン」少年は言った。

「馬には乗ってきてもいいぞ、エヴァン。ただ、気をつけてな」

エヴァンはビルに乗って戻ってきた。足縄は鞍にかけてあった。エヴァンが下りると、牧師は鞍に括りつけておいた縄の一本を取った。それを手頃な長さに切っては、除けておいた枝を縛って、インディアンのトラヴォイスに似た橇を作った。

常緑樹の枝を並べて括り、あいだに縄を渡して薪を積めるようにしただけの、簡単な橇だ。牧師は残った縄を鞍に結びつけた。

二人で切った薪は、橇に積める量を超えていた。牧師は少年に馬を牽くように言い、洞窟に帰る道をたどった。二人と馬はゆっくりと進んだ。

洞窟に帰ると、二人は橇を奥にしまい、薪を壁沿いに積み上げた。

「戻るかい？」エヴァンが牧師に尋ねた。「まだ残りがあるし」

「日が傾いてきた。今日はこれだけやったのだし、もし残りの薪を取りにいったら、暗い中であいつに出くわしかねない。今晩をしのぐには十分あるから、夜どおし火を焚こう」

牧師は奥に入ると、岩壁に寄りかかった。サドルバッグから干し肉を一切れ取り出し、噛みしめた。火を囲んだ者たちは、そのさまを注視し、ひび割れた唇を舐めた。

「男一人を食ったばかりだろう」牧師が言った。「私がエヴァンの手を借りているあいだも、いくらかは食っていたのではないか。両足と片手が残っているのを見たが、まだ空腹が抑えられないなら、片付けてしまうがいい。だが、言っておく。分けあうんだ。私の食料もこれきりしかない。じっと見ていたところで、十分行き渡るほど増えはしない」

かれらはすぐに両足と片手を火であぶり、食った。肉の焼ける匂いは牧師の鼻にも届いた。

＊

その夜、やはりあいつは来て、ジョンスンの声で呼びかけてきたばかりか、その声にはハメルーンの笛吹き男が奏でたフルートの音のように、妙に心を惹く音がまじっていた。だが、それに屈する者はいなかった。

　あいつは洞窟に近づいたり遠ざかったりしながら、けたたましい声をあげたが、夜が明ける前には去っていった。朝日が差してくると、牧師はコーヒー豆を挽き、寝袋から小さなポットを取り出すと、コーヒーを入れた。彼は洞窟の住人たちにも勧めた。それぞれが手にした器に注ぎ分ける。〈痩せ〉が差し出した器は〈野牛革〉の頭蓋骨から作ったもので、肉はきれいに取り去られていた。サドルバッグにしまっておいた干し肉をみなに分けたあと、牧師はエヴァンを連れ、馬に橇を牽かせて残りの薪を取りにいった。

　薪を洞窟に運び込んだあと、まだ日も高いので、牧師はエヴァンとさらに薪を割ることにした。今日は太い松の木に斧を入れた。枝から雪を落としながら松が倒れると、小鳥たちが飛びたち、栗鼠《りす》たちが逃げていった。

　牧師は松の枝を斧で払った。梢が氷の斜面にまで届いている。少年とともに、枝を焚きつけにしやすい長さに切りそろえた。作業を終えると、二人は氷の斜面と、その先で凍てついたままの青い湖と、そこから延びる道に目を向けた。安全に移動できる距離ではないが、近いように見えた。

　エヴァンは倒れた松の梢から斜面を見下ろし、身震いした。

「飛んでみれば、すぐに下に着けるだろう。もっとも、全身の骨が折れるのは目に見えているが」

　エヴァンは跳んで下がった。「やると思ったのかい？」

「するもしないも自由だ」

　二人は洞窟に薪を運んだ。牧師とエヴァンは、ジェーンと〈髭面〉の手を借りて火を熾した。〈痩せ〉は起きた火に枝を二、三本投げ込んだだけだった。野牛革のコートの件を根に持っているようだ。

　火が沈む頃、ジェーンがひどく咳込みだした。前から咳は出ていたが、これほどは続いていなかった。今は長く、胸の深いところから出ている。

「具合がよくない」〈髭面〉が言った。「日に日にひどくなっている」その口調は、彼女の死を望んでいるようにも聞こえた。

牧師はサドルバッグから馬用の塗り薬を取り出すと、エヴァンを焚火のそばに残して奥に来るよう、ジェーンに言った。

牧師は彼女に薬の瓶を見せた。「これを塗ると少しは楽になるだろう。できそうになければ私が塗ってもいい。そのときは、コートとブラウスを開けて、私に胸を見せることになるが」

「からかっているの？」

「自分でしたほうがよさそうだな」

彼女はかぶりを振った。「塗って」

服の前を広げた彼女の胸に、牧師は薬を塗った。触れる手に快楽はなかった。彼女は痩せこけた小鳥のようで、乳房は目玉焼きほどにも盛り上がっていなかった。顔の肉も薄くなっていたが、それでも彼女が美しいと、牧師は気づいた。一ヵ月ちゃんとした食事をとり、温かい湯で身を清め、きちんとした服を着れば、まちがいなく人目を惹く。

世俗の男の見方だな、と牧師は思った。

「ちょっと熱く感じるだろうが、胸に染みこめば、咳は治まるだろう」

「薬を塗るだけでいいの？」

「それだけでいい」牧師は言った。

＊

その夜、またも吹雪が猛った。洞窟の人々は入口を覆うまでに火を焚いた。

火は五フィートの高さに燃え上がった。生木は弾け、樹液を滴らせた。風で火が揺らぐと、外に雪が積もっていくのが垣間見えた。見えるたびに高さが増していく。夜が明けたら、まず雪を除けないと、閉じ込められてしまう。

火の脇で何かが動くのに、牧師は気づいた。風のせいか、と思った。いや、棒が外から薪の端を突いているのだ。

ウェンディゴが中に探りを入れている。

他の誰も気づいていない。

「あいつは大胆になってきたな」牧師が言った。「奥に入ったほうがいい。あいつを追いやる手立てはある」

「何を言ってるんだ？」〈痩せ〉が言った。「これだけ火を焚いているのに。これまでいちばん暖《あった》かいくらいだ」

「ぼくたちが薪を取ってきたからじゃないか」エヴァン

が言った。「あんたは何もしていない」

「小僧、食ってやる」

〈痩せ〉はナイフを抜いた。

「おいおい」〈髭面〉が言った。「怒るようなことか」

誰一人気づかぬ間に、牧師が拳銃を抜いていた。「ナイフをしまえ。さもないと、今朝がた食った相棒と同じことになる。食われて、骨は雪の下だ」

〈痩せ〉はナイフを収めた。その目が火明かりを受けて光った。

「言わせておけるか」〈痩せ〉が言った。

「言うだけのことはしている」牧師が言った。

一同は奥の、牧師の馬のまわりに集まった。ビルは馬櫛を当てられ、飼葉を与えられたあと、足には縄を、目には覆いをかけられていた。

女が咳込み、汚れたハンカチーフに血の染みを増やしているあいだに、牧師はナイフの先で洞窟の床に円を描きだした。四人を囲むように。それだけでは終わらなかった。洞窟の奥まで進んだ。描いた円から線を引き、奥の壁の高さ五フィートの位置まで延ばした。そこにナイフの先で印を刻むと、円の両側の壁にも同じように線を引き、印を刻んだ。さらに、床の円の外にも、同じ印を描いた。粗い線の、奇妙な印だった。人と獣が踊るさまを子供が落書きしたようだ。

〈髭面〉が言った。「それはなんだね?」

「力の象徴だ。クリー族の呪術師もよく似た印を使うが、私はさらに他の力を加えた」

「それで私たちが守れるとでも?」〈髭面〉が言った。

「何度か、これで人を救っている。今、絶対に確実とは言いきれないが。先の尖った柵で囲むよりは頼りになるだろう」

「焚火で十分じゃねえか」〈痩せ〉が言った。「地面に落書きしてなんの役にたつ？　なあ、牧師さんよ、遊んでる場合じゃないぜ」

「何もわかっていないようだな。円陣と呪術が必要なほど、あいつは力を増した。火を焚こうが焚くまいが、じきに入ってくる。今は警戒しているだけだ。邪悪なものは用心深い。まずは探りを入れ、そっと押しのけ、それから踏み込んでくる。火で守れなくなるのも時間の問題だ」

「このまま輪の中でじっとしていろってか？　御免だね」〈痩せ〉が言った。

「好きにすればいい」牧師が言った。

「ぼく、中にいるよ」エヴァンが言った。

ジェーンと〈髭面〉はうなずいた。

「勝手にしろ。俺は焚火を信じるね」〈痩せ〉が言った。

「よかろう。だが、円や印を踏み消さないように」

〈痩せ〉は蛇をまたぐように円陣を大股で越えた。焚火に歩み寄り、両手をかざし、こすりあわせた。

「どうだ」〈痩せ〉は言った。

「戻ったほうがいい」牧師が言った。

〈痩せ〉は虚勢を張ってか、首を突き出して何か言いかけたが、言葉が出なかった。冷気が洞窟に吹き込んできた。赤い羽毛が舞うように、焚火が揺らいだ。牧師と円陣の中の三人は、音をたてて燃える炎の向こうにいるものを見た。牧師がウェンディゴをはっきりと見たのは、これが初めてだった。雪と木の枝と氷を雑に固めて作った、巨大な人形《ひとがた》に見えた。雪を丸めた頭に、ばかでかい口が裂け目のように開いている。枝や岩の破片が、体じゅうから毛や疣《いぼ》のように突き出している。おぼろな影のように、鼻と二つの眼があった。雪と枝の塊が長い腕となって、焚火を突き抜けて洞窟に伸びた。火にあぶられて腕から水が滴った。

　自分の背後にいるものに〈痩せ〉もさすがに気づき、ナイフを抜いて振り向いた。ウェンディゴは彼の頭を摑み、持ち上げた。〈痩せ〉の両脚が焚火を越えた。

〈痩せ〉の絶叫が響いた。溝鼠の断末魔にも似た、聞いた者に鳥肌が立ち、肛門が窄《すぼ》まる思いをさせる声だった。

〈痩せ〉は洞窟の外に連れ去られた。

　獣は咆哮した。〈痩せ〉の絶叫よりも、さらに怖ろしい声だった。咆哮は洞窟に反響し、牧師の馬が暴れだした。牧師は手綱を取り、ビルの鼻面を撫でて落ち着かせ、奥に牽いていった。

　ウェンディゴは〈痩せ〉の片足を摑んでいた。そのまま鞭を振るうように彼の体を雪に叩きつけた。三度目に〈痩せ〉の首がちぎれて、雪の上に転がった。血が噴き出した。片方のブーツが飛んだ。

　怪物は口を大きく開き、〈痩せ〉を投げ込んだ。割れた氷のような鋭い歯が、その体を嚙み砕いた。血飛沫があたりに飛び散り、怪物のまわりの雪を、バニラアイスクリームにストロベリーソースをかけたように染めた。ウェンディゴの顔も、口の中の肉からこぼれた血に、赤く染まっていた。

　怪物は大股で、落ちた〈痩せ〉の首に歩み寄り、拾い上げると、林檎をかじるように喰らいはじめた。

「イエス様、お助けください」〈髭面〉が言った。

「やつは役に立たない」牧師が言った。

　怪物は焚火を透かして洞窟の中を覗き込んだ。眼のように二つ並んだ暗い穴の奥で、何かが動き、光った。火明かりに、それがはっきりと見えた。瓶に閉じ込めた蛾が羽ばたくように、人の顔が小さく揺らめき、浮かんでいた。

「私たちと一緒に来た連中が」〈髭面〉が言った。「こんなことになるなんて」

　牧師はその中に〈痩せ〉の顔を見た。外に出ようと、見えない壁を叩いているようだった。

　巨大な怪物が血に染まった口を開くと、大勢の声が滝のように轟いた。声は入り交じって音の雪崩《なだれ》となり、何を言っているのかは聞き取りようがなかった。

　ジェーンが耳を塞いで叫んだ。少年が悲鳴をあげた。ビルは蹄を踏みならして嘶き、手綱から逃れようと暴れた。

　牧師は「エヴァン、持て」と言い、手綱を渡した。何も考えず、エヴァンは手綱を握った。

　牧師は両手に拳銃を取り、発砲した。

　弾丸が宙を切り、ウエンディゴの顔に食い込んでジュッと音を立てた。穿《うが》たれた穴から煙が上がった。怪物はまたも咆哮した。が、声が違っていた。苦痛の叫びだ。銀の弾丸で深手を負ったのだ。〈痩せ〉の首の残骸を吐き出し、怪物は消えるように去った。今までそこにいたとは思えないほどの速さで。

だが、すぐに戻ってきた。小さな若木を手にして。その根には黒い土がついていた。引き抜いてきたのだ。

　怪物は若木を焚火に差し込み、薪を押しのけた。音をたてて火の粉が散った。怪物は突いては押しやり、自分が通れるほどの幅を広げた。

「あいつ、入ってくる気だ」エヴァンが言った。

「エヴァン、ビルに鞍と轡《くつわ》をつけろ。サドルバッグからランタンを出して据えつけるんだ。そのあいだも円陣から出るな」

　少年は動かなかった。

「言われたとおりにしろ」

　うろたえながら、エヴァンは言われたとおりにしはじめた。毛布を拾って馬の背にかけ、鞍を置いた。〈髭面〉とジェーンは魅入られたようにウエンディゴから目を離せずにいる。

　怪物はもう焚火を掻きのけてはいなかった。若木を手にしたまま、かれらをじっと見つめていた。目の中で動いていたものは消えていた。今はただ暗いだけだ。声もなく、ただ静まりかえっていた。聞こえるのは風の音ばかりだ。怪物は自分が作った道を見下ろし、踏み込むときを計っているようだった。残った火を若木の先で用心深く、さらに広く押しのけていた。息をするたびに、その体内から雪が舞い、氷の粒が散った。

　エヴァンはビルに轡をつけ、鞍を固定すると、ビルの鼻先の縄を解いた。だが、目隠しの布は薪取りから帰ったときにつけたまま、まだ外していなかった。苛立って馬銜《はみ》を嚙み鳴らし、蹄で蹴って暴れるビルの手綱を、エヴァンはしっかりと握った。

「ウェンディゴを見るな」牧師が言った。「私がいいと言うまで円陣から出るな。エヴァン、このナイフを持て。私が『切れ』と言ったら、足縄を切れ。馬を傷つけるんじゃないぞ」

「地面に描いた輪が頼りになるのか」〈髭面〉が言った。震えているのは寒いせいではなかった。

「すぐわかる」牧師が言った。

　ウェンディゴは裂け目のような口をゆがめ、焚火を乗り越えだした。火に触れた皮膚がジュッと音を立て、洞窟の中に霧が立ちこめた。

＊

〈髭面〉はコートのポケットから小型の拳銃を取り出した。ずっと持っていたものだ。

「銀の弾丸でなければ、やつに傷は負わせられない」牧師が言った。「使い道はそっちじゃない」

〈髭面〉は銃口を自分の頭に押し当て、引き金を引いた。彼の頭蓋骨を貫通した弾丸が、牧師の鼻先を掠めた。熱い血飛沫が牧師の顔に飛んだ。〈髭面〉は膝を折り、うつ伏せに倒れた。

　ジェーンが拳銃を拾った。

「早まるな」牧師は彼女の手から拳銃をもぎ取り、コートのポケットに入れた。

「自分を撃つ気はないわ」彼女は言った。

「ぼくもだ」エヴァンが言った。「牧師さんを信じてるからね」

　ウェンディゴは素早く円陣に近づいた。手にした若木を振り下ろした。だが、円陣に触れるや、宙で金色の炎が上がった。閃光が洞窟じゅうを照らした。

　ウェンディゴはもう一度振り下ろそうとしたが、円陣を前に燃える若木はその手の中で黄金の灰と化した。

　見えない障壁にウェンディゴは両手を叩きつけた。金色の炎が上がった。咆哮が洞窟を揺らし、天井から円陣の上に塵を降らせた。

　火の粉を散らしながら、ウェンディゴは転がるように雪と闇の中に逃げ去っていった。

「守ってくれた」エヴァンが言った。

「塵が降ってきた」ジェーンが言った。「どういうこと？木は通さなかったのに」

「邪悪なものに使われれば、そのものも邪悪になる」牧師が言った。「自然のものは邪悪ではない」

円陣から踏み出した牧師は、急ぎ足で焚火に歩み寄った。燃え残った薪の一本を手に戻ると、自分の動きで消えかけた円陣をナイフの先で元どおりに書き直した。そのあいだ、祈りとも呪文とも聞こえるものを口ずさんでいた。

「エヴァン」牧師が言った。「奥から焚きつけと薪を取ってきてくれ。取ってきたら、円陣に戻るんだ」

「了解」エヴァンが言った。

牧師は入口の焚火を見た。二つに分かれていたが、まだ燃えていた。一つに戻そうかと考え、薪で寄せた。

死んだ〈髭面〉を円陣から引きずり出し、洞窟の壁面に寄りかからせた。飢えつづけていたというのに、その体はばかに重かった。

祈りながら、焚火を囲むように円陣を描いた。エヴァンが薪を手に戻ってきた。牧師は火の上に注意深く薪を置いた。すぐに火は大きくなった。

「円陣は守ってくれるの？」女が言った。

「断言できない。あの怪物は、これまで怖れていた火を除けて踏み込んできた。力を増している。伝説では、ウェンディゴは獲物が飢えていればいるほど、食って自分の力にするという。あいつは飢えを食って力を得た」

「だから今朝、食べものを分けてくれたの？」彼女は〈髭面〉に目を向けた。

「いや、気晴らしだ。少しでも寝《やす》むといい。朝になったらここを出なくては。もう安全ではないからな」

ジェーンとエヴァンは焚火のそばで体を丸めると、すぐ眠りについた。ウェンディゴの恐怖をまのあたりにしても、人は眠れるものだ。牧師は眠れなかったし、もとより眠る気はなかった。彼は焚火の前に座り、膝に二挺の拳銃を置いた。

一時間もしないうちに、夜の闇を割って陽光が差しはじめた。日が昇りきる前に、あいつはまた来るだろうか。それとも、夜が来るまでは動かないでいるだろうか。

火明かりに、円陣がかすみ、印がぼやけていくのが見えた。邪悪なものが力を増している。彼が張った結界が、力を失っていく。書き直しても無駄だ。魔術は終わった。ここからは体を使うしかない。

死に近い老人のように、風が呻《うめ》いた。雪が洞窟に吹き込み、火の上で解けた。

牧師は残り火に目を向けた。薪を足して火を熾した。結界が力を失った今、ウェンディゴはもう焚火を怖れはしないだろう。

　牧師の首筋の肌が粟立った。あの臭いが近づいてきた。洞窟の外、白い雪の上で、タールのように黒い影が、いくつも蠢《うごめ》いていた。木の枝が風に巻き上げられ、影に吸い込まれていく。見えない作り手が、まわりにあるものを集めて塑像を作っているかのように見えた。雪をまとい、その形は白くなった。

　ウェンディゴは大きくなっていた。腰を屈めて洞窟を覗き込んできた。眼はさらに大きく、深く、原罪のように黒くなっていた。眼の奥がランプを灯すように光った。濁った琥珀《こはく》のような色の光だ。牧師はその奥に、ウェンディゴが食った者たちの魂をまたも見た。かれらは苦悶し、外に出ようともがき、助けを求めていた。その眼の下に、またも細い裂け目が走り、口となった。風がその上に二つの穴を穿った。鼻ができた。

　牧師は足元を見た。円陣は後退していた。火に近づいている。その外に描いた印はほとんど見えなくなっていた。縮んでいく円陣に向かい、虫のように弱々しく這い寄っていく。

　外に目を戻すと、ウェンディゴは細い筋のような口を開き、氷柱さながらの牙を?き出した。笑ったのか？

　牧師は拳銃をホルスターに収めて言った。「ジェーン」

　もう一度呼んだ。ジェーンは起き上がり、牧師が見ているものに気づいた。

「息子を起こせ」牧師は言った。

＊

　ウェンディゴは鼻を鳴らした。そして、洞窟の壁面に寄りかからせた〈髭面〉を嗅ぎあてた。そして、消えかけた炎を軽々と飛び越え、死体に近づいた。

　ジェーンとエヴァンは洞窟に入り込んだ怪物から目が離せずにいた。ウェンディゴは二人にちらと眼を向けたが、そのまま死体に向かった。濡れた赤い綱のような舌が伸びて裂け目のような唇を舐めると、血まじりの粘つく唾液を滴らせる牙を剥き出した。

「まず私がビルに乗る」牧師が言った。「エヴァン、足縄を蹄近くで切れ。ジェーン、そのあいだに私の後ろに乗れ。エヴァンは前だ。ビルの首に摑まっていろ」

　牧師は馬に乗り、ジェーンも手を取って後ろに乗せた。足縄を切ったエヴァンも馬に駆け寄った。

「火を渡せ」牧師が言った。

エヴァンが燃えている薪を拾った。火は先のほうだけだったので、松明のように扱うことができた。牧師は薪を受け取り、片手で高々と掲げると、もう片方の手でエヴァンを引き上げた。

ビルには三人分の体重は重いとはわかっていた。が、ほかに方法がない。

ウェンディゴは〈髭面〉を摑みあげていた。頭をのけぞらせ、大きく開いた口に投げ込もうとしていた。牧師が目隠しを取って声をかけると、ビルは円陣を飛び越えて外に駆けだした。

洞窟の入口が狭いのは、かれらにもウェンディゴにも同じだった。牧師は怪物の顔に松明を叩きつけた。口からはみ出した〈髭面〉の脚をぶらぶらさせながら、怪物は退いた。

冷たい夜気の中を、馬は走った。ビルが足を滑らせ、このまま諸共に山道を滑落する、と牧師は思った。が、蹄の先が雪の下の岩をとらえてなんとか踏みとどまり、牧師とエヴァンが薪取りをしにたどった道を駆けた。

牧師は振り向いた。

風に乗ったかのような速さで、ウェンディゴが追ってきた。足のあるところに見えるのは、飛びすさる雪煙だけだ。力を増している。

牧師は左手で拳銃を抜き、背後に撃った。銀の弾丸を受けたウェンディゴの体から、熱いフライパンの上で焼けるベーコンに似た音がした。ウェンディゴは動きを止め、吼えた。蜂に刺された熊ほどにも痛がってはいない。聞こえるのは苛立ちだった。

ビルが氷に蹄をとられた。今にも頂上を越えようというときだ。ジェーンが落馬した。ビルが転倒し、声をあげた。その声はとても馬の嘶きとは思えなかった——悲鳴だ。牧師とエヴァンは雪の上に投げ出された。

二人は立ち上がった。ジェーンが斜面をウェンディゴに向かって転がり落ちていく。牧師は一方の拳銃を抜くと、素早く、正確に撃った。弾丸は空を切り、怪物に突き刺さった。だが、怪物は先ほどの苛立ちさえも見せなかった。

最後の一弾はウェンディゴでなく、ジェーンを射貫いた。同じ死を迎えるのであれば、少しでもよいほうにと。

ウェンディゴは駄菓子のようにジェーンを口に放り込み、骨を嚙み砕く音を響かせながら、あたりに血の霧を散らした。

エヴァンが棒きれを手に駆けだした。牧師は彼のコートの襟を摑み、引き戻した。

「よせ。打つ手はない」

牧師はエヴァンの背を押しながら斜面を登り、倒れたまま痛みにもがくビルのそばで立ち止まった。弾丸《たま》のある拳銃に持ち替えた。そして、ビルの頭を撃った。その首から革のランタンバッグを外し、サドルバッグを取りあげると、頂上までのわずかな道のりを急いだ。

牧師は振り返った。ウェンディゴは動いていなかった。そのばかでかい、丸い頭は、東の空に向いていた。日が昇る、と牧師は思った。やつはその前に暗い場所に戻らなくてはならない。

怪物は牧師を見上げ、獲物を捕まえる好機だ、と思ったようだった。そして、風にはためくシーツのように、斜面を登りはじめた。

牧師は燐寸でランタンを灯し、ウェンディゴが間近に迫るや、投げつけた。ランタンが爆発した。灯油は聖なる火となって燃え広がり、ウェンディゴの全身を包んで、巨大な燐寸に点火したような姿に変えた。

少年の手を引き、牧師は氷の斜面の手前の、切り倒して枝を払うだけにしておいた松の丸太まで走った。彼は片手で少年を持ち上げると、丸太に乗せた。

「しっかり摑まれ」彼は言った。「足を下につけるな。止まるまで放すんじゃないぞ」

牧師は丸太を押した。氷の斜面の上で、丸太は傾いた。滑りはじめた丸太に飛び乗ると、牧師は振り向き、炎を風に揺るがせながら追ってくるウェンディゴを見た。怪物は吼えた。

丸太は氷を削り、撥ね散らしながら滑り下りた。牧師の帽子の鍔が向かい風にはためいた。エヴァンはほとんど平たくなり、力のかぎりしがみついていた。少年は声を殺して泣いていた。

丸太はかなりの距離を橇のように走ったが、やがて揺らぎだし、ついには転がった。まっすぐ斜面をくだり、凍てついた湖の上に飛び出して、二人を氷の上に投げ出した。

立ち上がるや、牧師は咄嗟に拳銃を抜いた。よろよろと立ち上がりかけたエヴァンに声をかけた。「走れ」

そして、自分も走りだした。疲れ果てた体に鞭打ち、力のかぎり速く。心臓が破裂するかと思った。氷が割れるのを怖れた。

ウェンディゴの頭の火は消えていた。橇に使った松の丸太の前で、やつは足を止めた。そして、小枝のように取りあげた。そして、走る二人を追って氷の上を滑ると、丸太を凍てついた湖に叩きつけた。

怪物は追いすがり、さらに丸太を振り下ろした。牧師が風圧を項《うなじ》に、ブーツの底に振動を感じるほど、近い一撃だった。

　牛追い鞭を打ちつけるような音が響いたが、鞭の音のようにすぐには止まなかった。すぐ足下の氷の上を亀裂が走り、冷たく青い水が噴き上がるのを、牧師は見た。亀裂はさらに延びていった。

　牧師は振り向いた。ウェンディゴは虚ろな眼で、足元に広がっていく亀裂と、湧き上がる水を見下ろしていた。ウェンディゴは割れて揺らぐ氷の上で動けなくなっていた。そして、濃紺の空は卵黄の色に変わっていた。光が夜を脅し、追いやったかのように。

　ウェンディゴは水から這い上がろうともがいていた。風がその体を崩しはじめていた。その姿は怪物でも悪霊でもなく、人間のようだった。小さかった。動く骸骨から、ぼろきれのように肉が剝がれ落ちていった。

　ジョンスンだ。

　氷の割れ目から這い上がると、すっかり骨になったジョンスンは、空洞になった眼を牧師に向けた。眼窩から、いくつもの小さな裸の体が、魂が、飛び出していった。氷の上を虫の群のように飛び交い、日光に溶けていった。氷の上にバターのような染みを残して。

　ジョンスンは骨だけの脚を動かそうとしていた。氷の上に登ろうとしていた。牧師は拳銃を構え、撃った。弾丸はジョンスンの頭蓋骨を粉々に砕いた。骨は音をたてて崩れた。氷の上に影だけが油染みのように残っていたが、すぐにそれも消えた。

　太陽は金色に輝いていた。空は青かった。風は優しかった。ジョンスンの骨は粉になり、風に吹き飛ばされていった。ウェンディゴは消え去った。

　牧師は少年に追いついた。

「あいつ、死んだのかい」エヴァンが尋ねた。

「ああ、もう滅びた。貪欲は報いを受けた。私たちを捕まえたい一心で、夜が明けることを忘れてな。聖書でおなじみの、馬鹿げた教訓さ」

　二人は亀裂の広がる氷の上をそろそろと渡り、対岸の道のはじまりにたどり着いた。空は晴れ、まだ旅を続けられそうだった。日が沈む前に岩陰に身を休め、牧師の燐寸で火を熾《おこ》した。残っていた最後の干し肉を、二人で分けて食べた。ウェンディゴを怖れることは、もうなかった。

　夜が明けると、二人は旅を続けた。翌日の午後遅く、牧師が拳銃で赤鹿を仕留めた。三発の弾丸はすべて心臓を射貫いていた。二人は雑木林の中に空き地を見つけ、二日のあいだそこに野宿し、焚火で赤鹿の肉を焼いて存分に食べた。牧師は残った肉を細く切り、雪の上に広げて、これから先の旅のために干した。

赤鹿の干し肉で食いつなぐこと二日、道は平たく広がり、二人は山を下りたことを知った。地面は雪と氷に覆われていたが、拓けていた。霜のあいだから草がのぞいていた。牧師とエヴァンは平坦な道を歩いた。二日目に、馬車を連ね、牛や騾馬の群を率いた清教徒のにぎやかな一団に出会った。

彼らは二人を馬車に乗せ、豆料理やコーンブレッドをふるまった。エヴァンは自分の悲惨な経験をかれらに話したが、牧師の示唆でウェンディゴのことは話さなかった。エヴァンはウェンディゴを熊に換えて話した。人の肉を食べたことも語らなかった。

一行は十日ほどののち、町に着いた。エヴァンはその町で、山越えのあいだに病気で息子をなくした夫婦に引き取られた。彼は幸せそうだった。彼と牧師が顔を合わせることは、もうなかった。

体力を取り戻した牧師は厩舎で働いた。給料は賄《まかな》いつきの下宿代に足り、じきに馬と鞍、馬具や消耗品を買えるほどの金ができた。

ビルほどの馬には出会えなかったが、新しい馬は旅の供に申し分ない、強健な駁毛《ぶちげ》だった。牧師は駁毛に乗り、カリフォルニアに向かった。

《愛蔵版　英雄コナン全集》
第二巻『征服篇』この秋刊行！

過日発売しました『愛蔵版　英雄コナン全集1　風雲篇』に御好評を賜り、誠にありがとうございます。続く『愛蔵版　英雄コナン全集2　征服篇』は、二〇二二年九月末ごろを目指して鋭意編集中です。

第二巻には、「ザムボウラの影」「鋼鉄の悪魔」「黒い予言者」「忍びよる影」「黒魔の泉」の五編に加え、ハワードのデビュー作「槍と牙」、ラヴクラフト宛の書翰をまとめた「野蛮と文明」など、新資料を収録。そして寺田克也の装画・挿絵もますます快調。御期待を！

画：寺田克也　※制作中につき、イラストは変更となる場合がございます。

《新編　怪奇幻想の文学2》
第二巻『吸血鬼』収録作品紹介

七月の第一巻『怪物』に続き今秋に刊行される第二巻『吸血鬼』。収録作品をここにご紹介します。

フォン・ヴァクスマン「謎の男」（初の独語原典からの邦訳）、A・K・トルストイ「吸血鬼」、ストーカー「ドラキュラの客」、ウォレル「夜の運河」（「赤い運河」無削除版）、ジャコビ「黒の啓示」、クイン「クレア・ド・ルナ―月影―」、ライバー「飢えた目の女」、マシスン「血の末裔」「白い絹のドレス」以上、全編新訳。加えて本邦初訳のエイクマン「不十分な答え」。ご期待ください！

御恵投御礼（二〇二二年五月〜七月）

『幻想と怪奇』編集室宛に以下の出版物を御献呈いただきました。御礼を兼ねて御紹介いたします。

『ヴァンパイアと屍体［新装版］』ポール・バーバー　野村美紀子訳　工作舎

『吸血鬼ラスヴァン　英米古典吸血鬼小説傑作集』夏来健次・平戸懐古編訳　東京創元社

『翻訳編吟10』翻訳ペンギン（同人誌）

『ブラックウッド童話集成1　果物の種の男たち』アルジャナン・ブラックウッド　渦巻栗訳　私家版

『いずれすべては海の中に』サラ・ピンスカー　市田泉訳　竹書房文庫

『魔界都市ブルース　錦愁の章』菊地秀行　祥伝社ノン・ノベルズ

『てのひら怪談　こっちへおいで』朝宮運河編　ポプラ社（ポプラキミノベル）

『日露戦争秘話　西郷隆盛を救出せよ』横田順彌　竹書房文庫

『疫神記（上下）』チャック・ウェンディグ　茂木健訳　竹書房文庫

『陽だまりの果て』大濱普美子　国書刊行会

『ヨーロッパ・イン・オータム』デイヴ・ハッチンソン　内田昌之訳　竹書房文庫

《Le forum du Roman Fantastique》創作

勇者カガセオ

深田 亨

雨下田《うかだ》スグルがその電話を取ったのは、アルバイトを終えて一人住まいのアパートに歩いて帰る途中だった。

電話の相手は編集者と名乗り、女性の声のようだった。ようだった、というのは、どこからかけているのか知れないが、スグルの目の前に広がる黄昏の薄明を思わせるように音がくぐもっており、ずいぶん聞きとりにくかったからである。

彼女——女性ならば——は、スグルの小説を現在企画中のアンソロジーに掲載したいと言った。

確かにスグルは小説を書いている。三十歳を前にして就職もせずにアルバイトで生計を立てているのも、作家になるという夢を追っているからだった。これまで何度か新人賞の最終候補に残ったり、商業出版の本に短い作品が載ったりしたこともあるが、アマチュアに毛の生えた程度にすぎない。スグル自身そう自覚しているので、にわかには信じがたい話だと電話の相手に伝える。

「今回の企画はそういった作家さんに絞ったものなんです。だからぜひ先生にも参加していただきたいの」

シンギョウサイコと名乗る編集者が電話のむこうで応じた。先生というのは、どうやらスグルのことのようだ。

「ご承諾いただけるようでしたら、新作をお書きください。共通テーマは『勇者』です」

もう相手はスグルが書くと決めているようだった。スグルも半分その気になっていた。それは、聞き取りにくい声でシンギョウが言った会社の名前が、さる大手出版社のように聞こえたからだった。

「わかりました。お会いする前にメールで梗概をお送りしましょうか」

「いいえ、直接お話しすることが大切なのです。できれば来週にでもこちらから出向きますので、お会いできませんか。それとも、お忙しいでしょうか」

小説を書くために定職についていないスグルは、時間がかなり自由になる。四日後、スグルのアパートの近所にあるファミリーレストランで会うことになった。

約束の日の午後七時に、スグルは指定されたファミレスに行った。目印に胸に白い花を挿していると聞いていたが、それを見つけるまでもなく奥のテーブルにいた女性が立ちあがって、スグルにむかって軽く頭を下げた。年齢はスグルよりもいくつか上のようで、背が高く威圧感を覚えさせるが、切れ長の目と形のいい唇を持っていた。

「初めまして、新刑《しんぎょう》と申します。わざわざ先生にお越しいただいて恐縮です」

受けとった名刺は、『紅蚕社　新刑彩子』となっている。

「こう……」

「こうばんしゃ、と読みます。私一人でやっている小さな出版社です」

はあ、とスグルは気の抜けた返事をした。てっきり講談社か光文社の編集者だと思いこんでいたのだ。胸の内でコーバンシャ……コーダンシャ……コーブンシャとつぶやく。電話を聞き間違えたのは自分の責任だからしかたがない、編集者と言っていたが社長だったんだ。そんなことを考えてぼんやり相手を見つめていたが、気を取り直す。

「すみません、ぼく、名刺がないもので」

「いえいえ、よくわかっています。先生はまだ——こう言っては失礼ですが——名前が売れていません。今回の企画は、そういった埋もれた才能の作家さんたちの最新作を集めたアンソロジーなんです。どこにもない企画でヒット間違いなしです。ではまず、内容をご説明——ああ、その前にご注文を」

それから約一時間、新刑彩子は自分の飲み物に手もつけず、話し続けた。ほとんどがスグルのほんのわずか発表された作品の感想に費やされ、アンソロジーの企画については『勇者』をテーマにした三十枚程度の小説で、プロットの段階でもいいので、アイデアができたら再度打ちあわせをしようという内容だった。

スグルは、ほかにどんな作家が参加するのかとか、締切はいつなのかとか、聞きたいことがあったが、質問しようとすると「詳しい内容はお楽しみということで、『勇者』というテーマも大雑把にとらえてご自由にお書きください。締切もあまり気にしなくていいですよ」というふうにはぐらかされてしまうのだった。

それでも突っこもうとすると、彩子は次の予定がありますからと伝票をつかんで、さっさと店を出ていった。

ただ、彩子がスグルの作品を誉めそやすのに時間を使ったのは効果があり、いい気分になったスグルは期待していた出版社でなかったことなど忘れ、書く気満々になっていた。

翌日、彩子から電話があった。昨日のお礼と、執筆の確認だった。スグルは引きうけることを伝え、再度締切の日を尋ねた。

「一年先というわけにはいかないけれど、急ぎません。しっかり構想を練ってください」と、彩子は答えた。

ところが、それ以降三日にあげず電話がかかってきた。プロットを催促するでもなかったが、期待しています、才能がおありよ、といった言葉に、スグルはプレッシャーを感じるのだった。

編集者って、そんなものなんだろうか。それに、彩子はどうやって自分の携帯番号を知ったのだろうと、いまになってスグルは気になってきた。

けれど、頻繁な電話がいいほうに働いたのも否めなかった。最初、『勇者』というテーマのアイデアが湧いてこなかったスグルは、たびたびの彩子からの電話で鼓舞され、ふとずいぶん昔に書いた小説を思いだした。

「香香背男《かがせお》」と題したその小説の内容は、記紀神話を題材にしたもので、日本書紀の一書にだけ記されている短いエピソードをもとにしていた。

高天原の神々は葦原の中つ国を平定したが、ただ星の神の香香背男だけが従わなかった。そこで倭文神《しづりのかみ》建葉槌《たけはづち》命《のみこと》という神に命じて服従させたという。それを建葉槌命の視点から描いた作品で、当時参加していた同人誌に発表したのだが、まったく話題にされなかった。けれど、スグル自身には愛着のある話なのだった。

ただし、焼き直しするだけではいいものにならないことも、よくわかっていた。

そこで、時代背景を現代に変え、主人公も建葉槌命から香香背男に変更して書くことにした。題名は『勇者カガセオ』。

筆が乗りはじめてランナーズハイのような状態になると、なにかが「降りてくる」ことがあるが、そのときスグルに降りてきたのはカガセオだった。書いていると、カガセオがそばにいて展開を次々と示唆してくれるような気がして、プロットどころか、一気に三十枚の作品が完成してしまった。

プリントアウトした原稿を前にして、スグルは悩んだ。紅蛮社の新刊彩子に電話して、作品が完成したと告げようか。しかしどこかに、彼女を信じてはいけないような気持ちがある。そもそもスグルの携帯の番号を、どこで知ったのか。

　思いあぐねた末に、スグルはある人に相談することにした。それは、市内で『うみひこ堂』という古書店を営んでいる中村という男だった。中村はいろんな同人誌の面倒もよくみていて、スグルの書く話がいいと言って、出版社に紹介してくれたこともある。これまで商業誌に掲載された作品の、ほとんどが中村の紹介がきっかけになっていた。

　スグルは中村にメールしていきさつを記し、紅蚕社と新刑彩子という編集者をご存じないか聞いてみた。すると、

　――よく知らないが、どこかでそんな名前を聞いたような気がする。会うだけならいいのではないか。ただし、原稿料を出すのではなくて掲載料を払えと持ちかけられたりしたら、きっぱり断ったほうがいい。君の携帯番号については、誰かに教えたことはない。ただ、君の作品が載った雑誌が出たときに、たくさんの人に送っていただろう。そこに感想をくださいと、君自身がメールアドレスと携帯の番号を書いた紙を挟んでいたじゃないか。それを誰かから手に入れたのではないか――という返信があった。

　さらに、メールの文面からスグルの不安な気持ちを読みとったのか、すぐに中村から追伸が来た。

　――もし雨下田くんが気になるのなら、会って話そうか。店に来られるかな。

　スグルは、その提案をありがたく受けいれた。

　二日後の午後、スグルは繁華街から少し離れた通りのはずれにある、うみひこ堂を訪れた。

「二階に行こう」

　両側の壁と中央の本棚がぎっしり埋まり、通路にも本が積みあげられた細長い店の奥からスグルの姿を認めると、中村はそう言いながらカウンターから出てきた。手に煙草の箱とライターを持っている。

　うみひこ堂は二階建てのビルの一階にあり、二階は『セカンドハンド』という喫茶店になっていた。入口のガラス戸に『休憩中・二階にいます』という札をかけると施錠して、スグルの先に立って表にある階段を上がっていく。

　なにか相談事を持ちこむと、中村はいつもこうして店じまいをして二階に上がる。慣れているのでスグルも黙って従う。

　窓際の、表の通りが見おろせる席でコーヒーを二人分

注文すると、中村は煙草をくわえ火をつける。スグルは、メールに書いた内容を、もう一度ひととおり説明した。

「ふむ。それで君はどうしたいのかな」

「それが――」

「執筆依頼を受けるのか断るのか、それを決めるのは私じゃないよ」

　中村に相談すれば、なにか決めてくれそうな期待を持っていたのに思いあたって、そうだよなあ、とスグルは納得する。

「会ってから決める、という方法もあるんじゃないか。一人で心配なら、私が同席してもいいよ」

　こともなげに、中村は言いはなった。

　その夜、スグルはアパートの自分の部屋から新刑彩子に電話して、初稿が完成したと伝えた。彩子は明日にでもいただきに行くと言ったが、三日後にスグルの指定する場所で会うことになった。

　当日、午後四時。スグルはうみひこ堂の二階、『セカンドハンド』にいた。カウンターの中にはセカンドハンドのマスターではなく、白いシャツに蝶ネクタイをした中村が立っていた。

「よく似合っていますね」

　ドアを開けてその姿を見たスグルが、最初に発した言葉はそれだった。

「冗談はよしてくれ。だが、そんな軽口が出るのはリラックスしている証拠だから、よしとしよう」

　三日前、中村がスグルに持ちだしたのは、こんな提案だった――。

　喫茶セカンドハンドでスグルは彩子と会う。当日は喫茶店を休業にしてもらい、ほかの客は入れない。スグル以外の客が来たら、マスターに扮した中村が貸切りだと断る。新刑彩子が来たら、一階の階段の横に『本日休業』の札をかけてしまう。

　スグルは原稿を彩子に読ませるが渡さない。感想を聞き、手直しするのでと、もうしばらく待ってもらう。彩子の感想と様子を見て、本当の話か詐欺なのかを中村が判断する。

「約束は四時半だったね」

　スグルが頷くと、中村はカウンターの内側から飾り紐のついた小さな鋳物の鈴を取りだして、入り口ドアの横の壁にかけた。

「それは？」

「見てのとおり、登山者が熊よけにザックに吊るす鈴さ」

「なんのためにそこへ？」

「店長は店にいても奥で本を読んでいることが多いんだ。

客が入ってきて誰もいないとき、この鈴を鳴らすと、それが合図で店長が顔を出す仕組みなのさ。いつもじゃないけど、たびたびそんなことがある。常連ならそれを知っているが、たまたま店に迷いこんだような初見の客は鈴を鳴らすことを知らないから、店員がいないと思って帰ってしまう。なかには奥にむかって声をかける客もいるが、本に夢中になっているとき、店長は返事をしないそうだ。本人からそう聞いた」

　どんだけ商売不熱心なんだ。だからいつも暇そうなんだなと、スグルは心の中で突っこんだ。

　スグルは鈴のことを知らなかった。中村が一緒だと、マスターがいなくても彼が勝手にコーヒーを淹れたりするので、これまで一人でセカンドハンドに来たことがないスグルには、鈴を鳴らす必要がなかったからだ。

「それなら今日はかけなくてもいいのでは」

「熊よけならぬ悪魔よけさ」

　そんな冗談めかした会話をしているあいだに、午後四時半になった。スグルは壁際のテーブル席に移り、中村はカウンターの中でグラスを磨きはじめた。

　約束の時刻を二分過ぎる。ドアが開き、新刑彩子が姿を現した。

「お待たせしましたか？」

「いえ、ぼくもさっき来たところです」

　蝶ネクタイの中村がカウンターを出て、水の入ったグラスを二つ運んできた。

「先生、なにになさいます？」

　上目遣いに彩子が聞く。

「あ、コーヒーを」

「ではブレンドを二つ」

　彩子が注文すると、中村は黙って頷いてカウンターに戻る。

「ではさっそく、玉稿を拝見できますか」

　スグルは足元に置いたリュックから、Ａ４の紙に印刷した原稿を取りだし、彩子に渡した。彩子は恭しく両手で受けとると、ゆっくりとページをめくった。

　カタンと音がした。スグルが見ると、中村が出ていくところだった。手にプレートを持っている。『本日休業』の札をセットに行くのだろう。彩子はそれに目もくれずに原稿を読んでいる。

　彩子が帰り際にそれを見て不審に思わないか――その疑問に対して、もしなにか聞かれたら、大事なお客様だとお得意様のスグルから聞いていたので、ゆっくり打ちあわせができるようにしたからと説明すればいい――。

　彩子が読んでいるあいだ、スグルは中村とかわしたそんな会話を思いだしていた。

彩子のめくる原稿があと数枚になったところで、コーヒーが運ばれてきた。緊張でグラスの水を飲み干していたスグルはすぐ口をつけた。

原稿を読み終えると、彩子は目の前の淹れたてのコーヒーを口に含んだ。ほうっとため息をつき、目を閉じた。しばらくして、パッと目をいっぱいに見開くと、スグルを見据えた。

「すばらしい。これは巻頭を飾るのにふさわしい傑作です。私の目に狂いはなかったということね。ではいただいてまいります」

彩子は原稿を自分の鞄に仕舞いこもうとした。

「ちょっと待ってください」

スグルはテーブル越しに手を伸ばして、彩子から原稿を取りもどした。

話がうますぎる。あとになって高額な掲載料を請求されるのではないか。なにせ講談社ではなく紅蚕社なのだ――と、スグルはそう思ったわけではない。多少はそんな懸念も頭をよぎったのだが、最初から中村と決めていた作戦なのだ。

「これはまだお渡しできません」

「どうしてです？」

「少し気にいらない部分があって」

「編集者の私から見れば全く問題ないのですが……」

「とりあえず今日は読んでいただくだけ、ということで」

スグルはダブルクリップで留められた原稿を守るかのように、胸に抱いた。彩子は大人が子供に、さあそれを渡しなさいとでもうながすごとくに、しばらく手を差しだしていたが、諦めたのかその手を引っこめた。

そのかわり、なんともいえない残念そうな表情でスグルを見た。書き直したいと言っているだけなのに、獲物を逃がした猫のような目つきだった。

「では、手直しが終わったらすぐにご連絡ください。もうほかの作家さんたちの原稿はそろっているのです。あとは先生の傑作をいただくだけで――」

「ほかの作家って、どんな人がいるのですか。でまかせじゃないのですか」

その言葉に反応したのか、彩子はバッグからクリアファイルに挟んだ書類のようなものを取りだし、中の紙をスグルに示した。

「企画書です。ほら見て、先生のお名前が冒頭にきているでしょう。ほかの作家さんもきちんと並んでいます」

そう言う割には、彩子はその紙を手で隠したり折り曲げるようにしたりするので、スグルの位置からははっきりと内容を確認できなかった。ただ、自分の名前が載っているのはわかった。

「見えるように渡してくれませんか」

「先生の原稿と引きかえなら」

「だからそれは――」

彩子のうしろでカチャンと音がした。彩子が驚いて振りむき、スグルも目をやると、トレイの上に水のポットを載せた中村が立っていた。足元にアルミの灰皿が落ちている。どうやらこれが床にあたった音のようだ。

「ごめんなさい。お水はいかがですか」

「いらないわ」

「もしお煙草をお吸いになるのなら――」

灰皿を拾いながら、中村はスグルにむかって言う。

「あ――吸わないので、いいです」

中村とスグルがそんなやりとりをしているあいだに、彩子はその紙をクリアファイルに戻してしまった。

「やっぱりいまはまだ、執筆陣は内緒にしておきましょう。本ができてからのお楽しみです。――ねえ先生、作品は手直ししなくても大丈夫ですよ。今日いただいてしまえば、すぐに校正原稿をお送りします」

彩子は未練たっぷりな様子だったが、スグルは原稿を胸に抱えて離さなかった。とうとう彩子のほうが音をあげた。

「わかりました。今日はこれで失礼します。もしかして、原稿料を払わないとか掲載料を取られるとかご心配されていないですか？　安心してください、流行作家並みとはいかないけれど原稿料はお支払いします。プラス印税もです。初版は五万部を予定しています。そのためにも先生は外せないのです。必ずご連絡ください。お待ちしていますよ」

初版五万部というのは、スグルの知識からしても、このての本としてはかなり多い。というか多すぎる。彩子は五万部のところで、どうです、というような得意げな表情をすると、カウンターに近づき、マスターに扮した中村に二人分の支払いをした。

「お忘れ物がないように」

お釣りを渡しながら中村が言った。

「どう思います？」

彩子が出ていってしまうと、スグルは中村に訊ねた。

中村は黙って自分のスマホを示した。そこには、誰かの肩越しに、書類のようなものが写っていた。画面を拡大すると、『勇者復活す　～まぼろしの作家達～（仮題）』と書かれているのが読めた。

「これは――あの人が持っていた企画書」

それは、さっき新刑彩子が隠すようにしてスグルに示したものに違いなかった。

「写したんですか、いつの間に？」

言ってから、スグルは思いあたった。

「灰皿を落としたのは――」

「そう、シャッター音を隠すためにね。一か八かでやってみた」

「それでわざわざトレイに載せていたのか。水を足すのになんで灰皿なんだろうと変に思ったけれど、トレイもスマホを隠すためだったんですね」

「そういうこと。では続きを見てみようか」

二人は窓際の席に座り、中村がスマホの画面の内容を紙に書きうつしていった。それはやはりアンソロジーの企画書の、執筆者一覧のようだった。

『勇者復活す　～まぼろしの作家達～（仮題）』
挿画　石田徹也
雨下田スグル『　　』
牧野信一『月御前』
沙良峯夫『井戸』
九鬼次郎『新開地遺文』
富ノ澤麟太郎『みるめりあ』
渡辺温『誕生』
藤久生『四季』
平井功『Ｂｏｂｂｋａ』
久坂葉子『真珠の町』
山川方夫『冬の件《くだん》』
新谷すみ子『サナトリウムの英雄』
伊藤計劃
真城

それぞれの名前の下の二重カギカッコには作品名が入っていたが、冒頭のスグルのカッコの中は空白だった。最後の二人の作品名は重ねた紙に隠れていた。

「でもこれって……」

スグルが知っている名前も、知らない名前もあったが、知っている作家は確か……。

「共通点がもしかしたら――いや、そうに違いない」

中村はそうつぶやくと、スマホで検索しながら執筆者の横に書き加えていった。

石田徹也：三十一歳
牧野信一：三十九歳
沙良峯夫：二十八歳

九鬼次郎：二十六歳
富ノ澤麟太郎：二十五歳
渡辺温：二十七歳
藤久生：三十七歳
平井功：二十五歳
久坂葉子：二十一歳
山川方夫：三十四歳
新谷すみ子：十九歳
伊藤計劃：三十四歳
真城……？

「思ったとおりだ」

「なにがですか？」

そう訊ねたけれど、スグルには想像がついていた。

「享年だ。みんな夭折作家だよ。不遇のうちに亡くなった人もいる。石田徹也は画家だが、鉄道事故で死んでいる。同じような顔をした青年が、いろんな物と同化している絵など、かなりシュールな画風だったな」

「真城というのは」

「SF作家で真城昭という人がいたように思う。確か、彼も若くして亡くなっているはずだ。上に重なった紙で隠れているが、このあとにも作家の名前が書かれているかもしれない」

「その、重ねた紙にもなにか書いてありましたが」

「見てみようか」

執筆者一覧に重ねられた紙はまっすぐではなく歪んでいて、彩子の影がかぶっていたので判読しづらかったが、編纂序文の下書きのようだった。二人であれこれと不明な文字を想像で補いながら、なんとか要約した。


『このたび、夭折作家たちの書き下ろし新作を集めた本を上梓できたのは望外の喜びである。著名な作家のみならず、生前には認められなかった不遇の作家もいる。彼らの、発表されずに埋もれていた作品を発掘するのは並大抵の苦労ではなかったが、これらの作品を世に出すことは必ず読書界に貢献するとともに、黄泉の国にいる彼らに、いま一度光が届くことを願って止まない』


拡大すると「夭折作家」という文字ははっきりと認められた。

「これってつまり、ぼくは夭折作家のアンソロジーへの掲載を依頼されたっていうことですよね」

「君、いくつだ」

「二十八歳です」

「なら安心だ」

中村はスグルの肩を叩いた。

「最年長の牧野真一までまだ十年以上ある」

「そんなことではないでしょ」

スグルの声が、つい荒くなる。

「こめん、冗談だ」

そう言う中村の表情は笑っていない。スグルは自分に言いきかせるようにつぶやいた。

「どうすればいいんだ。新刑彩子はなぜぼくを夭折作家にしようとするのだ。殺すと脅かすのだろうか。新しい出版詐欺なのか。なにが目的でこんなことを……」

「雨下田くん」

中村はあらたまった様子でスグルの苗字を呼んだ。

「このリストにあげられた作家の作品、君は読んだことがあるかい」

「いいえ。というか、名前すら知らない人もいます。そっちのほうが多いかな。知っている作家も、読んだことがあるのは——渡辺温、藤久生、久坂葉子、山川方夫、伊藤計劃あたりです。ここにあるのとは、どれも違う作品ですけれど」

「享年を調べているときにチェックしたけれど、どの作家も書かれているタイトルの作品は残っていないようだ」

「ということは、この企画書はでたらめで、ぼくを騙すための架空の作品名を載せているということですか」

スグルの問いに、中村は少し考えこんだ。

「未発表か、未発見の本物ということだってあるかもしれない」

「可能性はゼロではないでしょうが、確かめるすべがありません」

「出版されて読んでみれば価値がわかるだろう。あるいは新刑彩子は辣腕の編集者で、夭折作家の埋もれた作品を発掘し、作品集を刊行しようとしているのじゃないか。そうだとすれば、すごいことだと私は思うのだが。そこに雨下田スグルの作品が掲載されると、後世に名を残せるのではないか」

中村は本気かどうかそんな無責任なことを言う。だがその表情は冗談を言っているようには、スグルには見えなかった。

「いやだ。かかわりあいたくない」

はっきりと、スグルはそう思った。詐欺にせよ、本物にせよ、スグルは逃げだしたかった。死んで——殺されてたまるか。

正面からスグルを見据えていた中村は、ふっと短い息を吐くと、目をそらした。こんなに厳しい表情の中村を、スグルは初めて見たように思った。

「名声はいらない――その可能性は捨てる。それでいいのだな」

「飛躍しすぎですよ。ただの詐欺だ。あの女、きっとほかでもやってるはずだ」

「だったら断ればいい。それですべて解決する。ジ・エンド」

「それであの女が諦めると思いますか」

「思わない。彼女は君の原稿を読んでいる。私も読ませてもらった。カガセオという辺境の神の化身が主人公の身体に同化して世界を救うのだが、主人公は最後までそれに気がつかない。最後にわずかに示唆されるのだが、それをどう判断するかは読者に委ねられたまま物語は終わる。傑作だと思う。もちろん一介の古本屋の主人の感想などあてにはならないだろうが、新刑彩子という編集者も同じ評価をした。それを諦めるだろうか」

「だったら、このままではまずくないですか。電話番号を変えても、引っ越しをしても、あの人追ってきそうで。――どうすればいいんでしょう？」

　スグルは必死の形相で訴えた。それに対し、中村の返事は意外なものだった。

「原稿を渡すのが一番だろう。それでケリがつく」

「そんな――、ぼくは死んでしまいます」

「タイトルはそのままで、中身を変えるのさ。新刑彩子は君の原稿を読んだ。しかし、たとえばその原稿の中で今回の出来事に言及し、作家たちの新作というのがすべてニセモノで、編集者は詐欺師であるという結末に書きかえれば、彼女はどう扱うだろう。今日、カウンターの中から観察したところ、あの女は邪悪な存在には違いないが、真っ当な出版人でもあるようだ。アンソロジーの作品全部を否定するような原稿の掲載は、ためらうのではないか。つまり、君が彼女を避けようとするのではなく、彼女が雨下田スグルを諦めるように仕向けるんだ」

「それでうまくいくのでしょうか？」

「少なくとも新刑彩子との縁は切れると思う。しかし、君――雨下田スグルの作品が、将来評価されるチャンスを逃すことになる。私が思うに、この企画の作品群はおそらく本物だろう。出版されれば、掲載作家は一躍脚光を浴びることになる。私にはどちらがいいか決める資格はない。選択するのは、君自身だ」

　後半の中村の助言を、スグルは聞いてはいなかった。新刑彩子から逃れることで頭がいっぱいだったのだ。

　スグルは帰宅するとさっそく、もとの原稿の修正に取りかかった。推敲を重ねて、最初に彩子に見せたのと同じ枚数、四百字詰め換算で三十枚に収めた。ただし中身は全く違うもの――出版詐欺を告発する内容になっている。

　そのあいだも、彩子からの電話は連日かかってきたが、スグルは一度も出なかった。

　書き直した原稿が完成した日、彩子からの電話に初めて応答した。

「どうしたんです、ずっと電話していたのに」

　彩子の声は低かったが、いらついているようだった。

「スマホを落としてしまって、今日戻ってきたのです。原稿が完成したらこちらからお電話すればいいと思って……」

　電話のむこうの雰囲気からすると、彩子は納得していない様子だったが、スグルはかまわず続けた。

「やっとできあがりました。先日の喫茶店でお渡ししたいのですが」

「ああ、それはよかった。では明日にでも」

「わかりました」

　スグルは早く決着をつけたい一心で、そう約束してしまったが、連絡を受けた中村は、すぐに『セカンドハンド』を貸切りにする手筈をつけてくれた。

　翌日、時刻通りに『セカンドハンド』にやってきた彩子は、原稿を受けとれるからか、機嫌がよさそうだった。

　彩子が二人分のコーヒーを注文すると、今回もマスターに扮した中村が、彩子とスグルがむかいあっているテーブルに並べた。

　前のときと比べて、いやに早くコーヒーが出てきたなと、スグルは思った。

「さめないうちにどうぞ」

　わざわざ中村は、そんなことを言った。

　彩子はそれを飲み、少し顔をしかめたように見えたが、「美味しいわ」と言った。

　スグルも習って一口飲んだが、ピリッと舌に刺激を感じた。コーヒーに香辛料？　不味《まず》いというのではなく、癖になりそうな味だなと思った。

　そんな和やかな雰囲気も、スグルが渡した原稿を読むと、予想通りみるみる彩子の顔色が変わった。

「な、なんなのこれは。出鱈目もいいところよ。こんなものを載せたら、アンソロジーが台無しになる。先生――いや、お前の最初の原稿を寄越しなさい。お前は有名になりたくはないのか」

　言葉遣いを豹変させた彩子は席を立つと、原稿を持ったままスグルの横に回りこんだ。

「お客さん、お店でトラブルは困ります」

中村がスグルと彩子のあいだに割ってはいった。

「おのれ、邪魔するんじゃないわっ」

彩子は中村越しにスグルにつかみかかった。

三人がもつれ合い、その拍子にスグルが足を滑らせ、床に倒れこんだ。スグルの意識が一瞬飛んだ。

あれ？　頭を打ったのだろうか。それとも、原稿を書きなおしているあいだに眠ってしまったのかな。

横になったまま、なぜかスグルはそんなことをぼんやりと考えていた。

それから、こんなことをしている場合じゃないと思い至り、スグルは起きあがった。

そこは、倒れる前と同じ、『セカンドハンド』の店の中だった。――いや、「同じ」ではなかった。

ドアも壁もカウンターもテーブルもそろっているが、それらはいかにも平面的で、まるで舞台の書割か映画のセットのように見えた。さらにそのセット全体――つまり部屋の中は奇妙に歪んでおり、テーブルや椅子、カウンターなどはもとより、壁にかかった絵画、コーヒーカップ、はてはスプーンに至るまであらゆるものが極端に誇張されたフォルムをしていた。

そんな背景の中で、中村と彩子はむかいあって、互いに牽制するようにじりじりと動いていた。スグルは、平衡感覚が狂ったような空間に圧倒されてはじめは気づいていなかったが、二人の動きを見ているうちに、あることに思い至った。

今日の彩子は、かなり派手な服装なのがスグルの印象に残っていた。それがいまは地味な色合い――いや、柄だけがトーンでわかる灰色で、それも彩子の服だけでなく、あたりのすべてがくすんだ白と黒と灰色の世界だった。

歌舞伎のように、というより、古い映画の役者のように、目のまわりを黒々と隈取りした二人は、罵りあうかのごとく口を動かしていたが、声は聞こえてこなかった。

モノクロのサイレント映画の中だとスグルは思った。

試しにスグルは叫んでみた。しかしそれは音になることはなく、一瞬あたりの世界が霞んで、映画の字幕みたいなフォントの文字で綴られた文章が浮かびあがった。


うわーっ！！！！

その文字は、背景とともにすぐに消えた。中村が笑みを浮かべながらスグルを見て、口を動かした。すぐに字幕になる。

気がついたようだな。さあ、ここからは君がこいつと決着をつけるんだ。

中村が一歩退くと、スグルが躊躇するのもおかまいなしに、彩子がむかってきた。

あたしを騙そうったって、そうはいかないんだよ。こんなまがい物ではなく、最初の本物の原稿をお出し。

もちろんそんなものを、持ってきてはいない。

スグルは組みつこうとした彩子をかわすと、彼女が持っていた原稿をひったくり、距離を取った。彩子の手に、原稿が一枚だけ残った。

スグルの発した言葉が、字幕になって現れる。

ここに書かれていることが真実だ。お前の邪悪な目論見は破綻するのだ。

スグルは、そんな言葉遣いで喋ったわけではなかったけれど、字幕は心の中を表しているのだろう。

彩子はスグルを睨んでいたが、ふと自分が手に持っている紙に目を落とした。それは原稿の表紙だった。

タイトルと著者名が書かれていた。

『勇者カガセオ』　雨下田スグル

彩子はその紙とスグルを交互に見ると、ぎりぎりと歯を咬み、絞りだすような息を――無言の声を発した。

くそう、お前がカガセオだったのか。

彩子は身をひるがえすと、ドアにむかって走った。しかし押しても引いても、奇妙に歪んだドアは開かなかった。

彩子が逃げだそうとドアをゆするたびに、その振動で横の壁に吊るされた鈴が揺れた。今日も中村が「悪魔よけ」と称して鈴を吊りさげていたのだ。

サイレントのはずなのに、スグルの耳には鈴の音が聞こえるような気がした。

チリン、チリン、チリン、チリン、チリン、チリン。

鳴るたびに彩子の姿は薄くなっていった。その姿がすっかり消えてしまうと、ドアの揺れはなくなり、鈴はやっと鳴るのをやめた。

「雨下田くん、起きるんだ。もうすべて、終わった」

スグルの耳に声が届いた。字幕ではなかった。

目を開けてから、スグルはそれまで自分が目を閉じていたのに気がついた。

スグルは『セカンドハンド』の二人掛けの席に座っていた。目の前に、空になったコーヒーカップがあった。あたりを見まわすと、書割のような薄っぺらさはなく、どこも歪んだりしてはいなかった。もちろん色もついている。

中村がスグルを見おろしていた。

新刑彩子の姿はどこにもなかった。

「ぼくは――ぼくは夢を見ていたんでしょうか。いや、そうじゃない。中村さん、あなたがぼくのコーヒーになにか仕込んだのでしょう。ピリッとした味だった」

「ああ、仕込んださ。ただしほとんど無味無臭のサプリだよ。スパイシーなのはコーヒーに加えた香辛料の味だ。本物のマスターの裏メニュー、特製ブレンドだよ。もっとも、サプリのわずかな味を隠すためでもあったがね」

「幻覚を見るサプリなんですか」

「サプリというか、薬だな。修験道で使う陀羅尼助《だらにすけ》といえば、いまでも売っている胃腸薬だが、あれはずいぶん効き目をマイルドにしたもので、本物はかなり強力でいろんな効果があるようだ。ただし、そいつを手に入れるのは、難しい。私には修験道に縁の深い知人がいてね――まあ、あまり詳しくは言えないんだが、そういうことさ。

実は君が原稿を書き直しているあいだに、いろいろ調べてみた。新刑という苗字に憶えがあったんだ。すると、いくつかの記録に新刑彩子の名前を見つけた。山川方夫の日記に一か所、その名前が出ている。さらに梶井基次郎の書簡、在野の研究者が書いた中島敦の評伝にも、『刑』が『形』になっているが、新形と名乗る出版人と会ったとある。

知ってのとおり、梶井は三十一歳、中島は三十三歳で死んでいる。ただ、新刑彩子、あるいは新形という記述のある資料はすべて偽物――ニセモノと鑑定されているがね。そんな偽物や偽書ばかりを集めている古書店仲間がいるんだよ。その仲間も私も、いくつか――あるいは全部が本物である可能性が大きいと考えているんだ」

「どういうことですか」

「今度のことと組みあわせると、新刑彩子は実際にそれぞれの作家に会っていると考えたほうが自然じゃないかな。彼女は原稿を依頼し、それに応じた作家は若死にすることになる。そして君のところにもやってきた。私は君を、素のままであの女に対応させるのはよくないと思った。なかなか手ごわそうな相手だ。まずはこちらのフィールドに引きこんで、立ちむかわなければならないだろう。それには君もあの場に来てもらう必要があった。だから君とあの女のコーヒーに一服盛った。もちろん私も同じものを飲んだ」

　あの場とは、修験道の秘薬で入りこんだ書割の世界なんだなと、スグルは思いかえした。

「それは――わかります。でも、これで大丈夫なんですか。新刑彩子がまたぼくのところに来ることはないでしょうか」

「それは君次第だ。前にも言ったように、最初の原稿は傑作だった。だが、あれを書いたことで、君は夭折する運命になるのだろう。そういう世界に君はいたのだ。彩子はその世界で君に――君の才能に目をつけた。その世界はこちらと時間軸が違うのかもしれない。だから、こちらでは同時に会うことが不可能な作家たちに、彩子一人でアプローチできた――」

「だったら、やっぱりぼくは死ぬんじゃないですか」

「ただの推測だよ。あたっているかいないかなどわからん。もっと合理的な推理をしてみようか。実は私は医者で、君は妄想にとらわれた患者だ。その治療で、薬物を使って妄想を駆逐することを試みた。どうだ、こちらを受けいれるかね」

「受けいれません。でも早死にもしたくない」

「簡単なことだ。君が最初に書いた原稿を焼き捨てればいい。早死にするのはあの傑作を書いた雨下田スグルがいる世界であって、そんなものが存在しない世界にすれば、未来は変わる」

「もとの原稿は、ここへ来る前に破りすてました。パソコンのデータも消去しています」

　即答したスグルに、中村は少し残念そうな表情を見せた。

「それならもう解決したということだ。新刑彩子は二度と君の前には現れないだろう」

「ああよかった」

　大きな息を吐きながら、スグルはそう言った。

「でも、新刑彩子は、あのときどうしてぼくのことを、お前がカガセオだったのか、と言ったのでしょう」

「理由に思い当たらないのかね」

「はい」

　それがスグルが最初に書いた作品のモチーフだったからではないのか、と中村は思った。

　星の神カガセオの化身である主人公は、自分が何者であるのか知らないまま世界を救おうとする。それも、彼からすると無関係の人々が住む世界をだ。結果、世界は救われ、主人公は当然の帰結として自分が救出した世界から排除されてしまう。

どことなく宮沢賢治の『グスコーブドリの伝記』を思わせる筆致で綴られたその物語は中村の胸を打った。そういえば賢治も世に認められないまま三十七歳で死んでいる。もしかすると、新刊彩子はこの世界の未来を変える物語を先手を打って集め、あのアンソロジーに封じこめようとしたのではないのか。彩子は争いの最中にタイトルページを目にしたことで、そんな物語を書いたスグルを、主人公のカガセオに重ねあわせたのだ。

――いや、それは考えすぎだろう。それに、スグルは自分が書いた最初の作品の内容を忘れてしまっている。スグルが自ら選んだ未来には、あの作品はもとから存在しないということなのだ。

そんなことを思う中村の目に、心の底から安堵したようなスグルの表情がかぶさった。

「中村さん、ありがとうございました。おかげで夭折作家にならなくて済みました。これから長生きして、いつか傑作を書いて文豪と呼ばれるようになってみせます。大げさですけれど、それがぼくの中村さんへの恩返しです」

スグルはそう言ったが、中村は確信していた。あの最初の『勇者カガセオ』が書かれない限り、雨下田スグルは作家として後世に名を残すことが決してないのを。

それからこうも思った。たかが古本屋のオヤジが、作品と作者のどちらの命を重視するかを判断するなんて、こんなおこがましいことはないだろう、と。

地獄の門

モーリス・ルヴェル　中川潤編訳　白水社　二〇〇〇円（税別）
〈評〉植草昌実

ブックデザイン:田中一光／片山真佐志
装画:オディロン・ルドン

モーリス・ルヴェルの作品を怪奇や幻想の範疇に入れて良いものか迷うが、その作品は恐怖を語っているので、『幻想と怪奇』の読者の興味を惹くことだろう。

彼の作品は、戦前には『新青年』など翻訳小説を主とした雑誌で紹介され、本書の帯にあるように江戸川乱歩や夢野久作に称賛された。戦後も当時の翻訳の再録や復刻がたびたびなされ、二〇〇三年には田中早苗訳のものをまとめた『夜鳥』（東京創元社）が刊行されている。

本書の最大の特徴は、中川氏が自ら集めたテキストを訳したものであることだ。氏はこれまでも私家版や電子書籍で出版しており、評者もそれらを愛読していたので、この商業出版を心から祝いたい。

本書に収録された三十六編は、いずれも短い。そして、どれもが人の悪意や心に秘めた残酷さ、あるいは狂気や死がもたらす恐怖、さらには運命の皮肉を描いている。どの物語も悲惨で、辛くて、やりきれない。だが、一編また一編と読んでしまう。

それは、その残酷さや悲惨さを、ルヴェルが突き放した、冷静な目で捉えているからだろう。たとえば、「彼は醜かった」という書き出しの「金髪」は、貧しい青年の何一つ良いことのない生涯を淡々とたどりながら、その最期には救いさえ感じさせる。「街道にて」では、金貨を拾うという幸運が、浮浪者を不運に追いつめていくが、どんづまりのはずの結末は彼に希望をもたらす。ルヴェルの目は、かれらに向けられてはいるが、何の判断も評価もしない。

ルヴェルが語る残酷や悲惨に似たものを、私たちは日本のプロレタリア文学者、葉山嘉樹の作のいくつかにも、見ることができる。が、題材は似たところがあっても、印象は大きく異なる。たとえば「セメント樽の中の手紙」の女工は、愛する人の無惨な事故死を悲しんで手紙を書き、それを目にした者が彼の死を悼むことを願う。化学工場の排気で耳も指も融け相貌まで変わった「人間肥料」の労働者たちは、劣悪な環境のもとで好奇と嫌悪の視線を受けながらも、しぶとく生きている。葉山はかれらの傍からメッセージを込めて語るが、ルヴェルはつきはなし、ひとつの物語として語っている。それに恐怖するか、世の理不尽を嘆くか、どう読むかは読者次第だ。

編訳者はあとがきで、好事家の読み物だったルヴェルの作品に、近年になって新たな目が向けられるようになってきたことに触れている。本書の続刊が編まれ、ルヴェルの再評価がさらに進むことを願ってやまない。

吸血鬼ラスヴァン

英米古典吸血鬼小説傑作集

夏来健次・平戸懐古編訳　東京創元社　三〇〇〇円（税別）

〈評〉牧原勝志

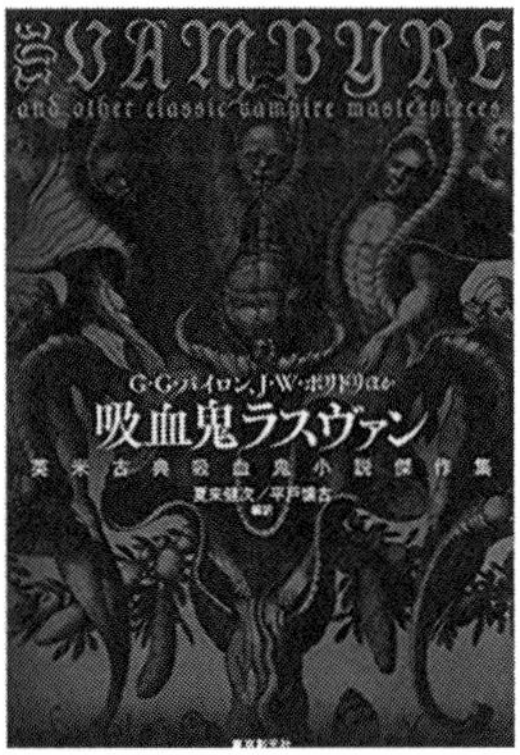

装丁：山田英春

　内輪話からさせていただく。『幻想と怪奇4　吸血鬼の系譜』の収録作品を選ぶさいに、進行中の本書の収録作品を、編訳者の夏来氏に教えていただいた。テーマを同じくするアンソロジーであり、出版時期も近いと思われたので、収録作品が重複するのを避けたかったから、というだけのことなのだが、ストーカーの『ドラキュラ』以前の吸血鬼小説に、まだ未紹介のものがあったのか、ということに驚きつつ、それらを集めて上梓する企画に、その時点でおおいに敬服していた。そして、英語で書かれた吸血鬼小説の古典と呼びうる未訳の中短編が、本書でほぼ邦訳されると知り、期待を膨らませたものだ。

　さて、その収録作だが、かの「ディオダティ荘の夜」を機に書かれたバイロンの断章とポリドリの表題作は、『ドラキュラ』以前という枠組ゆえに不可欠だが、こと後者の序文も含め、新訳での再読の機会が得られたことを感謝したい。その後には、本邦初訳の貴重な作が続く。これまで断片的な紹介にとどまっていた『吸血鬼ヴァーニー』の六章にわたる邦訳が『人狼ヴァグナー』にも共通する草双紙的な絢爛さを見せ、吸血鬼に仮託して社会の一面を描破したダーシー「黒い吸血鬼」やリントン「カバネル夫人の末路」があれば、吸血植物と闘う秘境奇譚あり、マルクス『資本論』における「吸血鬼」の語意を踏まえたかのような作もあり。『ドラキュラ』出現とともにイメージが固定される前の吸血鬼像の、未分化であったがゆえの多彩さを感じることができる。この時代ですでに吸血鬼は、スラヴの不死者だけではなかった。

　中でも巻末のヴィエレック「魔王の館」に注目しておきたい。ワイルドの『ドリアン・グレイの肖像』に触発された作といわれるだけに、「精神的吸血鬼」クラークはグレイを想起させるが、彼の信奉者の同性愛的な心象描写と相まって、エゴイスティックな非情さに吸血行為以上の凄惨さがある。本作のみ『ドラキュラ』以降の作だが、わずかな年月のあいだに、創作者の吸血鬼観が核心を保ちながらも変わっていったことが読みとれる。

　なお、本書の収録作品に、『幻想と怪奇4』に収録を考えたものが、一編ある。ご興味がおありの向きは、両書にお目通しのうえ、どれかを推理してみるのも一興かと。また、今秋の刊行を目指して制作中の『怪奇幻想の文学2　吸血鬼』は奇しくも、本書が展開した吸血鬼文学史の続きを物語ることになるだろう。

川端康成異相短篇集

川端康成　高原英理編　中央公論新社　九〇〇円（税別）

〈Reader's Review〉石倉康司

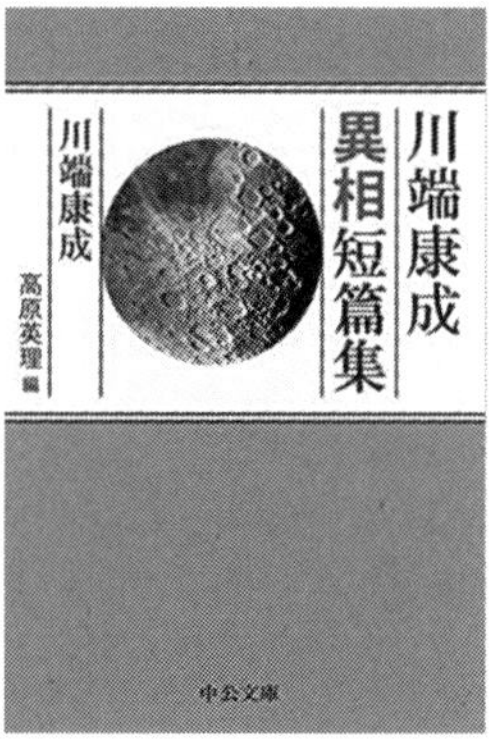

カバーデザイン：横須賀拓

私事ではあるが、高校生のころ文学にのめり込み、川端康成の作品に魅せられ、夢中になって読んでいた。主題である、死、女性、エロティシズム、芸術、神秘のことなど何も知らないまま、覗いてはいけない魔の領域に足を踏み入れるような心持ちで、ページを開いていたのをよく覚えている。それだけに、本書の収録作には時をあけて再読するものが多いが、読み返すことで初めて気づくことも多かった。

高原英理氏の編纂により、本書にはあまり知られていない、それでいて〈異相〉というテーマに相応しい作品が集められている。私が知る限り、全集を除けば入手困難な単行本でないと読めない貴重な作品も含まれており、膨大な川端康成の作品を広く深く読んだ上で選ばれたことが伺える。とりわけ濃密な死の香りが漂う作品が多いのだが、それでいて多彩な作品を集めているのが、この短篇集の特色だ。

例えば「朝雲」は、いわゆる幻想的な作風とは言い難い作品だが、少女が憧れの女教師を見つめる憧憬の視線に、現実の姿から異相への接続が確かに描かれている。本書の中に配置されていることで、川端作品における眼差しの魔力を読み解く助けになると言える。

さらに、「感情」（一九二四年発表）から、「めずらしい人」（一九六四年発表）まで、年代で見ても幅広く選んでいるのも本書の魅力だ。特に初期作品の「心中」「死体紹介人」を初めて読む人は、その実験精神に驚くだろう。「毛眼鏡の歌」も後の傑作「みづうみ」へ通じる偏執的なフェティシズムが描かれており、また、個人的な印象ではあるが、改めて読んでみるとネルヴァルの作風と近しいものを感じた。

因みに、興味本位で川端康成の知人が死去した時期を調べたのだが、伊藤初代が亡くなった同年に、収録作品の「たまゆら」が書かれていることに気がついた（彼女の婚約破棄が川端作品の世界観に多大な影響を与えているとされる）。この短篇で描かれている、亡き人への恋情を超えた愛情、一抹の寂しさや温かみは、川端康成の心に秘めた哀惜の念を表しているのかも知れない。

また、巻末に収められた編者の作品論は、現代の作家が川端康成の作品を論じるという点でも稀有なテキストとなっている。高原ファンにも嬉しい、読み応えのある解説だ。没後五十年を経てもなお未だ語り尽くされぬ、川端康成の魅力を存分に味わえる、優れた短篇集と言えるだろう。

ピラネージ

スザンナ・クラーク　原島文世訳　東京創元社　二四〇〇円（税別）

〈Reader's Review〉長尾竜之

装丁：柳川貴代

どこにあるのかわからない、巨大な石造りの館。その館には階段でつながる三つの階層があり、どこも広間が無限に続いている。海水に没した第一層はときおり潮に激しく洗われ、第三層は雲が覆っている。どの階層にもさまざまな大理石の像が立ち、チェスをする二人の王や玉座についた異端の教皇などがあるかと思えば、城を運ぶ象、ケンタウロスや巨大なミノタウロスもある。人影はなく、静寂が支配し、館の外は太陽と月、星空が見えるだけ……。

この奇妙な館が、本書の舞台だ。世界幻想文学大賞ほか数々の賞を獲得した歴史改変ファンタジー超大作『ジョナサン・ストレンジとミスター・ノレル』でデビューした英国の作家スザンナ・クラークは、一六年ぶりの長編第二作である本書では、がらりと趣向を変えてみせた。ミステリ的要素を効果的に駆使し、幻想文学愛好者も思わず唸る、三〇〇ページに満たないコンパクトなボリュームながら忘れがたい傑作を放ったのだ。

館の住人は第二層に暮らす三〇代前半の男「ぼく」。あとは週に二度現われる五〇から六〇ぐらいの歳の男「もうひとり」。そして一三人の死者の骨。「ぼく」は記憶がなく、自分が誰かもわからない。ただひたすら、広間から広間へと渡り歩き、周囲の様子を観察し、定期的に「もうひとり」に報告する。この無数の広間を歩いて観察していく描写の丹念さには、マンディアルグの幻想小説を読むような面白さがある。

「ぼく」の日常は謎の老人「預言者」の登場により、急展開を迎える。自分が誰なのか、なぜ記憶がないのか、この世界はいったい何なのか……「ぼく」は次々と手がかりを見つけ、真相に迫っていくが、この部分の展開には謎解きの醍醐味がぎっしり詰まっている。明らかになった想像を絶する事実……そして迎えた終幕。この終幕は美しく、感動的ですらある。

ちなみに本書の題名は「ぼく」の名前。「ぼく」は「もうひとり」にピラネージと呼ばれているのだ。もちろん作者は、息苦しくなるような幻想の牢獄の銅版画で有名な、あの一八世紀イタリアの銅版画家・建築家ピラネージから名前をとっている。本書を読み終えたら、余韻が残るうちにピラネージの牢獄作品に触れてみることをおすすめする。本書の味わいを別の角度からより深くしてくれるはずだ。

陽だまりの果て

大濱普美子　国書刊行会　二二〇〇円（税別）

〈Reader’s Review〉末吉姿子

装丁:大久保伸子　装画:武田史子

自分なりに「幻想文学とは何か」をとらえようとして、ひらめいたのが「目を閉じたときに見えるものを書く文学」という言葉だった。だが、我ながらうまいことを、などと思っていられたのもほんのわずかなあいだのことで、「該当する作品の題名を挙げよ」と自問し、つまづいた。

そんな折、六短編を収めた本書を読んで「もしかして、ここに入っているものの全部ではなくても、いくつかがそうなのかも」と思った。たとえば、「ツメタガイの記憶」の老婦人の昔語りや、「鼎ヶ淵」の日記帳の記述は、見えなかったもの、とらえようがないが、たしかに存在するものを、見せてくる。「ある」と気づくと不安になるのだが、それがどういうものなのかわからず、気になってしかたないようなものを。

表題作に現れる「陽だまり」も同様で、陽だまりは陽だまりでしかないのに、語り手は目を惹かれてしかたがない。惹きつけられるうちに、なんとも奇妙で不可解な事態に身を置くことになる。

ごく身近にありそうな物語のはじまり。それを語る、ごく自然な言葉。だが、そこから立ち上がってくるのは、それまで見えなかった、気づかずにいた「何か」。それは時として怖いものにもなる。語り手「私」とその「ツレアイ」の日常のひとこまを描いたかのような連作「連れ合い徒然」の、「その一石」では、ツレアイが浜で拾った石が、ホテルの洗面台にあるだけなのに、私には薄気味悪い。時間がたつにつれて、さらに怖くなってくる。何が起きるわけでもないのに、読むうちに私の恐怖が伝わってくる。

恐怖を描いているからといってもホラーとは言いにくいし、ロボットの話だからと「バイオ・ロボ犬」をＳＦとして扱うのも落ち着かない。他の五編はジャンルに当てはめることはできるかもしれないが、クミちゃんとキヨさん、高齢の女性たちの友情を描いた「骨の行方」はジャンル・フィクションではないだろうし。いや、作者自身ジャンルを意識しているようには思えないから、まして読者がジャンルを気にすることもないだろう。心地よい文章とともに、物語を味わえばいい。作中にしばしば現れるお料理やお菓子を想像で味わうように。

不思議で、奇妙で、怖くて、それでいてとても心地よい短編を集めた本書は、これが三冊目だという。遡って先の二冊も読みたくなる。『たけこのぞう』や『十四番線上のハレルヤ』の収録作にも見つけられそうだ――目を閉じたときにだけ見えるものが。

『幻想と怪奇』バックナンバーのご案内

お近くの書店にてお申し込みいただくか、
弊社HP記載のweb書店にてお求めください。

http://www.shinkigensha.co.jp/ （※サイト内で「幻想と怪奇」と検索してください）

幻想と怪奇4　吸血鬼の系譜　スラヴの不死者から夜の貴族へ

ISBN 978-4-7753-1872-0

ブラム・ストーカーの『吸血鬼ドラキュラ』以後、吸血鬼がもたらす恐怖と蠱惑の作品を、古今東西から集める。

幻想と怪奇3　平井呈一と西洋怪談の愉しみ

ISBN 978-4-7753-1854-6

平井呈一の訳業を、評論、エッセイと共に顧み、彼が愛した作家たちの作品をはじめ、傑作を新旧取り交ぜて収録。

幻想と怪奇2　人狼伝説　変身と野生のフォークロア

ISBN 978-4-7753-1824-9

英国怪奇小説、パルプ・フィクションを経て現代の都市伝説にまで脈々とつながる、変身と野生のフォークロアを追究。

幻想と怪奇1　ヴィクトリアン・ワンダーランド　英國奇想博覧會

ISBN 978-4-7753-1761-7

19世紀後半の英国で、自由な想像力をペンに乗せて競った作家らの奇想あふれる小説から現代作家たちの作品まで！

幻想と怪奇8　魔女の祝祭　魔法と魔術の物語

ISBN 978-4-7753-1963-5

魔法と魔術に関する逸品に加え、アレイスター・クロウリーと、彼が属した〈黄金の夜明け団〉の団員作家による創作を収録。

幻想と怪奇7　ウィアード・テールズ　恐怖と冒険の王国

ISBN 978-4-7753-1952-9

「幻想と怪奇」の専門誌『ウィアード・テールズ』に掲載されたＳＦを含む新たな怪奇と驚異、恐怖と冒険の物語が大集合！

幻想と怪奇6　夢境彷徨　種村季弘と夢想の文書館

ISBN 978-4-7753-1921-5

種村季弘の未発表翻訳作品、英国幻想文学大賞受賞作など、古今の幻想と怪奇の物語を集めた、夢と悪夢の文書館。

幻想と怪奇 5　アメリカン・ゴシック　E・A・ポーをめぐる二百年

ISBN 978-4-7753-1896-6

ポー自身の作品を中心に、彼が登場する以前のゴシック文学から、21世紀の作家によるオマージュまでを収録。

幻想と怪奇 傑作選

ISBN 978-4-7753-1760-0

名のみ知られた数々の名作を掲載し、後の幻想文学出版の礎石となった〈幻想と怪奇〉。その掲載作および、評論、コラム、書評を厳選し復刻。寄稿者による書き下ろしエッセイと、前身と言うべき幻の同人誌〈THE HORROR〉全4号を収録。

幻想と怪奇10　イギリス怪奇紳士録　英国怪談の二十世紀

ISBN 978-4-7753-2012-9

イギリスを代表する怪奇小説の書き手たちの中短編を集めました。古書あり骨董あり、謎めいた屋敷あり、そして趣味人も奇人もあり。幽霊や妖怪変化も、もちろん出現します。西洋怪談の粋をじっくりお楽しみください。

幻想と怪奇９　ミステリーゾーンへの扉　「奇妙な物語」の黄金時代

ISBN 978-4-7753-1999-4

パルプマガジン終盤期の1940年代から、ＴＶシリーズ「ミステリーゾーン」が人気を博した60年代までのあいだの、奇妙で、奇怪で、不思議な物語を、雑誌と放送媒体の双方で活躍した名手たちの短編を中心に集め、その時代を一望する。

『幻想と怪奇』応援店のご案内

バックナンバーを揃えていただいている以下の書店で『幻想と怪奇』をお買い求めいただくと、特典ポストカード（タイトル入りver.と装画ver.）を配布中です（数量限定につき、ご購入の際に書店にお問い合わせください）。

丸善＆ジュンク堂書店　札幌店	北海道札幌市中央区南一条西一丁目8-2
増子書店	茨城県鉾田市鉾田2473-2
丸善　丸広百貨店飯能店	埼玉県飯能市栄町24-4　丸広百貨店飯能店6F
ブックファースト　新宿店	東京都新宿区西新宿1-7-3 コクーンタワーB1F
ジュンク堂書店池袋本店	東京都豊島区南池袋2-15-5
盛林堂書店	東京都杉並区西荻南2-23-12
ジュンク堂書店　藤沢店	神奈川県藤沢市藤沢559 ビックカメラ7F
TSUTAYA　栃木城内店	栃木県栃木市城内町2-6-23
TSUTAYA　レイクタウン	埼玉県越谷市レイクタウン4-2-2 イオンレイクタウンkaze A-108
明屋書店イケヤ　高丘店	静岡県浜松市中区高丘東1-2-40
ジュンク堂書店　名古屋栄店	愛知県名古屋市中区新栄町1-1 明治安田生命名古屋ビルB1
丸善名古屋本店	愛知県名古屋市中区栄三丁目8-14
ちくさ正文館書店	愛知県名古屋市千種区内山3-28-1
小濱書店	三重県松阪市日野町2 ベルタウン1F
ジュンク堂書店　三宮店	兵庫県神戸市中央区雲井通6-1-15 サンシティビル7F
文信堂書店　長岡店	新潟県長岡市城内町1-611-1 CoCoLo長岡内
金沢ビーンズ明文堂	石川県金沢市鞍月5-158
紀伊國屋書店　広島店	広島県広島市中区基町6-27　アクア広島センター街6F

●**こちらに関するお問い合わせ**　（株）新紀元社 営業部　TEL:03-3219-0921【平日】9:00-17:00

寄稿者紹介（五十音順）

（括弧内の数字は掲載頁）

朝《あさ》松《まつ》健《けん》（152）

作家。主な著書に『血と炎の京』（文藝春秋）『邪神帝国』（早川書房）『東山殿御庭』（講談社）『妖臣蔵』（光文社）がある。

安《あん》野《の》玲《れい》（49）

英米小説翻訳者。訳書にジェイムズ・ブランチ・キャベル『土のひとがた』（国書刊行会）、アンナ・カヴァン『草地は緑に輝いて』（文遊社）、スティーヴン・キング『死の舞踏』（筑摩書房）、共訳書にジョー・ヒル『怪奇日和』『怪奇疾走』（以上ハーパーコリンズ・ジャパン）などがある。

井上《いのうえ》雅彦《まさひこ》（174）

小説家。星新一ショートショートコンテスト受賞を経てデビュー。著書に『夜会 吸血鬼作品集』（河出書房新社）、『ファーブル君の妖精図鑑』（講談社）など多数。最初期のショートショート「よけいなものが」は現在、朝宮運河編『再生 角川ホラー文庫ベストセレクション』（ＫＡＤＯＫＡＷＡ）に収録。

植《うえ》草《くさ》昌《まさ》実《み》（195他）

翻訳者。主な訳書にランガン『フィッシャーマン 漁り人の伝説』、ランズデール『死人街道』（共に新紀元社）、共訳書に紀田順一郎・荒俣宏監修『新編 怪奇幻想の文学1 怪物』（新紀元社）、井上雅彦編『予期せぬ結末』シリーズ（扶桑社）などがある。

熊《くま》井《い》ひろ美《み》（108）

翻訳者。主な訳書にシーバリー・クイン『グランダンの怪奇事件簿』、ルーパート・ペニー『密室殺人』（共に論創社）、コリン・ディッキー『ゴーストランド 幽霊のいるアメリカ史』（国書刊行会）がある。

久《く》美《み》沙《さ》織《おり》（184）

一九五九年岩手県盛岡市生まれ。おうし座のO型、納音は楊柳木、どうぶつ占いはオオカミ。上智大学文学部哲学科卒業。『小説ジュニア』にて短編デビュー。少女小説『丘の家のミッキー』、ＲＰＧノベライズ『小説ドラゴンクエストⅤ』など著書多数。個人サイト久美蔵（くみくら）kumikura.jp にて『夢の音 海の色』。note にて『DOG DAYS 八月の濡れた鼻』など、無料配信中。夫と娘と何種類かの動物たちと長野県軽井沢町在住。

柴《しば》田《た》勝《かつ》家《いえ》（170）

小説家。主な著作に『ヒト夜の永い夢』『アメリカン・ブッダ』（共に早川書房）、『スーサイドホーム』（二見書房）。近著に『メイド喫茶探偵黒苺フガシの事件簿』（星海社）がある。戦国武将の柴田勝家を敬愛する。

髙橋《たかはし》まり子《こ》（134）

英米文学翻訳家。主な訳書にジャニータ・シェリダン『翡翠の家』『珊瑚の涙』『金の羽根の指輪』、ハル・ホワイト『ディーン牧師の事件簿』、ジェーン・K・クリーランド『出張鑑定にご用心』『落札された死』（いずれも東京創元社）などがある。本シリーズでの翻訳は『幻想と怪奇9 ミステリーゾーンへの扉』所収のイヴリン・ファビアン「ナポレオンの帽子」に続き四度目。

田《た》村《むら》美《み》佐《さ》子《こ》（77）

翻訳家。主な訳書にサックス・ローマー『魔女王の血脈』（アトリエサード／書苑新社）、エヴァンジェリン・ウォルトン《マビノギオン物語》シリーズ、ピーター・トレメイン《修道女フィデルマ・シリーズ》『憐れみをなす者』『修道女フィデルマの采配』（共に東京創元社）がある。

野《の》村《むら》芳《よし》夫《お》（12）

英米文学翻訳家。主な訳書に、イアン・バンクス『蜂工場』、グレイ&モレーノ=ガルシア編『FUNGI——菌類小説選集』Ⅰ・Ⅱ（共にPヴァイン）、W・H・ホジスン『〈グレン・キャリグ号〉のボート』（アトリエサード／書苑新社）がある。大橋渡『奇襲』（Pヴァイン）を編纂・解説した。

ひらいたかこ（表紙イラスト）

イラストレーター。ミステリの装画や挿絵、絵本制作などで活動。画集の出版や原画展示も。最近の仕事に芦辺 拓『おじさんのトランク　幻燈小劇場』（光文社文庫）の装画&挿絵など。

藤原ヨウコウ（2）

イラストレーター、挿絵画家。最近の仕事に、武内涼『源平妖乱　鬼夜行』（祥伝社）装画、イザベル・ヤップ「アスファルト、川、母、子」（SFマガジン二〇二二年六月号）挿絵などがある。

深《ふか》田《だ》亨《とおる》（252）

小説家。『チャチャ・ヤング　ショート・ショート』（眉村卓 編・講談社）にてデビュー。星新一ショートショートコンテスト優秀賞受賞（別名義）。『異形コレクション』『ショートショートの宝箱』（いずれも光文社）などに作品収録。『幻想と怪奇7』に「降誕祭」を収録。

牧《まき》原《はら》勝《かつ》志《し》（271）

『幻想と怪奇』編集室長。編書に『新編　怪奇幻想の文学1　怪物』（新紀元社）がある。現在、『新編怪奇幻想の文学2　吸血鬼』を鋭意編集中。

宮《みや》壁《かべ》定《さだ》雄《お》（101）

怪奇小説研究家。共編に『ウィアードテールズ』全五巻、『定本ラヴクラフト全集』全一〇巻、共著に『ウィアードテールズ　別巻』がある（以上、国書刊行会）。

YOUCHAN（装丁）

イラストレーター。最近手掛けた主な装画に、『新編怪奇幻想の文学1　怪物』（新紀元社）、久米正雄『冷火』（盛林堂書房）、菱田信彦『快読「ハリー・ポッター」』（小鳥遊書房）がある。

紹介文は、各寄稿者にお書きいただいたものに基づき、編集室でとりまとめました。（M）

◆一年前の『幻想と怪奇7　ウィアード・テールズ』は好評をもって迎えられました。そこで、かのパルプマガジンを再びテーマにして、ここに第11巻を上梓します。今回はヒロイック・ファンタシーを中心にしました。白状しますと、私はこの分野にはあまり強くはありません。が、《愛蔵版　英雄コナン全集》の翻訳で御多忙中の中村融氏をはじめ、その道に通じた方々から御教示、御提案をいただきながら、企画を固めることができました。皆様にはこの場を持って御礼申し上げます。もっとも、一冊そっくり〝剣と魔法〟というわけにもいかないので、テーマはより大きく「ヒーロー」としました。書き下ろしはもちろんですが、奇遇にも今回収録した自主寄稿作品もまた、英雄の物語です。暗い話題の絶えない昨今、物語のヒーローたちがあなたの盟友となることを願っています。本書でヒロイック・ファンタシーにご興味を持たれた方は、発売中の『愛蔵版　英雄コナン全集1　風雲篇』をぜひお手にとって、剣と魔法の物語の始原に触れてみてください。

◆発刊まもなく始まり、今なお続くコロナウィルス禍の下、『幻想と怪奇』は幸いにも巻を重ねてきました。さらに幸いなことに、編集室一同、現在まで大過なく仕事に励んでおります。これも天佑というものでしょうか。かくも不安な時代だからこそ、自由な想像力の物語が必要であることを痛感しています。近頃は、怪奇幻想系統の出版企画を目にすることが、発刊当時よりも多くなりました。一点一点、出版される理由はさまざまでしょうが、思いを同じくしている人たちがいてくれるようにも感じています。

◆新生『幻想と怪奇』が三年を迎えるまでに、早あと一巻。《新編　怪奇幻想の文学》も《愛蔵版　英雄コナン全集》も続巻が控えています。他にも形にしたい企画が続々と湧いてきます。それらを一つでも多く形にできるよう、これからも励んでまいります。なお、次巻のテーマは『幻想と怪奇10　イギリス怪奇紳士録』で予告したものですが、「アーカム・ハウス」や「心霊学」などの準備も静かに進めております。どうか末永くお付き合いいただけますよう。

◆引き続き、書評はじめ、創作、翻訳、評論の投稿を受け付けております。送付先は左記のメールアドレスまで。
romanfantastic@shinkigensha.co.jp
郵送の場合は奥付記載の所在地まで、宛名は「新紀元社編集部内『幻想と怪奇』編集室」でお願いします。（M）

次回配本

幻想と怪奇12
ファントム・レディーズ in The U.K.
――メアリ・シェリーに始まる――
メアリ・シェリー
アメリア・B・エドワーズ
ダフネ・デュ・モーリア
マージェリー・ローレンス　他
二〇二二年十二月上旬刊行予定

幻想と怪奇　11
ウィアード・ヒーローズ　冒険者、魔界を行く

2022年9月11日　初版発行

企画・編集　牧原勝志（『幻想と怪奇』編集室）

発 行 人　福本皇祐
発 行 所　株式会社新紀元社
〒101-0054 東京都千代田区神田錦町1-7 錦町一丁目ビル2F
Tel.03-3219-0921　Fax.03-3219-0922
http://www.shinkigensha.co.jp/
郵便振替　00110-4-27618

協　　力　紀田順一郎　荒俣 宏

題　　字　原田 治
表 紙 絵　ひらい たかこ（Pen Studio）
デ ザ イ ン　YOUCHAN（トゴルアートワークス）

組　　版　株式会社明昌堂／『幻想と怪奇』編集室

印刷・製本　中央精版印刷株式会社

ISBN978-4-7753-2018-1
Printed in Japan
定価はカバーに表示してあります。